Nora Roberts bij Uitgeverij M:

Het eind van de rivier
Thuishaven
De schuilplaats
Begraaf het verleden
De villa

www.uitgeverij-m.nl

De website van Uitgeverij-M bevat informatie over auteurs,
boeken en voordeelcoupons, nieuws, leesproeven,
voorpublicaties en ledenpagina's voor de lezers van *de Thrillerkrant* en
Science Fiction & Fantasy WARP, en wordt wekelijks ververst en aangevuld.

Nora Roberts

Dansen
op lucht

Oorspronkelijke titel *Dance upon the Air*
Copyright © 2002 Nora Roberts
Vertaald door Eny van Gelder
Omslagontwerp Isabelle Vigier
Omslagillustratie Michael Wicks / Quarto Publishing

Eerste druk november 2002

Copyright Nederlandse vertaling © 2002 De Boekerij bv
Uitgeverij M is een imprint van De Boekerij bv, Amsterdam

ISBN 90 225 3389 1 / NUR 330

Voor de meiden, de donderstenen, de stijfkoppigen en de schatjes,
Voor de pret en de vriendschap

It is sweet to dance to violins
When Love and Life are Fair:
To dance to flutes, to dance to lutes
Is delicate and rare:
But it is not sweet with nimble feet
To dance upon the air!

OSCAR WILDE

(Te dansen bij vioolmuziek is fijn
Wanneer Liefde en Leven naar wens verlopen;
Te dansen bij luiten, of te dansen bij fluiten
Is moeilijk en komt zelden voor;
Maar het is niet fijn om in snelle pas
Te dansen op de lucht!)

Proloog

*E*en uur voor het opkomen van de maan ontmoetten ze elkaar in het geheim in de donkergroene schaduwen diep in de bossen. Over enkele ogenblikken zou de langste dag overgaan in de kortste nacht van de zonnewende.

Deze sabbat van Litha zou niet worden gevierd en er zou geen ritueel dankgebed plaatsvinden voor licht en warmte. Deze midzomer was er een van onwetendheid en van dood.

De drie die bij elkaar kwamen, deden dat uit angst.

'Hebben we alles wat we nodig hebben?' Degene die bekendstond als Lucht trok haar kap dichter om haar hoofd zodat geen enkele blonde haarlok in het licht van de stervende dag kon worden gezien.

'Zoals wij willen, zo zal het zijn.' Aarde legde haar pakje op de grond. Het deel van haar dat wilde huilen en schreeuwen van woede om wat moest gebeuren, om wat hen te wachten stond, was diep weggestopt. Ze hield het hoofd gebogen waardoor het dikke bruine haar vrij naar voren viel.

'Hebben we geen andere keus?' Lucht raakte met haar hand Aardes schouder aan, en beiden keken ze naar de derde persoon.

Ze was slank en stond kaarsrecht. Er lag spijt in haar ogen, maar daarachter lag onwrikbare vastbeslotenheid. Zij was Vuur, en ze wierp met een uitdagend gebaar haar kap naar achteren. Golven van rode krullen stroomden eruit.

'Door onze manier van doen is er geen andere. Ze zullen ons als dieven en bandieten opjagen en ons vermoorden, op dezelfde wijze waarop ze al

7

een arme onschuldige hebben vermoord.'

'Bridget Bishop was geen heks,' zei Aarde verbitterd terwijl ze overeind kwam.

'Nee, en dat heeft ze het hooggerechtshof ook gezegd. Ze heeft het gezworen. Toch hebben ze haar opgehangen. Ze hebben haar vermoord vanwege de leugens van een paar jonge meisjes en het geraaskal van de fanaten die zwavel ruiken in ieder vleugje lucht.'

'Maar er zijn petities overhandigd.' Lucht vlocht haar vingers in elkaar als een vrouw die wilde bidden. Of smeken. 'Niet iedereen ondersteunt het hof of deze verschrikkelijke achtervolging.'

'Het zijn er te weinig,' murmelde Aarde. 'En het kwam veel te laat.'

'Het zal niet met deze ene dode eindigen. Ik heb het gezien.' Vuur sloot haar ogen en zag opnieuw de verschrikkingen die in het verschiet lagen. 'Onze bescherming kan de jacht niet ontlopen. Ze zullen ons vinden, en ze zullen ons uitroeien.'

'We hebben niets gedaan.' Lucht liet haar handen langs haar zijde vallen. 'We hebben geen kwaad gedaan.'

'Wat voor kwaad heeft Bridget Bishop gedaan?' wierp Vuur haar voor de voeten. 'Wat voor kwaad hebben de anderen het volk van Salem gedaan die ook zijn beschuldigd en op hun rechtszaak wachten? Sarah Osborne is in een gevangenis in Boston gestorven. Voor welke misdaad?'

Ze werd door een vurige, intense woede verteerd die ze meedogenloos van zich afwierp. Zelfs nu weigerde ze zich door de macht van woede en haat te laten besmeuren.

'Deze puriteinen zijn met bloed besmeurd,' ging ze door. 'Die *pioniers*. Het zijn fanaten, en ze zullen een golf van dood veroorzaken voordat het gezonde verstand terugkeert.'

'Konden we maar helpen.'

'We kunnen het niet tegenhouden, zuster.'

'Nee,' zei Vuur met een knikje naar Aarde. 'Het enige dat we kunnen doen is overleven. Daarom verlaten we dit oord waar we ons thuis hebben gevoeld, en het leven dat we hier hebben geleid. Maar we gaan een nieuwe thuishaven scheppen.'

Zachtjes nam ze het gezicht van Lucht in haar handen. 'Treur niet om wat nooit kan zijn, maar wees blij om wat wel kan zijn. Wij zijn de Drie, en we zullen hier niet bedwongen worden.'

'We zullen eenzaam zijn.'

'We zullen samen zijn.'

En in die laatste flikkeringen van de dag trokken ze hun kring – een bij twee bij drie. Vuur trok een kring op de aarde, en de wind hief de vlammen.

Binnen de magische kring vormden ze hand in hand een tweede kring. Lucht had zich erbij neergelegd en hief haar gezicht naar de hemel. 'Zoals de nacht de dag neemt, zo offeren wij dit licht. Wij zijn trouw aan onze levenswijze en staan voor het recht. Hier is de waarheid uitgevoerd, in een cirkel van één.'

Aarde verhief uitdagend haar stem. 'Dit uur is ons laatste uur op deze grond. Heden, toekomst, en verleden, we zullen niet worden gevonden. Kracht, geen berouw, een cirkel van twee.'

'We hebben onze krachten aangeboden zonder iemand schade te doen, maar de jacht op ons bloed is al begonnen. We zullen ver hiervandaan een thuishaven voor ons scheppen.' Vuur hief de ineengeslagen handen hoog op. 'Weg van de dood, weg van de angst. De macht leeft vrij in een cirkel van drie.'

De wind kwam in vlagen, de aarde beefde. En het magische vuur doorboorde de nacht. Drie stemmen verhieven zich eenstemmig.

'Laat dit land zich losscheuren van de haat. Laat het zich boven de angst, de dood en de verachting uitheffen. Splijt de rotsen, splijt de bomen, splijt de heuvelen en de rivier. Draag ons weg op een midzomerse manestraal, voorbij de klippen, voorbij de kust, en laat dit land voor eeuwig afgescheiden zijn. We nemen ons eiland mee naar de zee. Zoals ik wil, zo zal het zijn.'

En in het woud klonk een enorm geruis, een kolkende, woeste wind, een wild opspringend vuur. En terwijl degenen die joegen op wat ze nooit hadden begrepen in hun rechtschapen bedden sliepen, steeg een eiland omhoog in de lucht en draaide in krankzinnige bochten naar de zee.

Daar nestelde het zich veilig en sereen op de stille golven. En zoog in die kortste nacht zijn eerste levensteug in.

1

HET EILAND DE DRIE ZUSTERS

JUNI 2001

Ze keek strak voor zich uit naar de groene, bulterige klomp land in de verte die zijn geheimen steeds meer prijsgaf. De vuurtoren... natuurlijk. Een eilandje voor de kust van New England kon niet zonder die robuust opstijgende piek. En deze stond puur en verblindend wit boven op een woest stuk rots. Zoals het hoorde, dacht Nell.

Er stond een stenen huis naast, nevelgrijs in het schelle zomerse licht, met puntige daken en gevelspitsen en iets wat naar ze hoopte een uitkijkplatform was dat rondom de bovenste verdieping liep.

Ze had schilderijen van de Vuurtoren van de Zusters gezien, en van het huis dat er zo stoer en stevig naast stond. Ze had het in een winkeltje op het vasteland ontdekt, en het had haar impulsief naar de autoveerpont gedreven.

Ze had zes maanden lang impulsen en instincten gevolgd, na de twee maanden waarin haar nauwgezette en moeizaam uitgewerkte plan haar de vrijheid had bezorgd.

Iedere seconde van die twee maanden waren pure doodsangst geweest. Maar geleidelijk aan was de doodsangst afgenomen tot gewone angst, een ander soort angst, de niet-aflatende angst dat ze weer zou kwijtraken wat ze eindelijk had teruggevonden.

Ze was gestorven om weer te kunnen leven.

Maar nu was ze het beu om nog langer op de vlucht te zijn, zich te verbergen, onder te duiken in drukke steden. Ze wilde een eigen huis. Had ze dat niet altijd al gewild? Een eigen huis, wortels, familie, vrienden. Iets vertrouwds dat nooit te scherp over haar zou oordelen.

Misschien zou ze iets ervan daarginds kunnen vinden, op dat nietige, door de zee omarmde stukje land. Ze kon beslist niet verder van Los Angeles verwijderd zijn dan op dit mooie eilandje – behalve dan wanneer ze het land zou verlaten.

Als ze op het eiland geen werk kon vinden, kon ze er nog altijd een paar dagen doorbrengen. Een soort vakantie van de vlucht, besloot ze. Ze zou van de rotsige stranden genieten, van het dorpje, ze zou de klippen beklimmen en door het dichte stuk bos dwalen.

Ze had geleerd elk moment dankbaar te zijn voor iedere minuut van haar leven, en het te koesteren. Dat was iets dat ze nooit meer zou verleren.

Verrukt van de verspreid liggende gepotdekselde cottages achter de kade leunde ze over de reling van de veerpont en liet de wind door haar haar waaien. Het had de natuurlijke, zongebleekte blonde kleur weer terug. Toen ze was weggevlucht, had ze opgewekt de lange dikke krullen afgeknipt en het jongenskopje donkerbruin geverfd. Gedurende de afgelopen maanden had ze het van tijd tot tijd in een andere kleur geverfd – knalrood, gitzwart, lichtbruin. Ze droeg het nog steeds behoorlijk kort en steil.

Het betekende toch wel iets dat ze eindelijk in staat was het er maar bij te laten. Het wees erop dat ze weer een beetje zichzelf was geworden, dacht ze.

Evan had het graag lang gezien, in losse, dikke krullen. Soms had hij het gebruikt om haar dwars over de vloer en de trap af te trekken. Alsof het kettingen waren.

Nee, ze zou het nooit meer lang laten groeien.

Ze werd door een huivering bevangen en ze keek snel over haar schouder om haar blik over de auto's en de mensen te laten gaan. Haar mond werd kurkdroog en haar keel begon te branden toen ze naar een lange, slanke man met gouden haren zocht, en met ogen zo kleurloos en hard als glas.

Hij was er natuurlijk niet. Hij was drieduizend mijl ver weg. Wat hem betrof was ze dood. Had hij haar niet honderd keer gezegd dat ze alleen aan hem zou kunnen ontsnappen door dood te gaan?

Helen Remington was doodgegaan zodat Nell Channing kon leven.

Woedend op zichzelf dat ze weer naar het verleden was teruggekeerd, ook al was het maar even en alleen in gedachten, probeerde Nell zich tot rust te brengen. Ze ademde langzaam in en uit. Zoute lucht, zout water. Vrijheid.

Terwijl haar schouders zich weer wat ontspanden, speelde er een aarzelend lachje om haar mond. Ze bleef aan de reling staan, een kleine vrouw met kort, zonnig haar dat vrolijk om een sierlijk gemodelleerd gezichtje danste. Haar mond, zacht en zonder lippenstift, krulde zich en bracht heel even kuiltjes in haar wangen. Van blijdschap begon haar huid rozig te gloeien.

Ze droeg geen make-up. Ook dat was een opzettelijke daad. Een deel van haar verborg zich nog steeds, voelde zich nog steeds opgejaagd, en ze deed haar uiterste best om zo onopvallend mogelijk te blijven.

Ooit had men haar een schoonheid genoemd, en had ze zich dienovereenkomstig verzorgd. Ze had zich gekleed zoals haar werd opgedragen. Ze had glad vallende, sexy, geraffineerde kleren gedragen, uitgekozen door een man die beweerde boven alles van haar te houden. Ze had het gevoel van zijde op haar huid gekend, hoe het was om achteloos diamanten om haar hals te bevestigen. Helen Remington had alle privileges van grote rijkdom gekend.

En drie jaar lang had ze een angstig en ellendig leven geleid.

Nell droeg een eenvoudige katoenen blouse op een verschoten spijkerbroek. Haar voeten voelden lekker aan in goedkope witte gympen. Haar enige sieraad was een antiek medaillon dat van haar moeder was geweest.

Sommige dingen waren te kostbaar om achter te laten.

Toen de veerpont langzaam op de kade afvoer, liep ze terug naar haar auto. Ze zou met één enkel koffertje met al haar bezittingen, een roestige tweedehandse Buick, en 208 dollar in contanten op de Drie Zusters arriveren.

En ze voelde zich zielsgelukkig.

Niets, dacht ze terwijl ze haar auto bij de kade parkeerde en te voet verderging, kon verder verwijderd zijn van de pretpaleizen en de glitter en glamour van Beverly Hills. En niets, besefte ze, had haar ooit zo aangesproken als dit dorpje dat aan een ansichtkaart deed denken. Huizen en winkels zagen er keurig en goedverzorgd uit, de verf verbleekt door het zoute water en de zon. De straatjes met de kinderkopjes die tegen het heuvelachtige terrein opklommen of naar de kade afdaalden waren kronkelig en brandschoon.

De tuinen zagen eruit alsof ze met veel liefde werden onderhouden, alsof onkruid hier verboden was. Achter de lattenhekken blaften honden, en kinderen reden op knalrode en staalblauwe fietsjes rond.

Op de kaden zelf was het een en al bedrijvigheid. Boten en netten en mannen met verweerde gezichten en met hoge rubberlaarzen aan. Ze kon de vis en het zweet ruiken.

Ze liep vanaf de kade de heuvel op en draaide zich om naar wat er achter haar lag. Van hieruit kon ze de toerboten door de baai zien ploegen, en het sikkelvormige stukje zandstrand waar mensen languit op badlakens lagen of in de stevige branding op en neer deinden. Een rood trammetje met RONDRIT DRIE ZUSTERS in witte letters erop liep snel vol met dagjesmensen, beladen met camera's.

Dit eiland zou wel op de visserij en het toerisme drijven. Maar dat was de economische kant. Het had de zee, de stormen, en de tijd getrotseerd. Het had standgehouden en in zijn eigen tempo weten te gedijen. Daar was moed voor nodig, dacht ze.

Het had haar veel te veel tijd gekost om zelf die moed op te brengen.

High Street liep dwars door de heuvels, met links en rechts winkels en restaurants en zaken die naar ze aannam met het eiland te maken hadden. Als eerste zou ze naar een restaurant moeten gaan, bedacht ze. Misschien zou ze er een baantje als serveerster kunnen krijgen, of als kok voor de kleine kaart, in ieder geval voor het zomerseizoen. Als ze werk vond, kon ze op jacht gaan naar een kamer.

Dan kon ze blijven.

En over een paar maanden zou iedereen haar kennen. Ze zouden naar haar zwaaien als ze langs kwam lopen, of haar bij de naam roepen. Ze was het zo moe om een onbekende te zijn, om niemand te hebben met wie ze kon praten. En dat niemand zich iets van haar aantrok.

Ze bleef staan om het hotel wat beter te bekijken. In tegenstelling tot de overige gebouwen was het van steen in plaats van hout. De drie verdiepingen, met versierde dakspanten, ijzeren balkons en spitse daken, zagen er ontegenzeggelijk romantisch uit. De naam paste erbij, vond ze. De Betoverde Herberg.

Ze durfde te wedden dat ze hier werk zou kunnen vinden. Als serveerster in de eetzaal, of bij de huishoudelijke staf. Een baantje was haar eerste prioriteit.

Maar ze kon er niet toe komen naar binnen te gaan en erom te vragen. Ze wilde nog wat tijd, een beetje tijd voordat ze tot de praktische kant van de zaak overging.

Wispelturig, zou Evan hebben gezegd. Je bent veel te wispelturig en dommer dan goed voor je is, Helen. Je mag de Here danken dat je mij hebt om voor je te zorgen.

Omdat zijn stem veel te duidelijk in haar oren klonk, omdat de woorden aan het zelfvertrouwen knaagden dat ze langzaam weer had opgebouwd, wendde ze zich doelbewust af en liep de andere kant uit.

Ze zou verdorie een baantje zoeken als ze er klaar voor was, maar nu wilde ze rondslenteren, de toerist uithangen, op verkenning gaan. Wanneer ze High Street door was geslenterd zou ze weer naar de auto gaan en het hele eiland rondrijden. Ze zou niet eens bij het vvv-kantoor stoppen om een kaart te halen.

Ze zou haar neus volgen, dus hees ze haar rugzak op de rug en stak de straat over. Ze passeerde galerieën en souvenirwinkels en bleef voor de etalages hangen. Ze genoot van de mooie dingen die doelloos waren uitgestald. Wanneer ze zich ergens had gevestigd zou ze op een dag weer een huis inrichten zoals zij het wilde, vol rommel en kleur en leuke dingen.

Ze zag een ijssalon en moest lachen. Binnen stonden ronde glazen tafeltjes en witte ijzeren stoeltjes. Aan een van de tafeltjes zat een gezinnetje van vier te lachen terwijl ze de slagroom en de gekleurde hagelslag oplepelden. En jongen met een witte muts en schort stond achter de toonbank, en een meisje in een slordig afgeknipte spijkerbroek stond met hem te flirten terwijl ze de soorten ijs bekeek.

Nell sloeg het beeld in haar hoofd op en liep verder.

Bij het zien van de boekwinkel bleef ze zuchtend staan. Haar huis zou ook vol met boeken staan, maar geen zeldzame eerste edities die niet bedoeld waren om te worden opengeslagen en te lezen. Ze zou oude, beduimelde boeken hebben, en glanzende nieuwe pockets met allerlei verhalen. In feite was dat iets waarmee ze nu meteen kon beginnen. Een pocketje zou niet veel extra gewicht aan haar rugzak toevoegen als toch bleek dat ze verder zou moeten reizen.

Haar blik ging van de uitstalling in de etalage naar de gotische letters die dwars over de ruit liepen. Café Boek. Nou, dat kon niet beter. Ze zou alle stapels doorlopen, iets leuks te lezen vinden, en het bij een kop koffie inkijken.

Ze liep naar binnen waar het naar bloemen en kruiden rook, en ze hoorde fluiten en harpen spelen. Het hotel was niet het enige dat magie uitstraalde, dacht Nell op het moment dat ze over de drempel stapte.

Op diepblauwe planken stonden boeken in een orgie van kleuren en vormen. Boven haar hoofd brandden piepkleine lichtjes als sterretjes aan het plafond. De kassa stond op een oude eikenhouten commode waarin feeën en halvemanen diep waren uitgesneden.

Erachter zat een vrouw met zwart piekhaar op een hoge kruk wat verveeld in een boek te bladeren. Ze keek op en zette haar zilverkleurige bril recht op haar neus.

'Môgge. Kan ik u helpen?'

'Ik wil alleen even rondkijken.'

'Ga je gang. Laat me maar weten als ik kan helpen.'

De verkoopster keerde weer terug naar haar boek en Nell begon rond te dwalen. Aan de overkant van het vertrek stonden twee grote, gemakkelijke stoelen tegenover een open haard. Op de tafel ertussen stond een lamp met een voet in de vorm van een vrouw in een lang gewaad die de armen hoog had geheven. Op andere planken zag ze sieraden, beeldjes van gekleurd gesteente, kristallen eieren en draken. Ze kuierde verder langs boeken aan de ene kant en rijen kaarsen aan de andere.

Achterin liep een wenteltrap naar de etage erboven. Ze liep naar boven en vond nog meer boeken en sieraden, en het café.

Een stuk of zes tafeltjes van glanzend hout waren bij het raam geplaatst. Langs de kant stonden een glazen uitstalkast en een toonbank met een indrukwekkende hoeveelheid gebak, sandwiches en een pan met de soep van de dag. De prijzen waren aan de hoge kant maar niet onredelijk. Nell overwoog om soep en een kop koffie te nemen.

Ze liep naar de toonbank en hoorde stemmen door een openstaande deur achter de toonbank komen.

'Dit is belachelijk, Jane. Volslagen onverantwoordelijk.'

'Niet waar. Het is Tims grote kans, en op die manier komen we tenminste van dit verrekte eiland af. We laten die kans niet lopen.'

'De kans op een auditie voor een toneelstuk dat misschien wel of misschien ook niet in een van de zijstraten van Broadway wordt opgevoerd, kun je beslist geen grote kans noemen. Jullie hebben daar geen van beiden een baan. Jullie zullen geen…'

'We gaan, Mia. Ik heb je gezegd dat ik tot twaalf uur vandaag zou werken, en dat heb ik gedaan.'

'Je hebt me dat nog geen vierentwintig uur geleden verteld.'

Er klonk ongeduld in de stem door – een lage, mooie stem. Nell wilde ondanks zichzelf blijven luisteren en kwam wat dichterbij.

'En hoe moet ik verdikkeme het café runnen zonder iemand die kookt?'

'Alles draait alleen om jou, hè? Je bent niet eens in staat om ons succes te wensen.'

'Ik zal wensen dat jullie een wonder beleven, Jane, want dat zullen jullie nodig hebben. Nee, wacht nou – loop nou niet kwaad weg.'

Nell zag in de deuropening wat bewegen en deed een stapje opzij. Maar niet zover dat ze niets meer kon horen.

'Pas goed op jezelf. Veel geluk. O verdorie, mijn zegen heb je, Jane.'

'Oké.' Er klonk wat luidruchtig gesnuif. 'Het spijt me, eerlijk. Het spijt me dat ik je zomaar in de steek laat. Maar Tim moet dit gewoon doen, en ik moet er voor hem zijn. Dus... Ik zal je missen, Mia. Ik zal je schrijven.'

Nell wist achter wat planken weg te duiken toen een huilend meisje rennend van achteren kwam en de trap afholde.

'Nou, mooie boel is dat.'

Nell gluurde om een hoekje en begon uit bewondering automatisch met haar ogen te knipperen.

De vrouw die in de deuropening stond was een visioen. Nell kon er geen ander woord voor bedenken. Haar dikke bos haar had de kleur van herfstbladeren, roodgoud, die over de schouders van een lange blauwe jurk tuimelden. De mouwen waren kort genoeg dat ze de fonkelende, zilveren armbanden om haar polsen vrij spel gaven. Ze had rookgrijze ogen die op dit moment vuur spuwden en het hele, smetteloze gezicht domineerden. Ze had geprononceerde jukbeenderen, en een volle, brede mond die knalrood was geverfd. En een huid als... Nell had wel eerder gehoord dat een huid met albast werd vergeleken, maar dit was de eerste keer dat ze het met eigen ogen zag.

Ze was lang, zo slank als een den, en volmaakt.

Nell wierp een blik op de cafétafeltjes om te kijken of de klanten die er al zaten net zo verbijsterd waren als zijzelf. Maar niemand scheen de vrouw op te merken, of de woede die als kokend water om haar heen borrelde.

Ze kwam een beetje naar voren om haar wat beter te kunnen bekijken, en meteen verplaatste de blik uit die grijze ogen zich en nagelden haar vast.

'Hallo. Kan ik je helpen?'

'Ik was... ik dacht... ik wilde graag een kopje cappuccino en een kom soep bestellen. Alstublieft.'

Er verscheen heel even een geërgerde blik in Mia's ogen waardoor Nell bijna weer achter de planken wegdook. 'Die soep kan ik wel aan. Vandaag hebben we kreeftensoep. Maar ik ben bang dat het koffiezetapparaat mijn pet te boven gaat.'

Nell keek naar het prachtige rood- en geelkoperen apparaat en er begon iets te kriebelen. 'Ik zou het zelf wel kunnen zetten.'

'Weet je dan hoe zo'n ding werkt?'

'Om eerlijk te zijn wel, ja.'

Mia dacht even na en gaf Nell toen een knikje waardoor deze meteen achter de toonbank schoot.

'Als ik toch bezig ben, kan ik er ook wel eentje voor u zetten.'

'Waarom ook niet.' Een dapper konijntje, dacht Mia bij zichzelf terwijl ze naar Nell keek die met het koffiezetapparaat in de weer was. 'En wat heeft jou bij mij op de stoep doen belanden? Een trektocht?'

'O nee.' Nell kreeg een kleur toen ze aan haar rugzak dacht. 'Nee, ik ben een beetje de omgeving aan het verkennen. Ik ben op zoek naar een baantje en een kamer.'

'Aha.'

'Neem me niet kwalijk, ik weet dat het onbeleefd was, maar ik ving jul- lie... gesprek op. Als ik het goed begrijp, zit u een beetje in de knel. Ik kan koken.'

Mia keek naar de opstijgende damp en luisterde naar het gesis. 'Is dat zo?'

'Ik ben een heel goeie kok.' Nell gaf Mia de schuimende koffie. 'Ik heb in de catering gewerkt, en in een bakkerij, en ik ben serveerster geweest. Ik weet hoe ik eten moet klaarmaken en opdienen.'

'Hoe oud ben je?'

'Achtentwintig.'

'Heb je een strafblad?'

Nell moest giechelen, of ze wilde of niet. Heel even was het duidelijk in haar ogen te zien. 'Nee, ik ben afschuwelijk eerlijk, betrouwbaar in mijn werk en een creatieve kok.'

Klets niet zoveel, klets niet zoveel! vermaande ze zichzelf, maar ze leek niet te kunnen stoppen. 'Ik heb een baan nodig omdat ik graag op het ei- land wil wonen. Ik zou hier graag een baan hebben omdat ik van boeken hou en omdat de sfeer van uw winkel me al beviel zodra ik een voet over de drempel had gezet.'

Dat leek Mia te intrigeren en ze keek haar met een schuin hoofd aan. 'En wat voelde je dan precies?'

'Perspectieven.'

Een uitstekend antwoord, dacht Mia peinzend. 'Geloof je in perspec- tieven?'

Nell dacht even na. 'Ja, dat moest ik wel.'

'Mogen we even?' Er was een stelletje naar de toonbank gekomen. 'We willen graag twee ijsmokka's en twee van die moorkoppen.'

'Komt eraan. Een momentje graag.' Mia wendde zich weer tot Nell. 'Je bent aangenomen. Achter vind je een schort. De details regelen we later wel.' Ze nam een slokje van haar cappuccino. 'Lang niet slecht,' zei ze nog en ging toen opzij. 'O ja… hoe heet je?'

'Nell. Nell Channing.'

'Welkom op de Drie Zusters, Nell Channing.'

∾ ∾ ∾

Mia Devlin runde Café Boek zoals ze haar hele leven runde. Met aangeboren flair, en voornamelijk omdat ze het zelf leuk vond. Ze was een slimme zakenvrouw die ervan genoot om winst te maken. Maar wel altijd op haar manier.

Als ze iets vervelend vond, negeerde ze het. Als er iets was dat haar intrigeerde, wilde ze er het fijne van weten.

Op dit moment was het Nell Channing die haar intrigeerde.

Als Nell haar vakbekwaamheid zou hebben overdreven, zou Mia haar zonder enige spijt net zo snel hebben ontslagen als ze haar had aangenomen. Als ze ervoor in de stemming was, zou ze Nell misschien aan een baantje ergens anders hebben geholpen. Dat zou haar niet veel tijd hebben gekost en het zou haar zaak geen kwaad hebben gedaan.

Ze zou dat alleen hebben gedaan omdat iets aan Nell haar aantrok. Dat gebeurde gelijk toen die grote blauwe ogen haar aankeken.

Gekwetste onschuld. Dat was Mia's eerste indruk geweest, en ze vertrouwde onvoorwaardelijk op haar eerste indrukken. En competent, dacht Mia, hoewel daaraan momenteel wel het een en ander mankeerde.

Maar toch, zodra Nell zich had omgekleed en met haar werk in het café was begonnen, was ze daar in ieder geval aardig tot rust gekomen.

Mia hield haar de hele middag in het oog en merkte dat ze de bestellingen, de klanten, de kassa en het verbijsterende mysterie van het espressoapparaat prima in de hand hield.

Ze moest wel iets aan haar uiterlijk doen, besloot Mia. Hier op het eiland ging het er gemakkelijk aan toe, maar die oude spijkerbroek was naar Mia's smaak een beetje al te onconventioneel.

Tot nu toe tevreden liep Mia terug naar de keuken van het café. Het maakte indruk op haar dat de toonbank en de apparaten schoon waren. Jane had nooit kans gezien een nette kok te zijn, zelfs niet terwijl ze al het bakwerk ergens anders deed.

'Nell?'

Ze overviel Nell, die schrok en zich met een ruk omdraaide van het fornuis waar ze de branders aan het schuren was. Ze keek met een knalrood gezicht naar Mia en de jonge vrouw naast haar.

'Ik wilde je niet aan het schrikken maken. Dit is Peg. Zij staat van twee tot zeven achter de toonbank.'

'O. Hallo.'

'Hoi. Tjee, ik kan gewoon niet geloven dat Jane en Tim er echt vandoor gaan. Naar New York nog wel!' Peg klonk een beetje jaloers. Ze was klein van stuk, pittig en had een bos krullen die bijna wit was uitgebeten. 'Jane maakte heerlijke bosbessenmuffins…'

'Ja, nou, Jane en haar muffins zijn verleden tijd. Blijf jij even in het café, want ik moet met Nell praten.'

'Komt voor mekaar. Ik zie je later nog wel, Nell.'

'Zullen we even naar mijn kantoor gaan? Dan zullen we meteen de puntjes op de i zetten. We zijn van tien tot zeven open, in de zomer tenminste. In de winter doen we het kalmer aan, dan sluiten we om vijf uur. Peg geeft de voorkeur aan de middagdienst. Ze houdt van uitgaan en is geen ochtendmens. Maar we gaan wel om tien uur open en dat betekent dat ik je hier 's ochtends nodig heb.'

'Ik vind het prima.' Ze liep achter Mia aan een tweede trap op. Ze had niet goed opgelet, besefte ze. Ze had niet geweten dat de winkel drie etages had. Een paar maanden geleden zou zo'n detail haar nooit zijn ontgaan. Ze zou alles hebben nagelopen, en vooral de uitgangen.

Dat je je ontspant betekent nog niet dat je nalatig mag worden, hield ze zichzelf voor. Ze moest erop voorbereid zijn elk moment weer op de vlucht te moeten slaan.

Ze passeerden een grote opslagkamer vol boekenplanken en opgestapelde dozen en liepen door een andere deur Mia's kantoor in.

Het antieke kersenhouten bureau paste bij haar, dacht Nell. Ze zag Mia als iemand die omringd was door weelde en schoonheid. Er stonden bloemen, goed gedijende planten, en schalen vol met stukjes kristal en glad geslepen stenen. Behalve het stijlvolle meubilair stond er ook een eersteklas computer, een fax, archiefkasten en planken vol catalogussen van uitgeverijen. Mia wees naar een stoel en ging zelf achter het bureau zitten.

'Je hebt nu een paar uur in het café gewerkt en hebt dus gezien wat voor eten er wordt opgediend. Iedere dag hebben we een speciale sandwich, de dagsoep, en een kleine keus uit andere sandwiches. Twee of drie soorten salades. Gebak, koeken, muffins en crackers. Ik liet het aan de kok over om het menu samen te stellen. Kun jij dat ook?'

'Ja mevrouw.'

'Alsjeblieft zeg, ik ben nog geen jaar ouder dan jij. Ik heet Mia. Totdat we zeker weten dat dit werkt, zou ik graag willen dat je voorlopig het menu samenstelt en het door mij laat keuren.' Ze haalde een blocnote uit de la en reikte het haar over het bureau aan. 'Zou je eens willen opschrijven wat je voor morgen in gedachten hebt?'

Nell werd door paniek bevangen en haar vingers begonnen te trillen. Ze haalde diep adem en wachtte tot haar hoofd weer leeg en helder was, en begon toen te schrijven. 'Om deze tijd van het jaar kunnen we het volgens mij beter bij een lichte soep houden. Een gekruide consommé. Een tortellini, een witte bonen- en een garnalensalade. Ik zou een pittabroodje met pikante kip als sandwich kiezen, en een paar vegetarische sandwiches, maar ik zou moeten kijken wat er te koop is. Ik kan ook taartjes of koffiebroodjes bakken, ook weer afhankelijk van wat er aan fruit te koop is. De moorkoppen zijn erg populair – die kan ik wel namaken. En een zes lagen dikke chocoladetaart met slagroom. Daarbij nog waanzinnig goeie bosbessenmuffins, met daarnaast walnotenmuffins. Je hebt bijna geen hazelnootcrackers meer. En koekjes? Met chocolate chips zit je altijd goed. En notenkoeken. En in plaats van een derde soort zou ik voor brownies kiezen. Ik maak brownies met extra grote chocoladebrokken waar je niet met je vingers van af kunt blijven.'

'Hoeveel kun je hier klaarmaken?'

'Alles wel, denk ik. Maar als je de pasteitjes en muffins meteen om tien uur al wilt kunnen aanbieden, moet ik wel om zes uur beginnen.'

'En als je een eigen keuken had?'

'O, nou ja.' Wat een heerlijke droom was dat. 'Ik zou een aantal gerechten de avond tevoren kunnen voorbereiden, en 's ochtends alles vers kunnen bakken.'

'Hmm. Hoeveel geld heb je, Nell Channing?'

'Genoeg.'

'Doe niet zo prikkelbaar,' zei Mia luchtig. 'Ik kan je honderd dollar voorschieten. Om te beginnen krijg je zeven dollar per uur. Jij doet de boodschappen, en je kookt iedere dag. Wat je voor het eten nodig hebt koop je op rekening van de winkel. En ik krijg iedere dag de kassabonnen.'

Toen Nell haar mond opendeed om iets te zeggen, hief Mia simpelweg een slanke vinger met een koraalrode nagel op. 'Wacht nog even. Je zult moeten bedienen en de tafeltjes afruimen wanneer het druk is, en de klanten in de boekafdeling helpen wanneer het op jouw verdieping rustig is. Je krijgt twee pauzes van een half uur, zondags ben je vrij, en je krijgt vijftien procent korting op je aankopen in de winkel, wat niet voor het eten en drinken geldt – want tenzij je een veelvraat bent, kun je daar je hapjes meepikken. Ben je het er tot zover mee eens?'

'Ja, maar ik…'

'Goed zo. Ik ben iedere dag in de winkel. Als je vragen hebt, of problemen die je zelf niet kunt oplossen, kom dan naar mij. Als ik er niet ben, ga dan naar Lulu. Ze zit meestal aan de kassa op de benedenverdieping, en ze weet overal van. Je ziet eruit alsof je alles snel genoeg onder de knie zult hebben. Als je ergens het antwoord niet op weet, vraag het dan gewoon. Goed, je bent dus op zoek naar een plekje om te wonen.'

'Ja.' Het leek alsof ze door een harde, onverwachte windvlaag werd weggevaagd. 'Ik hoop…'

'Kom maar mee.' Mia haalde een bos sleutels uit een la, zette zich tegen het bureau af en klikklakte naar buiten – ze liep op fantastische naaldhakken, zag Nell.

Op de benedenverdieping liep ze regelrecht naar een achterdeur. 'Lulu!' riep ze. 'Ik ben over tien minuten terug.'

Nell volgde haar als een onhandige dwaas door de achterdeur waar ze in een tuintje met stapstenen terechtkwam. Een enorme zwarte kat zat op een ervan te zonnen en toen Mia handig over hem heen stapte deed hij heel even één stralend gouden oog open.

'Dat is Isis. Je zult geen last van haar hebben.'

'Ze is prachtig. Is die tuin uw werk?'

'Ja. Je kunt je ergens waar geen bloemen zijn nooit thuis voelen. O, dat vergat ik te vragen – heb je vervoer?'

'Ja, ik heb een auto die je met een beetje goeie wil wel een vervoermiddel kunt noemen.'

'Dat komt goed uit. Het is niet ver, maar het zou lastig zijn als je er iedere dag lopend je spullen hiernaartoe moest brengen.' Aan de rand van het perceel sloeg ze linksaf en liep met fikse pas langs de achterkant van winkels die tegenover keurig onderhouden huizen lagen.

'Miss… het spijt me, maar ik weet niet hoe u heet.'

'Devlin, maar ik heb al gezegd dat je me Mia moet noemen.'

'Mia, ik ben je heel dankbaar voor die baan. Dat je me een kans geeft. Ik beloof je dat je er geen spijt van zult hebben. Maar… mag ik vragen waar we naartoe gaan?'

'Je moet ergens wonen.' Ze sloeg een hoek om, bleef staan en wenkte haar. 'Dit lijkt me geknipt.'

Aan de overkant van het smalle straatje stond een geel huisje als een vrolijk zonnestraaltje aan de rand van een bosje met onvolgroeide bomen. De luiken waren wit, net als de smalle veranda. En het stond er vol met bloemen in een zomerse kleurenpracht.

Het lag een eindje van de weg af achter een mooi rechthoekig grasveldje, bezaaid met vlekjes zonlicht die tussen de bladeren door vielen.

'Is dit jouw huis?' vroeg Nell.

'Ja, voorlopig wel.' Mia liep met rammelende sleutels het flagstone pad op. 'Ik heb het dit voorjaar gekocht.'

Ze was er gewoon toe gedwongen, herinnerde Mia zich. Een investering, had ze zichzelf wijsgemaakt. Maar ze had geen moeite gedaan het te verhuren, terwijl ze toch in hart en ziel een zakenvrouw was. Ze had ermee gewacht, en ze realiseerde zich nu dat het huis ook had gewacht.

Ze deed de voordeur van het slot en zette een stapje naar achteren. 'Het is gezegend.'

'Pardon?'

Mia knikte alleen maar. 'Welkom.'

Het was spaarzaam gemeubileerd. Een eenvoudige bank die nodig opnieuw moest worden bekleed, een diepe stoel met kussens, en een paar verspreid staande tafeltjes.

'Aan weerszijden is een slaapkamer, hoewel de linker meer geschikt is als kantoor of studeerkamer. De badkamer is klein, maar wel charmant, en de keuken is gemoderniseerd en zal je uitstekend van pas komen. Die ligt aan de achterkant. Ik heb de tuinen bijgehouden, maar ze moeten beter worden onderhouden. Er is geen airconditioning, maar de oven werkt prima. Tegen de tijd dat het januari is zul je blij zijn dat je een stookplaats hebt.'

'Het is fantastisch.' Nell kon zich niet inhouden, liep verder en stak haar hoofd om de deur van de grootste slaapkamer waar een schattig bed met een witijzeren hoofdeinde stond. 'Net een feeënhuisje. Je zult het wel heerlijk vinden om hier te wonen.'

'Ik woon hier niet. *Jij* komt hier wonen.'

Nell draaide zich heel langzaam om. Daar stond Mia midden in de kleine kamer met haar handen tegen elkaar en in het kommetje de sleutels. Het licht scheen door twee voorramen naar binnen en leek haar haar in vuur en vlam te zetten.

'Dat begrijp ik niet.'

'Jij hebt een huis nodig, en ik heb een huis. Ik woon boven op de klippen, daar vind ik het prettiger. Dit is voorlopig jouw huis. Voel je dat niet?'

Ze wist alleen dat ze zich gelukkig voelde, en tegelijkertijd stikte ze van de zenuwen. En dat ze, zodra ze een voet over de drempel had gezet, zich had willen uitrekken en lekker in de zon gaan zitten, eigenlijk precies als de kat.

'Mag ik hier wonen?'

'Het is niet gemakkelijk geweest, hè?' murmelde Mia. 'Dat moet wel als je begint te beven wanneer je een beetje geluk hebt. Je moet wel huur betalen, want iets wat je voor niets krijgt heeft geen waarde. We zullen het nog wel over je salaris hebben. Zorg nu maar dat je je hier thuis voelt. Je moet nog wel terugkomen om wat formulieren en zo te tekenen. Maar dat kan wel tot morgen wachten. Voor alles wat je voor het menu van morgen nodig hebt, kun je bij Island Market terecht. Ik zal ze laten weten dat je eraan komt, zodat je daar alles op rekening kunt laten zetten. Potten, pannen en wat je verder nodig hebt komen voor jouw rekening, maar die schiet ik wel voor tot aan het eind van de maand. Ik verwacht je om half tien precies, met al je lekkere hapjes natuurlijk.'

Ze liep naar haar toe en liet de sleutels in Nells slappe hand vallen. 'Verder nog vragen?'

'Zoveel dat ik niet weet waar ik moet beginnen. Ik kan je niet genoeg bedanken.'

'Verspil je tranen maar niet, kleine zus,' antwoordde Mia. 'Die zijn veel te kostbaar. Je zult hard moeten werken voor alles wat je terugkrijgt.'

'Ik kan niet wachten om te beginnen.' Nell stak haar hand uit. 'Bedankt, Mia.'

Hun handen raakten elkaar en werden ineengeslagen. Er ontsprong een vonk, zo blauw als een vlam, die meteen weer verdween. Half lachend trok Nell haar hand terug. 'De lucht moet hier wel erg statisch zijn of zo.'

'Of zo, ja. Nou, welkom thuis, Nell.' Mia draaide zich om en liep naar de deur.

'Mia.' Haar keel werd dichtgeknepen door emotie en deed pijn. 'Ik zei dat dit net een feeënhuisje leek. En dus moet jij mijn goede fee zijn.'

Mia keek haar stralend aan en haar lach klonk diep en vol als warme room. 'Je zult snel genoeg ontdekken dat ik dat absoluut niet ben. Ik ben gewoon een praktische heks. Vergeet niet de kassabonnen voor me mee te nemen,' voegde ze eraan toe en trok toen rustig de deur achter zich dicht.

2

$\mathcal{N}$ ell kwam tot de slotsom dat het dorp een beetje aan het Briga-doon van Nathaniel Hawthorne deed denken. Ze had wat tijd uitgetrokken om het te verkennen voordat ze naar de supermarkt was ge-gaan. Maandenlang had ze zichzelf al voorgehouden dat ze veilig was. Dat ze vrij was. Maar pas nu ze door de leuke straatjes liep met hun typische huisjes, de frisse zeelucht inademde en naar de knauwende New England-stemmen luisterde, voelde ze zich voor het eerst echt veilig. En vrij.

Niemand kende haar, maar dat zou nog wel komen. Ze zouden Nell Channing leren kennen, de creatieve kok die in het huisje in het bos woonde. Ze zou vrienden krijgen, en een eigen leven. En een toekomst. Niets uit het verleden zou haar hier kunnen raken.

Op een dag zou ze net zo bij het eiland horen als het smalle houten vaalgrijze postkantoor, of het toeristencentrum dat met klinkertjes be-straat was, en de lange, stoere kade waar de vissers hun dagelijkse vangst naartoe brachten.

Om het allemaal te vieren kocht ze een windmobile met sterretjes dat ze in een etalage zag liggen. Het was dat jaar voor het eerst dat ze iets voor haar plezier kocht.

De eerste nacht op het eiland bracht ze in het mooie bed door, en ze hield haar geluk stevig in beide handen toen ze naar het tinkelen van de sterretjes en het ruisen van de zee lag te luisteren.

Ze stond voor zonsopkomst op omdat ze graag aan het werk wilde. Ter-wijl de dagsoep stond te pruttelen, rolde ze het korstdeeg uit. Ze had elke cent die ze bezat, inclusief het grootste deel van het voorschot en een flin-ke portie van het loon van de komende maand aan keukengerei uitgegeven. Maar dat gaf niet. Ze moest het beste van het beste hebben als ze het beste van zichzelf wilde kunnen geven. Mia Devlin, haar weldoener, zou nooit reden hebben om spijt te krijgen van het feit dat ze haar had aangenomen.

Alles in de keuken was precies zoals zij het wilde, niet zoals haar was gezegd dat het moest. Wanneer ze tijd had, zou ze naar het tuincentrum op het eiland gaan om kruiden te kopen. Een paar daarvan zou ze buiten op de vensterbank zetten. Allemaal bij elkaar, zoals ze het graag had. Niets maar dan ook niets in haar huis zou uniform zijn, en zijn eigen plaats hebben, of stijlvol en elegant zijn. Ze had geen enkele behoefte aan kilometers marmer of zeeën van glas of torenhoge vazen vol angstaanjagend exotische bloemen die geen enkele warmte of geur uitstraalden. Er zou ook nooit...

Ze onderbrak haar gedachten. Het werd hoog tijd om zichzelf voor te houden hoe het níét zou zijn, en plannen maken over hoe het wél zou worden. Het verleden zou haar blijven achtervolgen totdat ze die deur ferm achter zich sloot en de grendel erop schoof.

Toen de zon opkwam en de ramen aan de oostkant in brand zette, duwde ze de eerste bakplaat vol gebak in de oven. Ze herinnerde zich de vrouw met de roze wangen die haar in de supermarkt had geholpen. Dorcas Burmingham – een mooie yankee-naam, dacht Nell. En zo hartelijk, en nieuwsgierig. Die nieuwsgierigheid zou vroeger hebben gemaakt dat ze zich in zichzelf terugtrok en geen mond meer opendeed. Maar ze was in staat geweest een praatje te maken, op sommige vragen luchtig antwoord te geven en andere te omzeilen.

Het gebak stond op het rooster af te koelen toen de muffins in de oven verdwenen. En toen de keuken volstroomde met zonlicht, begroette Nell zingend de dag.

ఴ ఴ ఴ

Lulu vouwde haar armen over haar platte borst. Mia wist dat ze er op die manier intimiderend probeerde uit te zien. Aangezien Lulu nauwelijks de een meter zestig haalde, nog geen negentig pond woog en op een treurend elfje leek, kostte het haar behoorlijk wat moeite om er intimiderend uit te zien.

'Je weet niks van haar af.'

'Ik weet dat ze alleen is en dat ze werk zoekt, en ook nog op precies de goeie plek en op precies het goeie moment.'

'Ze is niet van hier. Je kunt niet zomaar een vreemdeling aannemen, en haar ook nog eens geld lenen en een huis geven zonder dat je ten minste hebt nagegaan waar ze vandaan komt en wie ze is. Ze heeft niet eens een referentie, Mia. Niet een! Ze zou zomaar een psychopaat kunnen zijn die voor de politie op de loop is.'

'Je hebt zeker weer boeken over waargebeurde misdaden gelezen, hè?'

Lulu wierp haar een dreigende blik toe maar op haar onschuldige gezicht zag die er eerder gekweld uit. 'Er zijn slechte mensen op de wereld.'

'Ja, dat is waar.' Mia printte de bestellingen uit die per e-mail waren binnengekomen. 'Als die er niet waren, was het evenwicht zoek en dan was alle uitdaging verdwenen. Ze is voor iets op de vlucht, Lulu, maar niet voor de politie. En het lot heeft haar hierheen geleid. Het heeft haar naar mij gebracht.'

'En soms krijg je van het lot een mes in je rug.'

'Daarvan ben ik me heel goed bewust.' Met de uitdraaien in de hand liep Mia het kantoor uit. Lulu volgde haar op de voet. Dat Lulu Cabot haar in feite had grootgebracht voorkwam dat Mia zei dat ze zich met haar eigen zaken moest bemoeien. 'Jij moet toch weten dat ik prima in staat ben op mezelf te passen.'

'Als jij zwervers oppikt, ben je niet meer zo op je hoede.'

'Ze is geen zwerver, ze is een zoeker. Dat is heel wat anders. Ze straalde iets uit, dat voelde ik,' voegde Mia eraan toe terwijl ze naar beneden begon te lopen om de bestellingen te verzamelen. 'Wanneer ze zich wat beter op haar gemak voelt zal ik meer aan de weet zien te komen.'

'Zorg in ieder geval dat je een referentie van haar krijgt.'

Mia trok een wenkbrauw op toen ze de achterdeur open hoorde gaan. 'Die heb ik zonet gekregen. Ze is stipt op tijd. Laat haar met rust, Lulu,' zei Mia nadrukkelijk terwijl ze haar de uitdraaien aanreikte. 'Ze is nog heel gevoelig. Kijk eens aan. Goeiemorgen, Nell.'

'Goeiemorgen.' Met haar armen vol afgedekte bladen kwam Nell snel binnen. 'Ik heb mijn auto achterom gereden. Dat is toch wel goed?'

'Dat is prima. Heb je hulp nodig?'

'O nee, dank je. Alles staat in de auto.'

'Lulu, dit is Nell. Je kunt later wel kennis met haar maken.'

'Leuk je te leren kennen, Lulu. Ik ga nu de spullen boven klaarzetten.'

'Ga je gang.' Mia wachtte tot Nell naar boven was gelopen. 'Wat ziet ze er gevaarlijk uit, hè?'

Lulu stak haar kin naar voren. 'Het uiterlijk zegt niet alles.'

Even later kwam Nell weer de trap afhollen. Ze droeg een simpel wit

T-shirt dat ze in haar spijkerbroek had gestopt. Het gouden medaillonnetje op het wit leek op een bedeltje. 'Ik ben koffie aan het zetten. Als ik straks weer beneden kom, zal ik een paar koppen meenemen, alleen weet ik niet hoe jullie het drinken.'

'Ik drink het zwart, en Lulu met melk.'

'Eh… wil je alsjeblieft niet naar het café komen tot ik helemaal klaar ben? Ik zou je het dolgraag willen laten zien als ik alles heb uitgestald. Dus…' Ze liep met een rood hoofd achteruit naar de deur en zei toen: '… wacht even, ja?'

'Ze wil het me graag naar de zin maken,' merkte Mia op toen ze samen met Lulu de bestellingen regelde. 'Ze wil graag werken. Ze vertoont inderdaad psychopathische trekjes. Bel de politie maar.'

'Hou je mond.'

Twintig minuten later kwam Nell vol trots en doodnerveus weer naar beneden. 'Wil je nu boven komen? Er is nog tijd om dingen te veranderen die je niet aanstaan. O, en Lulu, kom jij ook mee? Mia zei dat jij precies weet hoe het in de winkel toegaat, dus weet je ook of het er verkeerd uitziet.'

'Hmpf.' Mopperig hield Lulu op met de bestellingen. 'Ik heb niks met het café te maken.' Maar ze liep toch schokschouderend achter Mia en Nell de trap op.

De uitstalkast stond vol geglazuurd gebak, muffins met een dikke kop, en broodjes waar de goudkleurige rozijnen aan alle kanten uitstaken. Een grote taart van lagen cake en crème was afgestreken met een dikke laag chocolade, en ruim bespoten met slagroom. Twee witte stukken bakpapier lagen boordevol koeken zo groot als een schoteltje. Uit de keuken kwam de geur van soep.

Op een schoolbord waren in een fraai en goed leesbaar handschrift de specialiteiten van de dag geschreven. Het glas van de uitstalkast was gezeemd en glom, de koffie verspreidde een onweerstaanbaar heerlijke geur, en op de toonbank stond een lichtblauwe weckfles met kaneelstokjes.

Mia liep als een generaal die zijn troepen inspecteert op en neer langs de uitstalkast terwijl Nell de grootste moeite moest doen om zich niet in de handen te wringen.

'Ik wil de salades en de soep liever nog niet klaarzetten. Ik dacht dat als ik tot een uur of elf wachtte, de klanten meer geneigd zouden zijn om gebak te kopen. Er is achter nog meer gebak, en de brownies. Die heb ik ook niet uitgestald omdat ik het niet graag wil doen lijken alsof je te veel van alles hebt. En de brownies zijn meer iets voor bij de lunch of voor 's middags. Ik heb de taart wel uitgestald in de hoop dat die de klanten aan het denken zou zetten en er zo voor kon zorgen dat ze misschien later op de dag voor een puntje terugkomen. Maar als je dat liever hebt kan ik de opstelling wel veranderen…'

Ze stopte abrupt toen Mia een vinger opstak. 'Laat me maar eens iets van dat gebak proeven.'

'O. Ja, natuurlijk. Ik haal er wel even een van achteren.' Ze vloog de keuken in en kwam meteen weer terug met een taartje in een gevouwen servetje.

Mia zei niets maar brak het doormidden en gaf de helft aan Lulu. Toen ze de eerste hap nam, krulden haar lippen zich. 'Vind je dit misschien een referentie?' mompelde ze en draaide zich toen om naar Nell. 'Als je er zo nerveus blijft uitzien, gaan de klanten nog denken dat er iets mis is met het eten, waardoor ze niets bestellen. En dan zullen ze iets heel bijzonders missen. Je hebt echt een gave, Nell.'

'Vind je het lekker?' Nell liet een zucht van opluchting ontsnappen. 'Ik heb vanmorgen van alles eentje geproefd. Ik ben er zelfs een beetje misselijk van,' zei ze terwijl ze haar hand tegen haar buik drukte. 'Ik wilde dat alles perfect zou zijn.'

'En dat is het ook. Ontspan je nu maar, want zodra het nieuws dat we een genie in de keuken hebben zich eenmaal heeft verspreid, zul je het erg druk krijgen.'

❧ ❧ ❧

Nell wist niet of het nieuwtje de ronde had gedaan, maar al heel snel was ze veel te druk om zich nog zorgen te maken. Tegen halfelf zette ze een nieuwe kan koffie en vulde ze de schappen bij. Iedere keer dat haar kassa rinkelde, voelde ze een scheutje opwinding. En toen ze zes muffins in een zak deed voor een klant die zei dat ze nog nooit zulke lekkere had geproefd, moest Nell zich stevig inhouden om niet een rondedansje te maken.

'Bedankt. Kom maar snel terug.' Stralend wendde ze zich tot de volgende klant.

Dat was de eerste indruk die Zack van haar kreeg. Een knap blondje met een wit schort, een glimlach van hier tot gunder, en verlokkende kuiltjes in de wangen. Het bezorgde hem heel even een schokje en als reactie daarop begon hij ook te grinniken.

'Ik heb over die muffins horen praten, maar ik heb niets over die glimlach gehoord.'

'Die glimlach kost niets, maar die muffins wel.'

'Ik neem er een. Een bosbessen. En een grote kop koffie om mee te nemen. Ik ben Zack. Zack Todd.'

'Nell.' Ze pakte een meeneembeker. Ze hoefde hem niet nog eens van opzij te bekijken. De ervaring had haar geleerd snel een gezicht te bekijken en in haar geheugen te prenten. Dat van hem stond haar nog helder voor ogen toen ze de beker vulde.

Bruinverbrand, dunne, uitwaaierende kraaienpootjes naast zijn scherpe groene ogen. Stevige kaken met een intrigerend litteken diagonaal eroverheen. Bruin haar, een beetje aan de lange kant, een beetje krullend en hier en daar al verbleekt door de junizon. Een smal gezicht met een lange, rechte neus, een mond die gemakkelijk lachte en een snijtand liet zien die een tikje scheef stond.

Ze vond het een eerlijk gezicht. Eenvoudig, vriendelijk. Ze zette de koffie op de toonbank en wierp hem nog eens een blik toe terwijl ze een muffin van het blad pakte.

Hij had brede schouders en stevige armen. Hij had de mouwen van het door zon en water verschoten overhemd opgerold. De hand die zich om de koffiebeker krulde, was groot en breed. Ze had de neiging mannen met grote handen te vertrouwen. Het waren de slanke, perfect gemanicuurde handen die zo gemeen konden uithalen.

'Maar eentje?' vroeg ze terwijl ze zijn muffin in een zak deed.

'Een is voorlopig genoeg. Ik heb horen vertellen dat je pas gisteren op het eiland bent aangekomen.'

'Dat was voor mij precies het juiste moment.' Ze sloeg zijn bestelling op de kassa aan en was blij toen hij de zak opende om te ruiken.

'Voor iedereen het juiste moment als dit net zo goed smaakt als het ruikt. Waar kom je vandaan?'

'Boston.'

Hij hield zijn hoofd iets schuin. 'Je klinkt niet als Boston. Je accent bedoel ik,' legde hij uit toen ze hem stom stond aan te staren.

'O.' Ze nam met vaste hand zijn geld aan en pakte het wisselgeld. 'Niet van origine. Een klein stadje in het middenwesten – bij Columbus in de buurt. Maar ik ben nogal eens verhuisd.' Ze bleef glimlachen toen ze hem zijn geld en de kassabon gaf. 'Daarom zal ik wel geen speciaal accent hebben.'

'Dat zal wel, ja.'

'Hoi sheriff.'

Zack wierp een blik achterom en knikte. 'Morgen, miz Macey.'

'Ga je nog naar Pete Stahr om hem over zijn hond aan te spreken?'

'Ik ga nu die kant uit.'

'Dat beest rolt zich net zo lief in dooie vis als in rozen. En wat denk je dat hij dan doet? Dwars door mijn schone was aan de waslijn rennen. Ik moest het allemaal weer wassen. Ik heb heus geen hekel aan honden.'

'Natuurlijk niet, mevrouw.'

'Maar Pete moet die hond aan de lijn houden.'

'Ik zal vanochtend nog een woordje met hem wisselen. U moet eens een van deze muffins proberen, miz Macey.'

'Ik kwam alleen voor een boek.' Maar met samengeperste lippen in haar brede gezicht keek ze naar de uitstalling. 'Die zien er wel smakelijk uit, hè? Jij moet het nieuwe meisje zijn.'

'Ja.' Nells keel voelde rauw aan en brandde. Ze was bang dat haar stem net zo klonk. 'Ik ben Nell. Kan ik iets voor u doen?'

'Misschien moest ik er maar even bij gaan zitten en een kopje thee en een van die gebakjes nemen. Ik heb een zwak voor vruchtengebakjes. Geen moderne thee, hoor. Geef mij maar een kopje doodgewone Chinese thee. En zeg tegen Pete dat hij zijn hond bij mijn was uit de buurt moet houden,' ging ze tegen Zack verder. 'Anders zal ik hem mijn was laten doen.'

'Ja mevrouw.' Hij lachte weer naar Nell. Hij was opzettelijk naar haar blijven kijken toen hij had gemerkt dat ze bleek was geworden omdat Gladys Macey hem sheriff had genoemd. 'Leuk je te leren kennen, Nell.'

Ze knikte kort. Hij zag dat ze haar handen bezighield, maar ze waren niet helemaal vast.

Wat kon een aardige jonge vrouw nu van de wet te vrezen hebben, vroeg hij zich af. Maar toen hij de trap afliep, bedacht hij dat er natuurlijk ook mensen waren die van nature schichtig werden als het op de politie aankwam.

Hij liet zijn blik over de benedenverdieping gaan en zag Mia bezig met het aanvullen van de planken in de afdeling mysteries. Hoe dan ook, besloot Zack, het zou geen kwaad kunnen achteloos een paar vragen te stellen.

'Druk vandaag.'

'Hmm.' Ze zette pocketboekjes op hun plaats maar keek niet om. 'Ik verwacht dat het nog wel drukker wordt. Het seizoen is nog maar net begonnen, en ik heb een nieuw geheim wapen in het café.'

'Ik heb haar zojuist leren kennen. Je hebt haar de gele cottage verhuurd.'

'Dat klopt.'

'Heb je gecheckt waar ze eerder heeft gewerkt, en haar referenties gecontroleerd?'

'Wacht eens even, Zack.' Dit keer draaide Mia zich wel om. Op haar hoge hakken kon ze hem bijna recht in de ogen kijken. Ze gaf hem een brutaal tikje op zijn wang. 'We zijn al heel lang vrienden van elkaar. Lang genoeg dat ik je mag zeggen dat je met je eigen zaken moet bemoeien. Ik wil niet dat je naar boven gaat en mijn personeel gaat ondervragen.'

'Oké, ik zal haar gewoon meenemen naar het bureau en mijn wapenstok te voorschijn halen.'

Ze grinnikte, boog toen naar voren en gaf hem een kusje op de wang. 'Bruut die je bent. Maak je maar geen zorgen over Nell. Ze zoekt absoluut geen narigheid.'

'Ze werd onrustig toen ze merkte dat ik de sheriff was.'

'Schat, je bent zo knap dat alle meisjes er onrustig van worden.'

'Dat heeft bij jou nooit gewerkt,' wierp hij tegen.

'Weet jij veel. Verdwijn nu en laat me mijn werk doen.'

'Ik ga al. Ik moet mijn gezworen plicht doen en Pete Stahr de mantel uitvegen vanwege zijn stinkende hond.'

'Sheriff Todd, wat ben je toch dapper.' Ze knipperde met haar wimpers. 'Wat zouden de eilanders zonder de bescherming van jou en je stoere zuster moeten doen.'

'Ha ha. Ripley komt met de middagpont terug. Mocht ze eerder komen, dan krijgt zij die hond.'

'Is er alweer een week voorbij?' Mia trok een gezicht en ging verder met het bijvullen van de planken. 'Ach nou ja, goeie dingen gaan maar al te snel voorbij.'

'Ik laat me niet bij jullie gebakkelei betrekken. Ik doe nog liever Pete's hond.'

Ze lachte naar hem, maar zodra hij weg was keek ze naar de trap, dacht aan Nell en vroeg zich af wat er precies aan de hand was.

Ze zorgde ervoor laat in de ochtend naar boven te gaan. Nell had de salades en de soep al klaargezet om op een subtiele manier op de lunch over te gaan. De salades zagen er vers en smakelijk uit, zag Mia, en de geur van de soep zou iedereen die de winkel binnenkwam naar boven lokken.

'Hoe gaat het?'

'Prima. Het is eindelijk even rustig.' Nell veegde haar handen aan haar schort af. 'Het was druk vanochtend. De muffins hebben het gewonnen, maar het gebak kwam op een goeie tweede plaats.'

'Je hebt nu officieel pauze,' zei Mia. 'Ik neem wel even waar als er klanten komen, tenzij ik daarvoor dat monsterlijke apparaat moet bedienen.'

In de keuken liet ze zich op een krukje zakken en sloeg haar benen over elkaar. 'Kom na je dienst even naar mijn kantoor? Dan kun je de werknemersverklaring ondertekenen.'

'Oké. Ik heb over het menu van morgen zitten denken.'

'Daar hebben we het dan straks meteen over. Neem een kop koffie en ontspan je even.'

'Ik ben al opgefokt genoeg.' Nell deed wel de koelkast open en pakte een flesje water. 'Ik hou het hier maar bij.'

'Voel je je al thuis in de cottage?'

'Dat was niet zo moeilijk. Ik kan me niet herinneren dat ik ooit lekkerder heb geslapen. Met de ramen open kun je nog juist de branding horen. Net een slaapliedje. En heb je vanochtend de zon zien opkomen? Dat was spectaculair.'

'Ik geloof je op je woord. Ik vermijd liever de zonsopkomst. Die blijft maar zo vroeg op de dag plaatsvinden.' Ze stak haar hand uit en verraste Nell door haar het flesje af te pakken en een slokje te nemen. 'Ik heb gehoord dat je Zack Todd hebt ontmoet.'

'Is dat zo?' Nell pakte meteen een doek en begon de oven op te poetsen. 'O. Sheriff Todd. Ja, hij wilde een koffie en een muffin om mee te nemen.'

'Er is al eeuwenlang een Todd op dit eiland, en Zachariah is een van de beste van het hele stel. Aardig,' zei Mia bedachtzaam. 'Zorgzaam en fatsoenlijk zonder vervelend te worden.'

'Is hij jouw…' Het woord 'vriendje' leek niet bij een vrouw als Mia te passen. 'Hebben jullie wat met elkaar?'

'In romantisch opzicht? Nee.' Mia gaf Nell het flesje weer terug. 'Hij is veel te goed voor mij. Hoewel ik toen ik een jaar of vijftien was wel een beetje verliefd op hem ben geweest. Uiteindelijk is hij een prachtexemplaar. Dat moet je toch zijn opgevallen.'

'Ik ben niet zo in mannen geïnteresseerd.'

'Juist. Ben je daarvoor op de vlucht? Voor een man?' Toen Nell niet reageerde, kwam Mia overeind. 'Enfin, als en wanneer je erover wilt praten… ik kan uitstekend luisteren en een meelevend oor verlenen.'

'Ik waardeer enorm wat je allemaal voor me hebt gedaan, Mia. Ik wil gewoon mijn werk doen.'

'Dat is redelijk.' De bel klonk, wat betekende dat er iemand aan de toonbank stond. 'Nee, jij hebt pauze,' hielp Mia haar herinneren toen Nell de keuken uit wilde hollen. 'Ik neem de zaken een poosje waar. En kijk niet zo treurig, kleine zus. Je hoeft tegenover niemand behalve tegenover jezelf verantwoording af te leggen.'

Nell bleef waar ze was. Ze voelde zich op een vreemde manier getroost. Ze kon het lage stemgeluid van Mia horen die met klanten stond te praten. De muziek in de winkel kwam dit keer van fluiten en had iets zoetvloeiends. Als ze haar ogen dichtdeed kon ze zich zomaar voorstellen dat ze hier de volgende ochtend ook weer zou zijn. En het volgende jaar. Lekker en behaaglijk. Druk en gelukkig.

Ze had niets om bang voor te zijn, en geen reden om zich zorgen te maken over die sheriff. Hij had geen enkele reden om haar aan een onderzoek te onderwerpen of haar achtergrond na te lopen. En als hij dat toch deed, wat zou hij dan helemaal vinden? Ze was voorzichtig geweest. En grondig.

Nee, ze liep niet meer weg. Ze was ergens naartoe gelopen. En daar bleef ze.

Ze dronk het flesje leeg en liep de keuken uit op het moment dat Mia zich omdraaide. De klok op het plein begon met trage, gewichtige slagen twaalf uur te slaan.

De vloer onder haar voeten leek te beven, het licht werd hel. Ze hoorde muziek in haar hoofd die aanzwol alsof er op de snaren van duizend harpen tegelijk werd gespeeld. De wind – ze had durven zweren dat ze een hete wind over haar gezicht voelde blazen die haar haar deed opwaaien. Ze rook kaarsvet en verse aarde.

De wereld huiverde en tolde maar in een oogwenk was alles weer gewoon alsof er niets was voorgevallen. Ze schudde het hoofd om weer helder te kunnen denken en merkte dat ze recht in Mia's donkergrijze ogen keek.

'Wat was dat? Een aardbeving?' Maar bij het uitspreken van die woorden zag Nell dat niemand anders in de winkel er bezorgd uitzag. Er liepen mensen rond, ze zaten aan tafeltjes, ze babbelden of ze dronken iets. 'Ik dacht... ik voelde...'

'Ja, ik weet het.' Hoewel Mia kalm klonk, was er iets gespannens in haar stem dat Nell nog niet eerder had opgemerkt. 'Nou, dat verklaart alles.'

'Wat dan?' Geschokt pakte Nell Mia bij de pols. En kreeg het gevoel alsof er een raket vol energie door haar arm schoot.

'We praten er later wel over. De veerboot is binnengelopen.' En Ripley was terug, dacht ze. Ze waren nu alle drie op het eiland. 'Het wordt druk. Dien de soep maar op, Nell,' zei ze vriendelijk en liep vervolgens weg.

ೞ ೞ ೞ

Mia kwam niet vaak voor een verrassing te staan, en ze zat er ook niet op te wachten. Maar de kracht van wat ze samen met Nell had gevoeld en ervaren, was intenser, intiemer geweest dan ze had verwacht. En dat ergerde haar. Ze had erop voorbereid moeten zijn. Juist zij was toch wel degene die wist, geloofde en begreep wat voor wending het lot zovele jaren geleden had genomen. En wat voor wending het nu zou kunnen nemen.

Maar al geloofde je in het lot, dan betekende het nog niet dat je geen stapje opzij deed en je er gewoon door omver liet lopen. Er moest en zou actie worden ondernomen. Maar daarover zou ze moeten nadenken en eerst alles op een rijtje moeten zetten.

Hoe moest ze in naam van de godin het juiste doen terwijl ze was gebonden aan een koppig vrouwmens dat hardnekkig haar krachten bleef ontkennen, en aan een angsthaas op de vlucht die niet eens wist dat ze de kracht bezat?

Ze sloot zichzelf in haar kantoor op en begon te ijsberen. Ze maakte hier maar zelden gebruik van de magie. Dit was de plek waar zaken werden gedaan, en die twee hield ze met opzet van elkaar gescheiden. Hier werden materiële zaken afgehandeld. Maar elke regel kende zijn uitzonderingen, hield ze zich voor.

Met die gedachte in haar hoofd pakte ze de kristallen bol van de plank en zette die op haar bureau. Ze vond het grappig om die naast haar telefoon met twee lijnen en haar computer te zien staan. Alhoewel, magie had respect voor de vooruitgang, ook al had de vooruitgang niet altijd respect voor de magie.

Ze legde haar handen om de bol en vaagde alle gedachten uit haar hoofd.

'Laat me zien wat ik moet zien. Op dit eiland bevinden zich de drie zusters, en wij zullen onze bestemming gestalte geven. Toon me duidelijk de visioenen in het glas. Zoals ik wil, zo zal het zijn.'

De bol glinsterde en kolkte. En werd helder. Als figuurtjes in het water zag ze zichzelf, Nell en Ripley in de diepte. In de schaduwen van de bossen ontstond een kring, en er ontbrandde een vuur. De bomen stonden ook in brand, maar deze kleur was afkomstig van de herfsttinten. Het licht viel als glinsterend water van een volle maan.

Er vormde zich een nieuwe schaduw tussen de bomen, een mannengestalte. Knap, en met felle gouden ogen.

De kring werd doorbroken. Nell sloeg op de vlucht maar de man haalde uit en ze verbrijzelde als glas en viel in duizend stukjes uiteen. De hemelen openden zich in bliksemschichten en het geweld van donderslagen, en het enige dat Mia nog in de bol kon zien was een stortvloed van water toen de bossen en het eiland waarop ze woonden in zee stortte.

Mia deed een stapje achteruit en zette haar handen op haar heupen. 'Zo gaat het nu altijd,' zei ze walgend. 'Een man die alles verruïneert. Nou, dat zullen we nog weleens zien.' Ze zette de bol weer op de plank. 'Dat zullen we nog weleens zien.'

ʕ⋅ʔ ʕ⋅ʔ ʕ⋅ʔ

Toen Nell aanklopte was Mia net klaar met een deel van haar administratie. 'Precies op tijd,' zei ze terwijl ze de computer afsloot. 'Dat is een goeie eigenschap van je. Je moet deze formulieren nog invullen.' Ze wees naar een keurig stapeltje op het bureau. 'Ik heb ze op gisteren gedateerd. Hoe gaat het met de lunch-meute?'

'Het loopt lekker.' Nell ging zitten. Haar handen zweetten niet langer toen ze de formulieren invulde. Naam, geboortedatum. Sofi-nummer. Die elementaire feiten klopten wel, daar had ze zelf voor gezorgd. 'Peg begint zo meteen. Ik heb het menu voor morgen klaargemaakt.'

'Hmm.' Mia pakte het opgevouwen vel papier aan dat Nell uit haar zak haalde en las het door terwijl Nell het formulier verder invulde. 'Dat ziet er goed uit. Avontuurlijker dan wat Jane deed.'

'Te avontuurlijk?'

'Nee, alleen wat meer. Goed… wat ga je de rest van de dag doen?' Mia wierp een korte blik op het eerste ingevulde formulier. 'Nell Channing, zonder tweede voornaam?'

'Een wandelingetje over het strand maken, en een beetje tuinieren. Misschien ook nog de bossen rondom de cottage verkennen.'

'Er is daar een riviertje waar om deze tijd van het jaar wilde akelei groeit, en dieper in het bos trilliums en varens die je doen geloven dat er elfjes in verstopt zitten.'

'Jij lijkt me niet echt iemand die op zoek gaat naar elfjes in het bos.'

Mia glimlachte geamuseerd. 'We kennen elkaar nog niet zo goed. Op de Drie Zusters wemelt het van de legenden en verhalen die van geslacht op geslacht zijn overgegaan. De bossen hebben hun eigen geheimen. Ken je het verhaal van de Drie Zusters?'

'Nee.'

'Dat vertel ik je dan wel wanneer we wat meer tijd hebben voor fabels en sprookjes. Jij moet nu naar buiten, naar de zon en de lucht.'

'Mia, wat gebeurde er daarstraks? Om twaalf uur?'

'Dat mag jij me vertellen. Wat denk jij dat er gebeurde?'

'Het leek op een aardschok maar toch ook weer niet. Het licht veranderde, en de lucht ook. Het leek op een… een stoot energie.'

Het klonk dwaas toen ze het zo zei, maar ze ging gewoon door. 'Jij voelde het ook, maar niemand anders. Niemand voelde iets bijzonders.'

'De meeste mensen verwachten alleen het gewone, en dat krijgen ze dan ook.'

'Als dat een raadseltje is, weet ik niet hoe ik dat moet oplossen.' Nell schuifelde ongeduldig met haar voeten. 'Jij werd er niet door verrast – het irriteerde je een beetje, maar het verraste je niet.'

Mia leunde geïntrigeerd achterover en trok een wenkbrauw op. 'Dat is absoluut waar. Je kunt mensen heel goed inschatten.'

'Dat moet wel als je wilt overleven.'

'En je bent heel opmerkzaam,' zei Mia. 'Wat er gebeurde? Je kunt het denk ik wel een verbinding noemen. Wat gebeurt er wanneer positieve ladingen op hetzelfde moment dezelfde ruimte in beslag nemen?'

Nell schudde het hoofd. 'Ik heb geen idee.'

'Ik ook niet. Maar het zal interessant zijn om dat uit te vinden. Soort zoekt soort en ons kent ons, denk je ook niet? Ik herkende jou.'

Nells bloed werd koud en ze kreeg kippenvel. 'Ik weet niet waar je het over hebt.'

'Niet wie je bent, of was,' zei Mia vriendelijk. 'Maar wat je bent. Je kunt erop vertrouwen dat ik die eerste twee zal respecteren, evenals je privacy. Ik zal niet in je verleden gaan wroeten, Nell. Ik heb meer belangstelling voor wat er komt.'

Nell deed haar mond open. Ze was er bijna aan toe om het er allemaal uit te gooien. Alles over waar ze voor was weggevlucht, alles over wat haar nog steeds achtervolgde. Maar als ze dat deed, legde ze haar lot in andermans handen. En dat zou ze nooit meer laten gebeuren.

'Voor morgen maak ik een zomergroentesoep, en kip, courgettes en sandwiches met ricotta. Gecompliceerder wordt het niet.'

'Dat is een mooi begin. Geniet van je vrije middag.' Mia wachtte tot Nell bij de deur was. 'Nell? Zolang jij bang blijft, wint hij.'

'Het gaat me niet om winnen,' antwoordde Nell. Ze liep snel naar buiten en deed de deur achter zich dicht.

3

Nell vond het riviertje en de wilde akelei – net druppeltjes zonlicht in de groene schaduw. Ze zat op de zachte bosgrond naar het gorgelende riviertje en het vogelgezang te luisteren en kwam daar weer tot rust.

Dit was haar thuishaven. Ze was nog nooit eerder ergens zo van overtuigd geweest. Ze hoorde hier, en nergens anders.

Zelfs als kind had ze zich ontheemd gevoeld. Niet door haar ouders, dacht ze, terwijl ze haar vingers over het medaillon liet gaan. Nooit door hen. Maar haar thuis was altijd de plek geweest waar haar vader was gestationeerd, totdat hij weer een nieuwe standplaats kreeg toegewezen. Haar kinderjaren had ze niet op één enkele plaats doorgebracht, en nooit was er een plek geweest waar herinneringen wortel hadden kunnen schieten en tot bloei waren gekomen.

Haar moeder had de gave gehad om overal en voor zolang als nodig was een thuis te scheppen. Maar dat was niet hetzelfde als te weten dat je dag na dag bij het wakker worden hetzelfde uitzicht uit je slaapkamerraam te zien kreeg.

En dat was iets waarnaar Nell altijd had verlangd.

Ze had de fout begaan te geloven dat ze dat verlangen samen met Evan zou kunnen stillen, terwijl ze had kunnen weten dat het iets was dat ze zelf zou moeten vinden.

Misschien was haar dat nu gelukt. Hier, op deze plek.

Dat had Mia bedoeld. *Soort zoekt soort.* Ze hoorden allebei op dit eiland thuis. Of wie weet maakten ze op een fijne manier wel deel uit van het eiland. Zo simpel kon het zijn.

Maar toch, Mia was een vrouw met intuïtie, een vrouw ook met een vreemd soort macht. Ze rook gewoon dat iemand geheimen had. Nell kon alleen hopen dat ze haar op haar woord kon vertrouwen en dat ze zich er verder niet mee zou bemoeien. Als iemand zou proberen door alle lagen tot op de bodem te graven, zou ze hier weg moeten. Hoezeer ze hier ook thuishoorde, als dat het geval was kon ze niet blijven.

Maar dat zou niet gebeuren.

Nell stond op, rekte zich uit in de zonnestralen en maakte traag een rondedansje. Ze zou het gewoon niet láten gebeuren. Ze zou Mia vertrouwen. Ze zou voor haar werken en in de kleine, gele cottage wonen en iedere ochtend met een duizeligmakend, heerlijk gevoel van vrijheid wakker worden.

En terwijl ze naar haar huis terugliep, bedacht ze dat Mia en zij mettertijd misschien wel echte vriendinnen konden worden. Het zou fascinerend zijn om zo'n levendige en intelligente vriendin te hebben.

Hoe zou het zijn om een vrouw als Mia Devlin te zijn? vroeg ze zich af. Om iemand te zijn die zo vreselijk mooi was, en zo barstensvol zelfvertrouwen zat? Zo'n vrouw zou nooit aan zichzelf twijfelen, of zich vermommen, of bang zijn dat wat ze ook deed, nooit goed genoeg zou zijn.

Wat moest dat heerlijk zijn.

Maar ook al zou je mooi worden geboren, zelfvertrouwen kon worden aangeleerd. Dat kon je winnen. En je kreeg toch enorm veel voldoening wanneer je die kleine veldslagen won? En na iedere overwinning kwam je bij de volgende slag beter beslagen ten ijs.

Maar genoeg gebeuzeld, en genoeg aan zelfonderzoek gedaan, dacht ze terwijl ze haar pas versnelde. Ze ging nu het laatste deel van haar voorschot in het tuincentrum opmaken.

Als daar geen zelfvertrouwen uit sprak, vond ze, dan wist ze het ook niet meer.

 co co co

Ze vonden het goed dat ze op rekening kocht. Ze werd Mia steeds meer schuldig, dacht Nell terwijl ze dwars over het eiland terugreed. Ze werkte voor Mia Devlin, dus traden ze haar vriendelijk tegemoet, werd ze vertrouwd, en mocht ze met een simpele handtekening op de rekening van alles uit de winkel meenemen.

Het was een soort magie die volgens haar alleen in kleine stadjes bestond. Ze deed haar best om er geen misbruik van te maken, maar toch had ze uiteindelijk zes trays met planten gekocht. En potten, en aarde. En een malle stenen tuinkabouter die alles zou bewaken wat ze had geplant.

Omdat ze haast niet kon wachten ermee te beginnen, zette ze de auto voor de cottage en sprong er snel uit. Zodra ze het achterportier opendeed werd ze ondergedompeld in haar eigen geurige oerwoudje.

'We zullen het samen hartstikke leuk krijgen, en ik ga vreselijk goed voor jullie zorgen.'

Met de voeten stevig op de grond rekte ze zich naar voren om de eerste tray te pakken.

Een verdomd mooi uitzicht, dacht Zack die aan de overkant van de straat was gestopt. Een mooi gevormd kontje in een strak zittende spijkerbroek. Als een man daar niet even waarderend naar keek, was hij geen knip voor de neus waard.

Hij stapte uit zijn grote patrouillewagen, leunde tegen het portier en zag haar een tray roze en witte petunia's eruit halen. 'Ziet er goed uit.'

Ze schrok en liet bijna de tray uit haar handen vallen. Dat ontging hem niet, net zomin als hem de schrik in haar ogen ontging. Maar hij ging langzaam rechtop staan en stak op zijn dooie gemak de straat over.

'Laat me je even helpen.'

'Dat hoeft niet. Ik heb hem alweer goed vast.'

'Er is nog heel wat meer. Je zult het druk krijgen.' Hij reikte langs haar heen en pakte twee trays. 'Waar wil je ze hebben?'

'Voorlopig aan de achterkant. Ik weet nog niet waar ik alles ga planten. Maar je hoeft echt niet…'

''t Ruikt lekker. Wat heb je allemaal?'

'Kruiden. Rozemarijn, basilicum, dragon en zo.' Ze besloot dat de snelste manier om hem kwijt te raken was om hem alles naar achteren te laten brengen. Ze liep dus naar de achtertuin. 'Ik wil achter de keuken een bedje met kruiden maken, en als ik tijd heb misschien nog wat groenten.'

'Als je bloemen gaat planten, ga je wortels planten, zei mijn moeder altijd.'

'Ik wil het allebei doen. Zet ze maar op de stoep, dat is prima. Dank je, sheriff.'

'Je hebt er nog een paar op de voorstoel staan.'

'Ik kan…'

'Ik haal ze wel. Heb je aan potgrond gedacht?'

'Ja, in de kofferbak.'

Hij glimlachte luchtig en stak zijn hand uit. 'Daarvoor heb ik de sleutels nodig.'

'O, juist ja.' Ze zat in de val en stak haar hand in de zak. 'Bedankt.'

Toen hij wegslenterde, klemde ze haar handen in elkaar. Het gaf niet. Hij was gewoon behulpzaam. Niet elke man, niet elke politieagent betekende gevaar. Ze wist wel beter.

Hij kwam afgeladen terug en toen ze hem met een enorme zak aarde over de ene schouder en een tray met roze geraniums en witte vlijtige liesjes in zijn handen zag, barstte ze in lachen uit.

'Ik heb veel te veel gekocht.' Ze pakte de bloemen van hem aan. 'Ik wilde alleen kruiden kopen, maar voor ik het in de gaten had... ik wist van geen ophouden.'

'Dat zeggen ze allemaal. Ik zal je potten en gereedschap nog even halen.'

'Sheriff.' Ooit had ze het doodgewoon gevonden om vriendelijkheid met vriendelijkheid te vergelden. Ze wilde weer zo gewoon mogelijk worden. 'Ik heb vanochtend limonade gemaakt. Kan ik je een glas aanbieden?'

'Dat sla ik niet af.'

Het enige wat ze hoefde te doen was zich voorhouden dat ze zich moest ontspannen, dat ze zichzelf moest zijn. Ze vulde twee glazen met ijsblokjes en schonk er de citroenlimonade op. Toen ze buiten kwam, was hij alweer terug. Het bezorgde haar een schokje die grote, mannelijke man midden tussen roze en witte bloemen te zien staan.

Aantrekkingskracht, dat was het, maar op hetzelfde moment dat ze dat gevoel herkende hield ze zich voor dat ze zoiets nooit meer kon of wilde voelen.

'Ik ben je erg dankbaar dat je als pakezel wilde fungeren.'

'Graag gedaan.' Hij pakte het glas aan en dronk hem in een teug halfleeg, en het kleine krampje veranderde in het gevoel van vlinders in haar buik.

Hij liet het glas zakken. 'Dit is je ware. Ik kan me niet heugen wanneer ik voor het laatst zelfgemaakte limonade heb gedronken. Je bent er echt een uit duizenden.'

'Ik vind het gewoon leuk om wat in de keuken aan te rommelen.' Ze bukte zich en pakte haar nieuwe tuinspade op.

'Je hebt geen handschoenen gekocht.'

'Nee, die ben ik vergeten.'

Ze wilde dat hij zijn limonade opdronk en ervandoor ging, dacht Zack, maar ze was te beleefd om het hardop te zeggen. Omdat hij dat wist, liet hij zich op het stoepje zakken en ging er eens lekker bij zitten. 'Vind je het goed dat ik een minuutje blijf zitten? Het is een lange dag geweest. Maar je moet je niet aan mij storen als je aan de gang wilt gaan. Ik vind het fijn om naar een vrouw te kijken die in de tuin aan het werk is.'

Ze had zelf op het stoepje willen gaan zitten, dacht ze. In het zonnetje, en bedenken wat ze met de bloemen en de kruiden zou gaan doen. Nu bleef haar niets anders over dan meteen aan de slag te gaan.

Ze begon met de potten. Als het resultaat haar niet aanstond, kon ze het altijd weer overdoen, bedacht ze.

'Heb je eh… nog met de man van die hond gepraat?'

'Met Pete?' vroeg Zack terwijl hij nog een slokje van zijn limonade nam. 'Ik geloof wel dat we het eens zijn geworden, en dat er weer vrede heerst op ons eilandje.'

Het klonk humoristisch zoals hij het zei, en er klonk ook iets van trage tevredenheid in door. Het was moeilijk om het niet leuk te vinden.

'Het moet wel interessant zijn om hier sheriff te zijn. Omdat je iedereen kent.'

'Het heeft zijn goeie kanten.' Ze was aan het werk gegaan en het viel hem op dat ze kleine handen had. Snelle en handige vingers. Ze hield haar hoofd gebogen en haar ogen afgewend. Dat had met verlegenheid te maken, besloot hij, gekoppeld aan het feit dat ze probeerde aardig te zijn, alleen was ze dat een beetje ontwend. 'Het komt er vaak op neer dat je als scheidsrechter moet optreden, of dat je met mensen te maken krijgt die een beetje al te uitbundig vakantie vieren. Maar meestal is het een kwestie van de kudde van zo'n drieduizend mensen bij elkaar houden. Dat gaat me samen met Ripley goed af.'

'Ripley?'

'Mijn zuster. Ze is de tweede politieagent op het eiland. Al vijf generaties lang is een Todd politieagent op het eiland. Dat ziet er heel leuk uit,' zei hij, met zijn glas naar haar vorderingen gebarend.

'Vind je?' Ze liet zich op haar hielen zakken. Ze had van alles wat in de pot gestopt, en er wat schelpen tussen gestoken. Ze was bang geweest dat het erop leek alsof ze op goed geluk aan de gang was geweest, maar dat was niet zo. Het zag er vrolijk uit. Net als haar gezicht toen ze het ophief. 'Het is voor het eerst dat ik het doe.'

'Volgens mij heb je er slag van. Maar je zou wel een hoed moeten dragen. Met jouw lichte huid verbrand je snel als je lang buiten blijft.'

'O.' Ze wreef met de rug van haar hand over haar neus. 'Daar lijkt het wel op.'

'Je had zeker geen tuin in Boston?'

'Nee.' Ze vulde de tweede pot met potgrond. 'Ik ben daar niet lang geweest. Ik vond het er niet zo leuk.'

'Ik begrijp precies wat je bedoelt. Ik heb ook een tijdje op het vasteland gewoond. Heb me er nooit thuis gevoeld. Woont je familie nog steeds in het middenwesten?'

'Mijn ouders zijn dood.'

'Dat spijt me.'

'Mij ook.' Ze zette een geranium in de nieuwe pot. 'Voeren we een gesprek, sheriff, of is dit een ondervraging?'

'We praten gewoon wat.' Hij pakte een plant die net buiten haar bereik stond en hield die vast. Een behoedzame vrouw, concludeerde hij. Zijn ervaring had hem geleerd dat behoedzame mensen er meestal een reden voor hadden. 'Zou ik je moeten ondervragen?'

'Ik word nergens voor gezocht, en ik ben nooit gearresteerd. En ik ben niet op zoek naar moeilijkheden.'

'Daarmee lijkt me alles gezegd.' Hij gaf haar de plant. 'Het is een klein eiland, miz Channing. Met voornamelijk vriendelijke mensen. Maar ze zijn ook nieuwsgierig, dat hoort erbij.'

'Dat zal wel.' Ze kon het zich niet veroorloven mensen tegen zich in het harnas te jagen. 'Hoor eens, ik heb een tijdje rondgetrokken, en daar kreeg ik genoeg van. Ik kwam hierheen om te kijken of er werk voor me was, en een rustig plekje om te wonen.'

'Zo te zien heb je die alle twee gevonden.' Hij stond op. 'Nog bedankt voor de limonade.'

'Graag gedaan.'

'Je doet het echt goed. Je hebt er werkelijk slag van. Goeiemiddag, miz Channing.'

'Goeiemiddag, sheriff.'

Terwijl hij naar zijn auto terugliep, telde hij op wat hij over haar aan de weet was gekomen. Ze was alleen op de wereld, op haar hoede voor de politie, en prikkelbaar als haar vragen werden gesteld. Ze was een vrouw met een eenvoudige smaak en om het minste of geringste zenuwachtig. Maar om redenen die hij nog niet kon doorgronden, ontbrak er nog iets.

Hij wierp een blik op haar auto toen hij naar de zijne overstak en liet zijn ogen over de kentekenplaat gaan. De kentekens van Massachusetts zagen er fonkelnieuw uit. Het zou geen kwaad kunnen om er navraag naar te doen, dacht hij. Gewoon voor zijn eigen gemoedsrust.

Diep vanbinnen wist hij dat Nell Channing dan wel niet op zoek was naar moeilijkheden, maar dat die haar niet onbekend waren.

ⸯ ⸯ ⸯ

Nell bracht appelflappen en koffie met melk naar een jong stel bij het raam en ruimde daarna het aangrenzende tafeltje af. Drie vrouwen stonden stapels boeken in te neuzen maar ze had zo'n vermoeden dat ze binnen niet al te lange tijd naar het café zouden worden gelokt.

Met haar handen vol bekers bleef ze even bij het raam dralen. De veerboot van het vasteland kwam eraan, achtervolgd door rondcirkelende en duikende zeemeeuwen. Boeien deinden op en neer in de zee die vandaag glad en groen was. Een wit plezierjacht gleed met bolle zeilen voor de wind over het water.

Vroeger had ze op een andere zee gezeild, in een ander leven. Het was een van de weinige genoegens die ze uit die tijd had overgehouden. Het gevoel van over het water vliegen en op de golven omhoogrijzen. Toch vreemd dat de zee haar altijd al zo getrokken had. De zee had haar leven veranderd, en genomen.

Maar deze zee had haar een tweede leven geschonken.

Glimlachend om die gedachte draaide ze zich om en botste vol tegen Zack aan. Hij pakte haar bij de arm om haar overeind te houden maar ze rukte zich meteen los. 'Het spijt me. Heb ik iets op je geknoeid? Dat was heel onhandig van me, ik keek niet uit…'

'Er is niets gebeurd.' Hij haakte de vingers van zijn ene hand door de oren van twee bekers, waarbij hij goed uitkeek dat hij haar niet weer aanraakte, en nam ze van haar over. 'Ik stond in de weg. Mooie boot.'

'Ja.' Ze deed een stapje opzij en verdween haastig achter de toonbank. Ze haatte het wanneer iemand haar van achteren benaderde. 'Maar ik krijg niet betaald om naar boten te kijken. Kan ik iets voor je doen?'

'Haal even diep adem, Nell.'

'Wat?'

'Haal even diep adem.' Hij zei het op vriendelijke toon terwijl hij de mokken op de toonbank zette. 'Kom even tot rust.'

'Ik voel me prima.' Ze werd wrevelig. De mokken kletterden tegen elkaar toen ze ze van de toonbank graaide. 'Ik verwachtte niet dat er iemand vlak achter me zou staan.'

Zijn mond vertrok. 'Zo is het al beter. Ik wil graag een appelflap en een grote beker koffie om mee te nemen. Heb je alles al geplant?'

'Bijna.' Ze wilde niet met hem praten, dus hield ze zich bezig met de koffie. Ze wilde niet dat de politieman van het eiland een gezellig gesprekje met haar voerde terwijl hij haar met die scherpe groene ogen opnam.

'Je zou dit denk ik wel kunnen gebruiken als je de rest plant en de bloemen verzorgt.' Hij legde een zak op de toonbank.

'Wat is dit?'

'Tuingerei.' Hij telde zijn geld uit en legde dat ook op de toonbank.

Ze veegde met een kwade blik haar handen aan haar schort af. Maar ze was nieuwsgierig genoeg om de zak open te maken. Ze was verbijsterd en moest tegelijkertijd een beetje lachen toen ze de absoluut belachelijke strooien hoed met de opgerolde rand bekeek. Rondom de bol dansten dwaze nepbloemen.

'Zoiets geks heb ik nog nooit gezien.'

'O, dit was nog lang niet de gekste,' verzekerde hij haar. 'Maar hij zal er wel voor zorgen dat je je neus niet verbrandt.'

'Het is heel aardig van je, maar je had niet…'

'Hier noemen we het burenhulp.' De pieper aan zijn riem begon te piepen. 'Enfin, ik moet weer aan het werk.'

Ze slaagde erin te wachten tot hij halverwege de trap was voordat ze de hoed greep en naar de keuken rende om hem in het spiegelende oppervlak van de afdekplaat van het fornuis te bekijken.

ℰℐ ℰℐ ℰℐ

Ripley Todd schonk zich nog een kop koffie in en nam kleine slokjes terwijl ze door het voorraam van het politiebureau naar buiten keek. Het was rustig geweest vanochtend, precies zoals ze het graag had.

Maar er hing iets in de lucht. Ze deed haar best om het te negeren, maar er hing echt iets in de lucht. Het was het gemakkelijkst om zichzelf wijs te maken dat het de naweeën van een weekje Boston waren.

Niet dat ze het niet naar de zin had gehad. Dat had ze wel. De studiegroepen en seminars over de handhaving van de wet hadden haar geboeid en haar stof tot nadenken gegeven. Ze hield van het politiewerk, van de routineklussen en de bijzonderheden. Maar de stad en de bijbehorende chaos vergden veel van haar, zelfs gedurende zo'n korte periode.

Zack zou zeggen dat het gewoon kwam omdat ze niet echt op mensen gesteld was. Ripley zou de laatste zijn om dat tegen te spreken.

Op dat moment zag ze hem over straat aan komen lopen. Ze schatte dat het hem zo'n tien minuten zou kosten om het halve blok af te leggen. Mensen hielden hem staande en hadden altijd wel iets tegen hem te zeggen.

Het was meer, dacht ze. Mensen waren graag bij hem in de buurt. Hij had een soort van… Ze wilde het woord 'aura' niet gebruiken. Dat klonk te veel als Mia. Houding, besloot ze. Zack had het soort houding dat maakte dat mensen zich beter gingen voelen. Ze wisten dat hij de oplossing zou weten als ze met hun problemen naar hem toe kwamen, of dat hij anders zou proberen een oplossing te vinden.

Zack was een sociaal dier, dacht Ripley peinzend. Minzaam, geduldig en altijd eerlijk. Niemand zou haar van dat soort dingen beschuldigen.

Misschien vormden ze daarom zo'n goed team.

Omdat hij op weg was naar het bureau deed ze de voordeur open en liet daarmee de zomerlucht en de straatgeluiden binnen, precies zoals hij het graag had. Ze zette een pot verse koffie en wilde juist een mok voor hem inschenken toen hij eindelijk binnenkwam.

'Frank en Alice Purdue hebben een dochter gekregen – bijna acht pond, vanochtend om negen uur. Ze noemen haar Belinda. De jongen van Younger, Robbie, is uit een boom gevallen en heeft zijn arm gebroken. Miss Hacins neef in Bangor heeft een gloednieuwe Chevrolet sedan gekocht.'

Onder het praten pakte Zack de koffie aan, ging aan zijn bureau zitten en legde zijn benen erop. En grinnikte. De plafondventilator piepte weer. Hij was echt van plan geweest om ernaar te kijken.

'En wat heb jij te melden?'

'Iemand die op de weg langs de noordkust te hard reed,' zei Ripley. 'Geen idee waar ze met die snelheid naartoe wilden. Ik legde nog uit dat de klippen en de vuurtoren en zo er al een paar eeuwen staan en dat het niet waarschijnlijk was dat ze in één middag zouden verdwijnen.' Ze plukte een fax uit zijn bakje. 'En dit is voor jou binnengekomen. Nell Channing. Dat is toch de nieuwe kokkin van Mia, niet?'

'Hmm.' Hij liet zijn blik over het rapport van de rijksverkeersdienst gaan. Geen verkeersovertredingen. Ze had nog steeds een rijbewijs uit Ohio, dat over ruim twee jaar verlengd moest worden. De auto stond op haar naam. Hij had gelijk gehad over de nieuwe kentekens. Ze had die nog geen week geleden gekregen. Eerder hadden er kentekens van Texas op gezeten.

Interessant.

Ripley hees zich op de punt van het bureau dat ze samen deelden en proefde van zijn koffie omdat hij er niet van dronk. 'Waarom heb je haar nagelopen?'

'Ik was nieuwsgierig. Ze is een merkwaardige vrouw.'

'Hoezo merkwaardig?'

Hij wilde antwoorden maar schudde toen zijn hoofd. 'Je zou eens in het café moeten gaan lunchen en zelf een kijkje nemen. Ik zou weleens willen weten wat jij voor indruk van haar hebt.'

'Misschien doe ik dat wel.' Ripley keek fronsend naar de openstaande deur. 'Volgens mij gaat het stormen.'

'Het is helemaal blauw, liefje.'

'Er hangt wat in de lucht,' zei ze half tegen zichzelf en greep toen haar honkbalpet. 'Ik ga even rondlopen en misschien ook even naar het café om onze nieuwste inwoner te bekijken.'

'Doe maar rustig aan. Ik zal vanmiddag de strandpatrouille wel voor mijn rekening nemen.'

'Graag.' Ripley deed haar zonnebril op en liep met grote stappen naar buiten.

Ze hield van haar ordelijke dorp. Wat Ripley betrof had alles zijn plaats en zo hoorde het ook. Ze vond het niet erg dat zee en weer kuren hadden – zo was de natuur nu eenmaal.

Juni betekende een nieuwe toevloed van toeristen en zomergasten, een temperatuur die van warm naar heet steeg, kampvuren en rokende barbecues.

Het betekende ook uitbundige feesten, de gebruikelijke dronkaards en ordeverstoorders, af en toe een kind dat zoek raakte, en de onvermijdelijke ruzies tussen geliefden. Maar de toeristen die feest vierden, dronken, rondwandelden en kibbelden brachten de zomerdollars naar het eiland die het tijdens de ijzige winterstormen drijvende hielden.

Ze zou opgewekt – nou ja, niet al te opgewekt waarschijnlijk – een paar maanden lang alle problemen van al die vreemdelingen ondergaan als dat de Drie Zusters overeind hield.

Meer van de wereld dan deze negen vierkante mijl van rots en zand en aarde had ze niet nodig.

Van het strand kwamen mensen die veel te lang in de zon hadden liggen bakken omhoog gewankeld om in het dorp de lunch te gebruiken. Ze kon nooit begrijpen wat een mens bezielde om zich in het zand te laten vallen en als een forel te worden gaar gestoofd. Afgezien nog van het ongemak zou ze binnen het uur stapelgek van verveling worden.

Ripley was niet iemand die zou gaan liggen als ze ook kon staan.

Niet dat ze het strand niet heerlijk vond. Ze ging iedere ochtend, zomer en winter, langs de branding joggen. Wanneer het weer het toeliet ging ze na afloop zwemmen. Wanneer dat niet het geval was, nam ze vaak een duik in het binnenbad van het hotel.

Maar ze zwom liever in zee.

Met als resultaat dat ze een sportief figuur had en strak in haar vel zat. Ze droeg meestal een kaki broek en een T-shirt. Ze was net als haar broer bruinverbrand en ze had dezelfde levendige groene ogen. Ze had lang, bruin en steil haar dat ze meestal in een paardenstaart achter door haar honkbalpetje trok.

Ze had een merkwaardig gezicht: een brede mond met een tikje te volle bovenlip, een kleine neus en donkere, gebogen wenkbrauwen. Als kind had haar gezicht haar een onaangenaam gevoel bezorgd, maar nu dacht Ripley graag dat ze eraan gewend was geraakt, en dat ze zich er geen zorgen meer over maakte.

Ze liep op haar gemak het Café Boek in, zwaaide naar Lulu en ging op de trap af. Met een beetje geluk kon ze die Nell Channing even bekijken zonder Mia tegen het lijf te lopen.

Ze moest nog drie treden om in het café te komen en zag toen dat ze pech had.

Mia stond vlot als altijd in een luchtige bloemetjesjurk achter de toonbank. Ze had het haar naar achteren gebonden maar desondanks danste het nog steeds om haar gezicht. De vrouw die naast haar bezig was zag er in vergelijking keurig, bijna preuts uit.

Ripley gaf meteen de voorkeur aan Nell.

Ze duwde haar duimen in haar achterzakken en liep branieachtig naar de toonbank.

'Deputy Todd.' Mia keek haar hooghartig en met een schuin hoofd aan. 'Wat kom jij hier in vredesnaam doen?'

Ripley negeerde Mia totaal en bekeek Nell eens goed. 'Ik wil graag de soep en de sandwich van de dag.'

'Nell, dit is Ripley. Zacks betreurenswaardige zuster. Aangezien ze hier komt lunchen, mogen we rustig aannemen dat de hel is dichtgevroren.'

'Je kunt de boom in, Mia. Leuk je te leren kennen, Nell. En graag een limonade erbij.'

'Ja. Goed.' Nells blik ging van gezicht naar gezicht. 'Komt eraan,' mompelde ze en dook de keuken in om de sandwich klaar te maken.

'Ik hoorde dat je haar zo van de veerboot hebt geplukt,' ging Ripley door.

'Zo goed als.' Mia schepte de soep op. 'Val haar niet lastig, Ripley.'

'Waarom zou ik?'

'Zo ben je nu eenmaal.' Mia zette de soep op de toonbank. 'Heb je iets bijzonders gemerkt toen je gisteren van de veerboot kwam?'

'Nee,' antwoordde Ripley, te haastig.

'Leugenaar,' zei Mia kalm en op dat moment kwam Nell met de sandwich terug.

'Zal ik het voor u op een tafeltje zetten, deputy Todd?'

'Ja, graag.' Ripley haalde wat geld uit haar zak. 'Tel het maar op, Mia.'

Ripley had het goed getimed. Ze liet zich net op een stoel zakken toen Nell het eten voor haar neerzette. 'Dat ziet er goed uit.'

'Ik hoop dat u het lekker vindt.'

'Vast en zeker. Waar heb je leren koken?'

'Zo hier en daar. Kan ik nog iets voor u halen?'

Ripley stak een vinger op, nam een lepel soep en proefde. 'Nee. Dit is fantastisch. Eerlijk. Hé zeg, heb je al dat gebak zelf gemaakt?'

'Ja.'

'Een boel werk.'

'Daarvoor word ik betaald.'

'Juist ja. Zorg ervoor dat Mia je niet te hard laat werken. Ze is nogal voortvarend.'

'Integendeel,' zei Nell met een stem die een stuk killer klonk. 'Ze is ongelooflijk gul en ongelooflijk aardig. Eet smakelijk.'

Loyaal, besloot Ripley onder het eten. Ze kon het Nell niet kwalijk nemen. En beleefd, al gedroeg ze zich een beetje stug. Alsof ze niet gewend was met mensen om te gaan, dacht ze nog.

Zenuwachtig ook. Ze was zichtbaar in elkaar gekrompen bij de relatief milde woordenwisseling tussen Mia en haar. Nou ja, dacht Ripley en haalde even haar schouders op, sommige mensen kunnen niet tegen ruzies, zelfs niet als ze er niets mee te maken hebben.

Al met al leek er geen greintje kwaad in Nell Channing te steken, vond ze. En ze was een verrekt goeie kok.

De maaltijd had haar zo'n goed humeur bezorgd dat ze de tijd nam om bij het weggaan nog even langs de toonbank te lopen. Dat besluit werd een stuk gemakkelijker gemaakt omdat Mia ergens anders bezig was.

'Nou, je hebt het voor mekaar.'

Nell bevroor. Ze zorgde ervoor dat er niets op haar gezicht te lezen viel, en ze liet haar handen losjes hangen. 'Pardon?'

'Nu moet ik wel regelmatig terugkomen, en dat heb ik jarenlang weten te vermijden. De lunch was voortreffelijk.'

'O. Mooi zo.'

'Misschien is het je opgevallen dat Mia en ik niet direct op goeie voet met elkaar staan.'

'Daar heb ik niets mee te maken.'

'Als je op een eiland woont, heb je met alles te maken wat er hier voorvalt. Maar maak je geen zorgen, meestal slagen we er wel in elkaar niet dwars te zitten. Je zult heus niet tussen twee kwaaie koppen komen te zitten. Ik wil nog een paar van die chocolate chip cookies voor later meenemen.'

'Als je er drie koopt, ben je goedkoper uit.'

'Je maakt het me moeilijk. Nou, drie dan maar. Dan geef ik er een aan Zack en vindt hij me super.'

Weer tot rust gekomen deed Nell de koeken in een zak en sloeg alles aan op de kassa. Maar toen ze het geld van Ripley aanpakte, raakten hun handen elkaar en dat bezorgde haar zo'n felle schok dat ze naar adem snakte.

Ripley keek haar een paar tellen kwaad en gefrustreerd aan, greep toen de zak met koeken en liep met grote stappen naar de trap.

'Deputy…' riep Nell haar met samengebalde hand na. 'U bent het wisselgeld vergeten.'

'Hou het maar,' zei ze op afgebeten toon terwijl ze stampend naar beneden liep. En onderaan stond Mia met gevouwen handen en een opgetrokken wenkbrauw. Ripley bromde wat en liep gewoon door.

ↁ ↁ ↁ

Er was storm op komst. Hoewel het onbewolkt bleef en de zee rustig, zou het gaan stormen. Hij gierde door Nells dromen en smeet haar hulpeloos terug naar het verleden.

Het enorme witte huis stond op een groen tapijt van gras. Binnen was het een en al scherpe hoeken en harde oppervlakken. De kleuren waren flets – zandkleuren, vaal lila en grijs.

Maar de rozen die hij voor haar kocht, die hij altijd voor haar kocht, waren bloedrood.

Het huis was leeg. Maar het leek te wachten.

In haar slaap wendde ze haar hoofd af. Ze wilde niet kijken. Ze wilde dat huis niet in. Nooit meer.

Maar de deur ging open, de hoge witte deur die uitkwam in een lange en brede foyer. Wit marmer, wit hout, en het kille geflonker van kristal en chroom.

Ze zag zichzelf naar binnen lopen – lang blond haar dat om de schouders van een modieuze witte japon viel die ijzig leek te glinsteren. Haar lippen waren rood, net als de rozen.

Hij kwam samen met haar naar binnen, vlak achter haar. Altijd zo dicht achter haar. Zijn hand was er ook, lichtjes op haar onderrug. Als ze het toeliet, kon ze die nog steeds voelen.

Hij was lang, en slank. Als een prins in zijn zwarte avondkleding, zijn haar een gouden helm. Ze was op dat sprookjesachtige uiterlijk verliefd geworden, en had zijn beloften van 'en ze leefden nog lang en gelukkig' geloofd. En hij had haar toch ook meegenomen naar zijn paleis, dit witte paleis in dit droomland, en hij had haar toch alles gegeven wat een vrouw maar kon wensen?

Hoe vaak had hij haar dat niet voorgehouden?

Ze wist wat er nu zou gebeuren. Ze herinnerde zich de glinsterende witte japon, herinnerde zich nog goed hoe moe ze was geweest, en opgelucht dat de avond voorbij was, en dat alles zo goed was verlopen. Ze had niets gedaan wat hem van streek had kunnen maken, hem in verlegenheid had kunnen brengen, of hem had kunnen ergeren.

Dat had ze tenminste gedacht.

Totdat ze zich had omgedraaid om iets te zeggen over de avond die zo prettig was verlopen, en zijn gezicht had gezien.

Hij had gewacht tot ze thuis waren, totdat ze alleen waren, en was toen als een blad aan een boom veranderd. Dat was wat hij vooral ontzettend goed kon.

En ze herinnerde zich de angst die haar maag had doen verkrampen, zelfs toen ze nog probeerde te bedenken wat ze dan verkeerd had gedaan.

Heb je genoten, Helen?

Ja, het was een enig feest. Maar het duurde wel lang. Zal ik een cognacje voor je halen voordat we naar bed gaan?

Heb je van de muziek genoten?

Heel erg. Muziek? Had ze iets stoms over de muziek gezegd? Ze kon met dat soort dingen soms zo stom zijn. Ze wist maar nauwelijks een rilling te onderdrukken toen hij zijn hand uitstak en met haar haar begon te spelen. *Het was heerlijk om buiten te kunnen dansen, vlak bij de tuinen.*

Ze deed een stapje naar achteren in de hoop naar de trap te kunnen gaan, maar hij had haar vastgegrepen en haar tegengehouden. *Ja, het is me opgevallen dat je van het dansen genoot, vooral met Mitchell Rawlings. Dat je met hem flirtte. Dat je met jezelf liep te pronken. En mij voor het oog van mijn vrienden en mijn cliënten vernederde!*

Evan, ik heb niet geflirt, ik heb alleen...

De klap met de rug van zijn hand smeet haar op de vloer en het deed zo'n pijn dat ze even niets kon zien. Toen ze zich tot een beschermend balletje wilde oprollen, sleepte hij haar aan haar haren dwars over de marmeren vloer.

Hoe vaak heeft hij je met zijn handen aangeraakt?

Ze ontkende alles, ze huilde, en hij bleef haar beschuldigen. Totdat hij er genoeg van had en haar huilend in een hoekje liet wegkruipen.

Maar dit keer, in deze droom, kroop ze naar de schaduwen van het bos waar de lucht zacht was en de grond warm.

En daar, waar het riviertje over de gladde stenen gorgelde, viel ze in slaap.

En toen werd ze wakker door een knallende donderslag en een rafelige bliksemschicht. Ze werd in doodsangst wakker. Ze rende nu dwars door de bossen. Haar witte jurk was als een fonkelend baken. Haar bloed pompte door haar aderen, het bloed van de opgejaagde. Achter haar stortten bomen ter aarde, en de grond onder haar voeten kwam omhoog, bedekt door een kolkende mist.

Ze bleef rennen. Haar adem verscheurde haar keel en eindigde in gejammer. Er werd in de wind geschreeuwd, en niet alleen door haar. De angst overheerste alles totdat er vanbinnen niets meer over was, geen reden, geen verstand, geen antwoord.

De wind sloeg haar scherp en vrolijk in het gezicht, en het struikgewas trok met klauwende vingers haar jurk aan flarden.

Ze was aan het klimmen. Als een hagedis krabbelde ze langs de rotsen naar boven. Dwars door het duister sloeg de straal van de vuurtoren als een zilveren zwaard, en onder haar kolkte het woeste geweld van de zee.

Ze schopte en huilde en bleef klimmen. Maar ze keek niet achterom. Ze kon zich er niet toe zetten om achterom te kijken naar het gezicht dat haar achtervolgde.

Ze koos voor de vlucht in plaats van het gevecht, en sprong van de rotsen. Tijdens haar val naar het water draaide ze om en om in de wind. En achter haar stortten de klippen, de vuurtoren en de bomen allemaal in zee.

4

Op haar eerste vrije dag verzette Nell het meubilair – het beetje dat er was. Ze gaf haar bloemen en kruiden water, deed de was en bakte een bruinbrood.

Het was nog niet eens negen uur toen ze voor haar ontbijt het eerste plakje sneed.

Evan had haar gewoonte om vroeg op te staan vreselijk gevonden, en had geklaagd dat ze daarom op feestjes altijd zo lusteloos was. Maar hier, in haar eigen huisje bij de zee, was er niemand die kritiek kon leveren of voor wie ze zachtjes moest doen. Ze had de ramen wijd openstaan, en ze had de dag helemaal voor zich alleen.

Nog steeds kauwend op haar brood en met het kapje in de zak van haar korte broek ging ze op pad om een lange strandwandeling te maken.

De boten waren uitgevaren en lagen te dobberen of scheerden over het water. De zee was een zacht dromerig blauw met dartele golfjes die in een schuimkraag op het strand spoelden. Meeuwen met hun witte borst wiekten boven haar hoofd en dansten elegant op de lucht. Hun muziek van lange, schrille kreten doorboorde het lage en zachte slaan van de branding.

Ze werd tot een eigen dansje verlokt. Toen haalde ze het brood uit haar zak, trok het in kleine stukjes, wierp het omhoog en keek naar de rondcirkelende meeuwen die erop afdoken.

Alleen, dacht ze en hief haar gezicht naar de hemel. Maar niet eenzaam. Ze betwijfelde of ze zich ooit weer eenzaam zou voelen.

Bij het horen van de kerkklokken draaide ze zich om en keek naar het dorpje achter haar, en naar de mooie witte torenspits. Ze keek omlaag naar haar korte broek met de rafelige zomen, en naar haar gympen die onder het zand zaten. Niet echt geschikt om er de kerkdienst in bij te wonen, concludeerde ze. Maar ze kon op haar eigen manier een dienst houden en een dankgebed uitspreken.

Terwijl de klokken galmden en weergalmden ging ze aan de rand van het water zitten. Hier heerste vrede, dacht ze, en vreugde. Ze zou die twee nooit meer als vanzelfsprekend beschouwen. Ze zou zich eraan herinneren dat ze in ruil daarvoor iedere dag iets moest teruggeven. Zelfs al was het maar een kapje brood voor de meeuwen. Ze zou goed zorgen voor alles wat ze plantte. Ze zou eraan denken vriendelijk te zijn en nooit te vergeten een helpende hand te reiken.

Ze zou haar beloften houden en niets meer verwachten dan de kans een goed leven te leiden dat niemand kwaad deed.

Wat haar werd gegeven zou ze verdienen, en koesteren.

Ze zou plezier scheppen in de simpele dingen des levens, besloot ze. En daarmee zou ze nu meteen beginnen.

Ze stond op en begon schelpen te verzamelen. Eerst stak ze die in haar zakken maar toen die vol waren, trok ze haar schoenen uit en gebruikte die. Ze kwam bij het uiteinde van het strand, waar rotsen uit het zand staken en richting zee begonnen te tuimelen. Hier vond ze stenen zo groot als een vuist die zo glad als kiezels waren geslepen. Ze pakte er eentje op, en toen nog een, en vroeg zich af of ze die als afgrenzing voor haar kruidenbed kon gebruiken.

Ze ving links een beweging op waardoor haar vingers zich stijf om de steen klemden. Ze draaide zich snel om. Haar hart bleef met felle, korte slagen bonzen toen ze Zack over een zigzaggende houten trap naar beneden zag komen.

'Morgen.'

'Goeiemorgen.' In een automatisch afwerend gebaar keek ze achterom en voelde zich niet op haar gemak toen het tot haar doordrong hoe ver ze van het dorp zelf was afgedwaald. Het strand was niet langer verlaten, maar de verspreid aanwezige mensen waren een aardig eindje weg.

'Fijne dag voor een lange strandwandeling,' merkte hij op. Hij leunde tegen de trapleuning en nam haar aandachtig op. 'Wat jij net hebt gedaan.'

Vanaf haar dansje met de meeuwen had hij naar haar gekeken. Het was doodzonde, dacht hij, dat de uitdrukking op haar gezicht zo snel van stralend in behoedzaam kon veranderen.

'Het was niet tot me doorgedrongen dat ik zo'n eind had gelopen.'

'Op een eiland van dit formaat is eigenlijk niets echt ver. Het wordt heet vandaag,' zei hij ongedwongen. 'Voor de middag zal het strand afgeladen zijn. Het is fijn om een tijdje voor jezelf te hebben voordat het vol badlakens en mensen ligt.'

'Ja, goed…'

'Kom mee naar boven.'

'Wat?'

'Kom mee naar boven. Naar mijn huis. Dan kan ik je een zak voor al die schelpen en stenen geven.'

'O, dat hoeft niet. Ik heb echt geen…'

'Zeg eens, Nell – heb je problemen met politieagenten in het algemeen, mannen in het algemeen of met mij in het bijzonder?'

'Ik heb met niemand problemen.'

'Bewijs het dan.' Hij bleef staan maar stak zijn hand uit.

Ze keek hem aan. Hij had goeie ogen. Intelligent, maar ook geduldig. Ze deed langzaam een stapje naar hem toe en hief haar hand op.

'Wat ben je met die schelpen van plan?'

'Niets bijzonders.' Haar hart klopte als een gek, maar ze dwong zich samen met hem de zanderige trap te beklimmen. 'Niks speciaals, bedoel ik. Ze gewoon rondstrooien, denk ik.'

Hij hield haar hand losjes vast maar zelfs nu kon ze voelen hoe hard en ruw hij aanvoelde. Hij droeg geen ringen, en geen polshorloge.

Hij verkwistte geen geld aan luxe dingen. Hij doste zich niet uit.

Net als zij was hij blootsvoets, en de pijpen van zijn spijkerbroek waren bij de knieën afgeknipt en aan de uiteinden gerafeld. Met de lichte strepen in zijn haar en zijn gelooide huid leek hij meer op een strandjutter dan op een sheriff. Dat verminderde haar angst een beetje.

Bovenaan sloegen ze linksaf en liepen langs een heuvel naar boven. Onder hen, aan de andere kant van de rotsen, lag een zonnige inham waarin een rood bootje aan een gammele steiger lag te dobberen.

'Het is gewoon een plaatje,' zei ze kalm.

'Heb je weleens gezeild?'

'Ja. Maar heel zelden,' voegde ze er snel aan toe. 'Is dat jouw boot?'

'Die is van mij.'

Ineens klonk er een wild geploeter in het water en dook er een gladde, donkere kop op die om de rotsen zwom. Nell zag een enorme zwarte hond op het strand springen, waarna ze zich als een gek begon uit te schudden.

'Zij ook,' verklaarde Zack. 'Van mij, bedoel ik. Kun je met honden overweg? Zeg me dat nu meteen, dan kan ik haar nog tegenhouden en je een eerlijke voorsprong geven.'

'Dat hoeft niet, ik hou van honden.' Toen knipperde ze even met haar ogen en keek hem over haar schouder aan. 'Wat bedoel je met me een voorsprong geven?'

Hij nam niet de moeite antwoord te geven en grinnikte alleen maar toen de hond met machtige sprongen de helling op kwam. Ze sprong kwispelend en druipend van het water tegen Zack op en begon zijn gezicht te likken. Ze blafte twee keer kort en diep en spande haar spieren al om Nell dezelfde behandeling te geven maar Zack wist haar nog net tegen te houden.

'Dit is Lucy. Ze is aardig maar ongemanierd. Af, Lucy.'

Lucy ging zitten. Haar hele lijf kwispelde inmiddels. Maar ze kon zich niet inhouden en sprong opnieuw tegen Zack op.

'Ze is twee jaar,' verklaarde hij terwijl hij haar stevig van zich af duwde en haar met zijn hand op de rug dwong om te gaan zitten. 'Een zwarte lab. Ze hebben me verteld dat ze rustiger worden als ze wat ouder zijn.'

'Ze is prachtig.' Nell streelde Lucy over de kop en bij de eerste aanraking liet de hond zich op de grond vallen en rolde zich om, met haar buik naar boven.

'En ook geen waardigheid,' begon Zack maar hield verrast op toen Nell op haar hurken ging zitten en Lucy tot haar verrukking met beide handen stevig over haar buik wreef.

'Je hoeft niet waardig te zijn als je zo mooi bent, hè Lucy? O, er gaat toch niets boven een grote, mooie hond, of wel soms? Ik heb altijd al… o!'

Lucy die door het dolle heen was, rolde zich om, krabbelde overeind en wierp Nell plat op haar rug. Zack was snel, maar net niet snel genoeg om te voorkomen dat ze boven op haar sprong en haar begon te likken.

'Jezus, Lucy! Nee! Dat spijt me echt.' Zack duwde de hond opzij en trok Nell met één hand overeind. 'Gaat het? Heeft ze je pijn gedaan?'

'Nee, niks aan de hand.' De lucht was haar uit de longen geslagen, maar dat was maar gedeeltelijk de reden dat ze buiten adem was. Hij veegde haar af terwijl de hond met de kop naar beneden en heel zachtjes kwispelend naast hem zat. Hij vond het vervelend en maakte zich zorgen om haar, merkte ze, maar hij was niet kwaad.

'Je hebt toch niet je hoofd gestoten, hè? Die verdomde hond weegt bijna net zoveel als jij. Je hebt je elleboog wel een beetje geschaafd,' voegde hij eraan toe, en toen pas drong het tot hem door dat ze giechelde. 'Wat is er zo lollig?'

'Omdat die hond zo schattig doet. Net alsof ze zich echt schaamt. Het is wel duidelijk dat ze doodsbenauwd voor je is.'

'Ja, ik geef haar twee keer per week een pak rammel, of ze het nou verdient of niet.' Hij liet zijn handen heel luchtig op en neer langs Nells armen glijden. 'Zeker weten dat je niks mankeert?'

'Ja.' Toen pas viel het haar op dat ze wel heel erg dicht bij elkaar stonden, bijna alsof hij haar omarmde. En dat zijn handen op haar lagen, en dat haar huid daardoor veel te warm werd. 'Ja,' zei ze weer en deed doelbewust een stapje naar achteren. 'Er is niets gebeurd.'

'Je bent flinker dan je eruitziet.' Er liepen lange, dunne spieren in die armen, viel hem op. De spieren in haar benen had hij al eerder bewonderd. 'Kom mee naar binnen,' zei hij. 'Nee, jij niet,' zei hij tegen de hond. 'Jij blijft buiten.'

Hij pakte Nells schoenen op en liep naar een brede veranda. Ze kon geen goeie smoes bedenken, liep nieuwsgierig achter hem aan door de hordeur en kwam in een grote, lichte en rommelige keuken terecht.

'De werkster heeft tien jaar vrij genomen.' Hij voelde zich duidelijk prima op z'n gemak in zijn eigen troep, zette haar schoenen op de grond en liep naar de koelkast. 'Ik kan je geen eigengemaakte limonade aanbieden, maar we hebben wel ijsthee.'

'Dank je, dat is heerlijk. Het is een fantastische keuken.'

'We gebruiken hem voornamelijk om afhaalmaaltijden in op te warmen.'

'Wat zonde.' Er waren meterslange granieten aanrechten, en prachtige ruwhouten kasten met glas-in-loodraampjes. De royale dubbele spoelbakken bevonden zich onder een raam dat uitzicht bood op de inham en de zee.

Meer dan genoeg kasten en werkruimte, dacht ze. Met een beetje organisatie en een beetje verbeeldingskracht zou het een heerlijke…

Wij? Hij had 'wij' gezegd, drong het ineens tot haar door. Was hij getrouwd? Daar had ze nooit aan gedacht, ze had niet eens die mogelijkheid overwogen. Niet dat het ertoe deed, natuurlijk, maar…

Hij had met haar geflirt. Ze mocht dan wat uit vorm zijn en niet al te veel ervaring hebben, maar ze wist heus wel wanneer een man met haar flirtte.

'Er gaan nogal wat gedachten door jouw hoofd.' Zack reikte haar een glas aan. 'Wil je er een paar van kwijt?'

'Nee. Dat wil zeggen, ik dacht juist wat een mooi vertrek dit is.'

'Het zag er een stuk beter uit toen mijn moeder er nog de scepter zwaaide. Nu Ripley en ik alleen zijn overgebleven, wordt er niet veel aandacht aan de keuken geschonken.'

'Ripley. Juist ja, ik begrijp het.'

'Jij vroeg je af of ik getrouwd was, of misschien samenwoonde met iemand anders dan mijn zuster. Leuk.'

'Dat zijn mijn zaken niet.'

'Dat zei ik ook niet, ik zei gewoon dat ik het leuk vond. Ik zou je wel een rondleiding door het huis willen geven, maar de rest ziet er vermoedelijk nog beroerder uit dan de keuken. En jij bent zo'n net persoontje. We gaan deze kant uit.' Hij pakte haar weer bij de hand en trok haar aan de achterkant mee naar buiten.

'Waar gaan we naartoe? Ik moet eigenlijk naar huis.'

'Het is zondag, en we hebben toevallig allebei vrij. Ik wil je iets laten zien dat je wel leuk zult vinden,' ging hij door terwijl hij haar mee over de veranda trok.

Die bleek rondom te lopen en dus ook langs een tuin vol struikgewas en een paar knoestige bomen. Een trap met uitgesleten treden leidde naar een veranda op de tweede verdieping die op zee uitkeek.

Hij bleef haar hand vasthouden terwijl hij haar mee naar boven nam.

Ze werd overspoeld door lucht en licht en het deed de gedachte bij haar opkomen dat ze languit in de houten ligstoel wilde gaan liggen om daar de hele dag aan haar voorbij te laten glijden.

Bij de balustrade stond een telescoop en een stenen bloembak die nog beplant moest worden.

'Je hebt gelijk.' Ze liep naar de balustrade, leunde erover en haalde diep adem. 'Dit vind ik echt leuk.'

'Als je naar het westen kijkt kun je, als het helder genoeg is, het vasteland zien liggen.'

'Je telescoop staat niet op het westen gericht.'

Op dit moment had hij zijn volle aandacht op haar bijzonder fraaie benen. 'Nee, dat geloof ik ook.'

'Waar kijk je dan naar?'

'Naar wat mijn blik trekt.'

Ze keek hem aan terwijl ze iets bij hem vandaan liep. Hij stond nu naar haar te kijken – met een lang aanhoudende, speculerende blik, daarvan waren ze zich allebei bewust. 'Het is heel verleidelijk om hier de hele dag te blijven,' zei ze terwijl ze naar de hoek liep waar ze op het dorp uitkeek. 'En naar het komen en gaan te kijken.'

'Ik heb je vanochtend gezien toen je de meeuwen voerde.' Hij leunde tegen de balustrade, volkomen op zijn gemak, en nam een slok thee. 'Ik werd wakker met de gedachte: "Weet je, ik moet een reden zien te bedenken om vandaag bij de gele cottage langs te gaan en Nell Channing nog eens te zien." En toen kwam ik met mijn eerste kop koffie hiernaartoe, en daar was je. Dus hoefde ik geen reden te bedenken om je nog eens te zien.'

'Sheriff…'

'Het is mijn vrije dag,' hielp hij haar herinneren. Hij wilde zijn hand optillen om haar haar aan te raken, maar toen ze wat terugweek, stak hij hem gewoon in zijn zak. 'En daarom zouden we misschien een paar uurtjes op het water kunnen doorbrengen. Gaan zeilen.'

'Ik kan niet. Ik moet nog…'

'Je hoeft geen excuus te verzinnen. Een andere keer dan.'

'Ja.' De knoop in haar maag werd een beetje losser. 'Een andere keer. Ik moet nu echt weg. Bedankt voor de ijsthee, en het uitzicht.'

'Nell…' Hij pakte haar weer bij de hand en voelde de hare schokken. Hij hield de druk van zijn vingers zo licht mogelijk. 'Er is een grens tussen een vrouw een beetje zenuwachtig maken en haar bang maken. Die grens wil ik voor geen goud overschrijden. Wanneer je me een beetje beter leert kennen, zul je me geloven,' zei hij nog.

'Op dit moment ben ik druk bezig mezelf een beetje beter te leren kennen.'

'Prima. Ik zal een zak voor je schelpen en stenen pakken.'

ๆ ๆ ๆ

Hij maakte er een gewoonte van iedere ochtend naar het café te gaan. Een kop koffie, een muffin, een paar woordjes wisselen. Naar Zacks idee zou ze er op die manier aan wennen hem te zien en met hem te praten, en de volgende keer dat hij het voor elkaar kreeg dat ze alleen waren, zou ze niet langer geneigd zijn om naar uitvluchten te zoeken.

Hij was zich er heel goed van bewust dat Nell niet de enige was die zijn nieuwe ochtendroutine opmerkte. Hij vond de plagerige opmerkingen, de sluwe knipoogjes en het gegrinnik niet erg. Het leven op een eiland had zijn eigen ritme, en iedere keer dat het door iets nieuws werd opgevoerd, was dat voor iedereen merkbaar.

Hij nam een slokje van Nells werkelijk uitstekende koffie terwijl hij op de kade naar Carl Macey luisterde die over kreeftenstropers zat te griepen.

'Deze week is drie keer die verrekte kooi leeggehaald, en ze nemen niet eens de moeite om hem weer dicht te doen. Ik verdenk er die studenten van die het Boeing-huis hebben gehuurd. Jawel,' zei hij woest. 'Die doen dat. Als ik ze betrap, zal ik die rijke studentjes eens een lesje leren dat ze niet gauw zullen vergeten.'

'Tja Carl, het klinkt inderdaad alsof er zomerstropers aan het werk zijn, kinderen, dat is wel zeker. Zal ik maar eens een praatje met ze gaan maken?'

'Het geeft geen pas om iemand van zijn levensonderhoud te beroven.'

'Nee, maar zo zullen ze het vast niet bekijken.'

'Dan moesten ze nog maar eens beter nadenken.' Het verweerde gezicht werd grimmig. 'Ik ben naar Mia Devlin gegaan en heb haar gevraagd een betovering over mijn kooien uit te roepen.'

Zacks gezicht vertrok. 'Toe nou, Carl...'

'Beter dan dat ik hun magere witte kontjes vol hagel schiet, of niet soms? Dat staat als volgende op het lijstje, dat zweer ik.'

'Laat mij het maar afhandelen.'

'Daarom vertel ik het je toch, niet dan?' Carl knikte nijdig met zijn hoofd. ''t Kan geen kwaad om me van alle kanten in te dekken. Trouwens, ik heb die nieuwe vastelander eens bekeken toen ik toch in de boekwinkel was.' Carls lelijke mopshondengezicht vertrok in grijnsplooitjes. 'Nu snap ik waarom je daar zo regelmatig naartoe gaat. Jawel. Die grote blauwe ogen zorgen ervoor dat een vent op een goeie manier aan zijn dag begint.'

'Ze kunnen geen kwaad, nee. Hou jij je buks nu maar in je wapenkast, Carl, dan zorg ik wel voor de rest.'

Hij liep eerst terug naar het bureau om het lijstje met zomergasten te halen. Het Boeing-huis was gemakkelijk lopend te bereiken, maar hij besloot met de patrouillewagen te gaan om het een wat officiëler tintje te geven.

Het zomerhuurhuis stond een blok van het strand af, met aan de zijkant een flinke veranda die met horrengaas was afgeschermd. Binnen de horren hingen badlakens en zwembroeken aan een nylon waslijn te druipen. Op de veranda stond een picknicktafel boordevol bierblikjes en de overblijfselen van hun avondmaal.

Ze hadden niet eens het benul gehad het bewijsmateriaal weg te gooien, dacht Zack hoofdschuddend. Als enorme insecten lagen leeg geschraapte kreeftenschalen ondersteboven op de tafel. Hij stak zijn hand in de zak, haalde er zijn penning uit en speldde die op. Dan wisten ze meteen met wie ze te maken hadden.

Hij klopte aan en bleef kloppen totdat de deur openging. De knul die de deur opende kneep zijn ogen dicht tegen het zonlicht. Zijn haar zat volkomen in de war. Hij droeg een felgekleurde boxershort en was goudbruin verbrand.

'Oef,' zei hij.

'Sheriff Todd, van de eilandpolitie. Mag ik binnenkomen?'

'Wrom? Hoelaatst?'

Een gigantische kater, concludeerde Zack en vertaalde het. 'Om met jullie te praten, en het is ongeveer half elf. Zijn je vrienden in de buurt?'

'Ergens. Problemen? Christus.' De knul slikte en strompelde toen door de woonkamer en langs de eetbar naar de gootsteen waar hij de kraan wijd opendraaide en zijn hoofd onder de straal stak.

''t Was me het feestje wel, hè?' zei Zack toen hij zich druipend en wel weer oprichtte.

'Zawwél.' Hij pakte een paar vellen keukenpapier en droogde zijn gezicht af. 'Hebben we te veel herrie gemaakt of zo?'

'Er zijn geen klachten binnengekomen. Hoe heet je, knul?'

'Josh. Josh Tanner.'

'Nou Josh, zou je je maatjes niet eens wakker maken? Ik wil niet te veel van jullie tijd in beslag nemen.'

'Ja nou, oké dan.'

Hij bleef staan luisteren. Er werd wat gevloekt, er werd wat gestampt, er begon water te stromen en een wc werd doorgetrokken.

De drie jonge mannen die samen met Josh de kamer binnenkwamen, zagen er allemaal even beroerd uit. Ze bleven even in verschillende staten van ontkleding staan totdat een van hen zich met een gemaakt lachje op een stoel liet vallen.

'Wat is er loos?'

Die probeert zich een houding te geven, vermoedde Zack. 'En wie mag jij zijn?'

'Steve Hickman.'

Een Bostons accent, concludeerde Zack. Van goeden huize, een beetje Kennedy-achtig zelfs. 'Oké, Steve, dit is er loos. Er staat een boete van duizend dollar op het stropen van kreeften. Dat heeft zo z'n reden. Er zijn namelijk mensen die van de vangst leven, ook al geeft het anderen een kick de kooien leeg te roven en er een stuk of wat te koken. Wat voor jullie een avondje lol is, houdt wel in dat je geld uit hun portemonnee steelt.'

Terwijl hij hen de les las, merkte Zack dat de jongens zich onbehaaglijk begonnen te voelen. De knul die de deur open had gedaan, kreeg een kleur en hield zijn ogen schuldbewust afgewend.

'De portie die jullie gisteravond op de veranda hebben gegeten, levert rond de veertig dollar op de markt op. Dus als jullie nu met z'n allen naar Carl Macey in de haven gaan en hem veertig dollar geven, zal ik de zaak als afgehandeld beschouwen.'

'Ik weet niet waar u het over hebt. Zet die Macey zijn eigen stempel op zijn kreeften?' zei Steve met nog eens zo'n gemaakt lachje, terwijl hij zich op zijn buik krabde. 'U kunt niet bewijzen dat wij kreeften hebben gestroopt.'

'Dat is helemaal waar.' Zack liet zijn blik door de kamer en over de gezichten gaan. 'In het hoogseizoen bedraagt de huur van dit huis zo'n twaalfhonderd dollar per week, plus nog eens tweehonderdvijftig voor de boot die jullie hebben gehuurd. En daarbij moet dan nog eens het uitgaan, het eten en het bier worden geteld. Per man geven jullie dus een duizendje uit.'

'En dat storten we in de economie van het eiland,' zei Steve met een dun lachje. 'Behoorlijk stom dus om je zo druk te maken over een paar zogenaamde stropers.'

'Kan zijn. Maar het is nog stommer om geen tien piek per persoon te willen ophoesten om alles af te doen. Denk daar maar eens over na. Het is maar een klein eiland,' zei Zack terwijl hij naar de deur liep. 'Het zal algemeen bekend worden.'

'Is dat een dreigement? Het bedreigen van burgers zou tot een proces kunnen leiden.'

Zack keek hoofdschuddend achterom. 'Mijn kop eraf als je geen eerstejaars rechten bent.' Hij slenterde naar buiten en liep terug naar zijn patrouillewagen. Het zou hem niet veel tijd kosten om een woordje op de juiste plaatsen in het dorp te laten vallen. Daarna zouden ze het wel begrijpen.

ఌ ఌ ఌ

Ripley liep High Street af en kwam Zack voor de Magick Inn tegen. 'In de pizzatent bleef de creditcard van het kreeftenknulletje hangen,' begon ze. 'Er scheen geen verbinding meer te zijn en toen moest-ie zijn hand in de zak steken om zijn lunch contant te betalen.'

'Goh, is dat zo?'

'Ja. En zal ik je nog eens wat vertellen? Alle video's die ze wilden huren bleken al verhuurd te zijn.'

'Wat zielig.'

'En ik hoorde dat voor vandaag alle jet-ski's al besproken waren of niet werkten.'

'Wat jammer nou.'

'En om de reeks bizarre samenlopen van omstandigheden te vervolgen: zonet heeft de airco in hun zomerhuis het begeven.'

'En het wordt vandaag nog wel zo heet. En ze zeggen dat het vannacht benauwd zal worden. Dat wordt dan niet lekker slapen.'

'Je bent een gemene rotzak, Zachariah.' Ripley ging op haar tenen staan en gaf hem snel een dikke klapzoen op de wang. 'Daarom hou ik zoveel van je.'

'Ik ga nog een stuk gemener worden. Die knaap van Hickman geeft het niet zomaar op. De andere drie zullen gauw genoeg bakzeil halen, maar hij moet nog eens extra overtuigd worden.' Zack sloeg een arm om Ripley's schouder. 'Jij gaat dus naar het café om te lunchen?'

'Misschien wel. Hoezo?'

'Omdat je zoveel van me houdt en zo dacht ik dat je me wel een pleziertje zou willen doen.'

Haar lange paardenstaart zwiepte opzij toen ze haar hoofd omdraaide en hem aankeek. 'Als jij wilt dat ik een afspraakje met Nell voor je regel, zet dat dan maar uit je hoofd.'

'Bedankt zeg. Ik ben prima in staat zelf afspraakjes te maken.'

'Tot dusver is het resultaat nul komma niks.'

'Ik heb nog steeds mijn kaarten niet op tafel gelegd,' wierp hij tegen. 'Nee, ik hoopte dat jij Mia zou willen vertellen dat wij de zaken met die kreeftenknullen afhandelen, en dat zij niets moet doen.'

'Hoe bedoel je, niets doen? Wat heeft zij ermee te maken?' Ripley bleef staan en werd ineens woedend. 'Wel verdomme.'

'Niet kwaad worden. Carl zei alleen dat hij met haar had gepraat. Ik heb liever niet dat bekend wordt dat onze plaatselijke heks met haar toverkunsten aan het werk is. Of wat dan ook.'

Zack greep haar wat steviger bij de schouder om haar in bedwang te houden. 'Ik zou zelf wel een woordje met haar gaan wisselen, maar die kreeftenknullen moeten hier over een paar minuutjes langs komen en ik wil dat ze me hier zelfingenomen en autoritair zien staan.'

'Ik ga wel met haar praten.'

'Breng het een beetje aardig, Rip. En denk erom dat Carl het haar heeft gevraagd.'

'Ja ja ja.' Ze schudde zijn arm af en stak de straat over.

Heksen en betoveringen. Het was allemaal je reinste onzin, belachelijk en pure flauwekul dacht ze terwijl ze over het trottoir raasde. Carl Macey hoorde toch beter te weten dan iemand tot zulk stom gedoe aan te zetten. Het was prima dat de toeristen al dat soort dingen over de Drie Zusters kochten – het was een van de redenen dat ze van het vasteland overstaken. Maar dat een eilander zoiets kon doen, daar werd ze niet goed van.

En Mia moedigde het nog aan ook. Puur omdat ze Mia was.

Ripley liep Café Boek in en wierp een dreigende blik naar Lulu die bezig was met een klant af te rekenen. 'Waar is ze?'

'Boven. Het is vandaag nogal druk.'

'Tjonge, wat een bezig bijtje,' mompelde Ripley terwijl ze naar boven liep.

Ze kreeg Mia samen met een klant bij de kookboeken in het oog. Ripley ontblootte haar tanden. Mia wapperde met haar wimpers. Kokend van ongeduld liep Ripley het café in, wachtte haar beurt af en bestelde toen op snauwende toon een koffie.

'Geen lunch vandaag?' Rood aangelopen door de toeloop van klanten rond het middaguur schonk Nell haar een kop uit een vers gezette kan in.

'Ik heb geen trek meer.'

'Wat zonde nou,' kirde Mia vlak achter Ripley. 'De kreeftsalade is vandaag echt bijzonder.'

Ripley wees kortaf met haar duim, begaf zich driftig achter de toonbank en liep de keuken in. Ze plantte haar handen op haar heupen terwijl Mia achter haar binnenkwam.

'Zack en ik handelen het af. Ik wil dat jij je erbuiten houdt.'

Mia's stem was gladder dan room. 'Ik zou het niet wagen me in de wetten van het land te mengen.'

'Pardon.' Nell aarzelde even en schraapte haar keel. 'Ik moet eh… sandwiches maken.'

'Ga je gang,' wenkte Mia haar. 'Ik neem aan dat inspecteur Droopy en ik zo'n beetje zijn uitgepraat.'

'Hou die gehaaide opmerkingen maar voor je.'

'Dat doe ik ook. Die spaar ik voor jou.'

'Ik wil niet dat je iets doet, en ik wil dat je Carl vertelt dat je niks hebt gedaan.'

'Te laat.' Mia amuseerde zich kostelijk en wierp haar een stralende glimlach toe. 'Het is al gebeurd. Een heel eenvoudige betovering – zelfs iemand als jij die bijna niks kan zou het hebben klaargespeeld.'

'Maak het ongedaan.'

'Nee. Waarom maak jij je er druk over? Jij beweert dat je niet in de Leer gelooft.'

'Dat doe ik ook niet, maar ik weet dat er geruchten zullen komen als er iets met die knapen gebeurt…'

'Beledig me niet.' Alle humor was op slag uit Mia's stem verdwenen. 'Je weet heel goed dat ik hen geen kwaad zal doen. Dat doe ik nooit. Je weet dat dat de kern van de zaak is. En dat is precies waar jij bang voor bent. Bang om je open te stellen voor wat er vanbinnen bij je leeft, en bang dat je het niet onder controle zou kunnen houden.'

'Ik ben nergens bang voor. En op die manier zul je me nooit aan jouw kant krijgen.' Ze wees naar Nell die haar best deed om zich uitsluitend met haar sandwiches te bemoeien. 'En je hebt ook het recht niet om haar erbij te betrekken.'

'Ik heb het beeld niet getekend, Ripley. Ik heb het alleen herkend. Net als jij overigens.'

'Het heeft geen zin om met jou te praten,' zei Ripley, waarna ze de keuken uit stormde.

Mia slaakte een zuchtje, het enige teken dat ze van streek was. 'Een gesprek met Ripley levert eigenlijk nooit iets op. Maak je er niet druk om, Nell.'

'Het heeft niets met mij van doen.'

'Ik kan zelfs hier voelen dat je je zorgen maakt. Mensen maken soms ruzie, en vaak verbitterd. Niet iedereen lost een conflict met zijn vuisten op. Kom op.' Ze ging achter Nell staan en masseerde haar schouders. 'Laat die zorgen maar gaan. Spanning is slecht voor de spijsvertering.'

Bij haar aanraking voelde Nell het brok ijs in haar buik onder een stroompje warmte wegsmelten. 'Dat komt denk ik omdat ik jullie allebei mag. Ik vind het vreselijk dat jullie zo'n hekel aan elkaar hebben.'

'Ik heb geen hekel aan Ripley. Ik erger me aan haar en ze frustreert me, maar ik heb geen hekel aan haar. Je vraagt je af waar we het over hadden maar je wilt het niet vragen, hè kleine zus?'

'Nee, ik vraag niet graag.'

'Ik juist wel. Jij en ik moeten hoognodig eens praten.' Mia deed een stapje naar achteren en wachtte tot Nell de bestelling had afgemaakt en zich omdraaide. 'Vanavond heb ik het een en ander te doen. Morgen dan maar. Dan gaan we iets drinken, op mijn kosten. Een beetje vroeg. Vijf uur in de Magick Inn. In de lounge. Die wordt de Heksenkring genoemd. Als je dat liever wilt mag je al je vragen thuislaten,' zei Mia terwijl ze de keuken uit liep. 'De antwoorden krijg je toch wel.'

5

*H*et verliep eigenlijk allemaal precies zoals Zack had verwacht. Hickman wist van geen opgeven. De andere drie hadden toegegeven, en Zack verwachtte dat ze Carl de volgende ochtend zijn geld zouden geven. Maar Hickman moest en zou bewijzen dat hij slimmer, dapperder en absoluut superieur was aan een sheriff van een stom eilandje.

Vanaf de plek waar hij op de kade stond sloeg Zack de huurboot gade die naar de kreeftenkooien tufte. De knul was nu al in overtreding omdat hij na zonsondergang zonder lichten voer, dacht Zack peinzend terwijl hij op wat zonnebloempitjes kauwde. Dat zou hem een boete opleveren.

Maar het was een habbekrats vergeleken met het duizendje dat het uitdagende gedrag van het studentje zijn vader zou gaan kosten.

Hij nam aan dat de knaap wel voor wat problemen zou zorgen wanneer hij hem ging inrekenen. Dat betekende dat ze vannacht allebei een paar uur op het bureau zouden moeten doorbrengen, met een van hen beiden achter tralies.

Goed, hij zou hem eens een lesje leren, besloot Zack. Hij liet de verrekijker zakken en pakte zijn zaklamp toen de knaap een kreeftenkooi begon op te halen.

De hoge gil klonk bijna meisjesachtig en Zack schrok zich rot. Hij knipte de zaklamp aan en liet de sterke straal over het water glijden. Er kroop een lichte nevel over het oppervlak zodat het leek alsof de boot in een wolk van rook lag te deinen. De jongen stond rechtop, met de kooi in beide handen, en staarde met een blik van pure ontzetting naar beneden.

Voordat Zack hem kon aanroepen smeet de knaap de kooi zo ver mogelijk van zich af. Op het moment waarop die in het water plonsde, viel hij overboord.

'Wel verduveld,' zei Zack mopperend vanwege het vooruitzicht dat hij de dag drijfnat zou afsluiten. Hij liep naar de rand van de kade en pakte een reddingsboei. Het joch schreeuwde zo hard dat hij bijna vergat te zwemmen maar hij kwam iets dichter bij de wal.

'Steve!' Zack gooide de reddingsboei in het water. 'Deze kant uit. Ik heb geen zin je eruit te moeten vissen.'

'Help!' Het joch lag te spartelen, kreeg water binnen en stikte bijna. Maar hij slaagde er toch in de drijver te grijpen. 'Ze… ze eten mijn gezicht op!'

'Je bent er bijna.' Zack ging op zijn knieën zitten en stak een hand uit. 'Kom op. Je bent nog helemaal heel.'

'Mijn hoofd! Mijn hoofd!' Steve belandde glibberend op de kade en bleef daar rillend op zijn buik liggen. 'Ik zag mijn hoofd in de kooi! Ze aten mijn gezicht op!'

'Je hoofd zit nog stevig op je schouders, knul.' Zack ging op zijn hurken naast hem zitten. 'Bedaar een beetje. Je was gewoon aan het hallucineren. Je hebt vast en zeker een beetje te veel gedronken, en als je je dan ook nog schuldig voelt, dan gebeurt zoiets.'

'Ik zag… ik zag…' Hij ging rechtop zitten en bracht zijn bevende handen naar zijn gezicht om zich ervan te overtuigen dat alles er nog op en aan zat. En toen begon hij van pure opluchting van top tot teen te beven.

'Mist, duisternis en water vormen een verraderlijke combinatie, vooral na een paar biertjes. Je zult je een stuk beter voelen als je Carl die veertig dollar geeft. Wat denk je, lijkt het je geen goed idee om je even om te kleden, je portefeuille te pakken en nu meteen naar hem toe te gaan? Dan slaap je beslist beter.'

'Ja. Natuurlijk. Goed. Oké.'

'Mooi dan.' Zack hielp hem overeind. 'Ik laat de boot wel terughalen, maak je daar maar geen zorgen om.'

Die Mia, dacht Zack terwijl hij de niet langer tegenstribbelende jongeman van het water weg leidde. Je moest haar nageven dat ze creatief was.

❧ ❧ ❧

Het kostte wat tijd om de jongen te kalmeren en daarna, nadat hij Steve naar hun zomerhuis terug had gebracht, alle vier de knullen tot bedaren te brengen. Vervolgens moest de zaak met Carl worden afgehandeld, en dan nog de boot. Dat was vermoedelijk de reden dat Zack vlak voor drie-en op het bureau in slaap sukkelde.

Hij werd twee uur later zo stijf als een plank en kwaad op zichzelf wakker. Ripley moest de eerste dienst maar draaien, dacht hij terwijl hij strompelend naar zijn patrouillewagen liep.

Hij was van plan regelrecht naar huis te rijden maar het was een gewoonte geworden om aan het einde van zijn dienst eerst even langs de gele cottage te rijden. Gewoon om zeker te zijn dat daar alles in orde was.

Voordat hij het zich realiseerde was hij al afgeslagen, en zag toen binnen licht branden. Bezorgd maar toch ook nieuwsgierig zette hij de auto stil en stapte uit.

Omdat het licht in de keuken brandde, liep hij naar de achterdeur. Hij hief zijn hand op om aan te kloppen en zag haar toen aan de andere kant van de hordeur staan. Ze hield een groot, scherp mes in beide handen geklemd.

'Als ik je vertel dat ik toevallig in de buurt was, dan ga je me toch niet met dat mes te lijf, hè?'

Haar handen begonnen te trillen. Ze liet haar adem met één klap ontsnappen en liet het mes kletterend op de tafel vallen.

'Het spijt me dat ik je bang heb gemaakt. Ik zag licht branden toen ik… hé, hé!' Toen ze op haar benen begon te wankelen, stoof hij naar binnen, greep haar bij de armen en zette haar op een stoel. 'Zitten blijven. Ademhalen. Doe je hoofd omlaag. Jezus, Nell, het spijt me echt.' Hij streek haar over het haar, klopte haar op de rug en vroeg zich af of ze van de stoel zou vallen als hij snel even een glas water voor haar ging halen.

'Het is al goed. Het is weer in orde. Ik hoorde voetstappen. In het donker. Het is hier zo stil dat je alles hoort, en ik hoorde je naar het huis komen.'

Ze had als een bange haas op de vlucht willen slaan om almaar door te blijven rennen. Ze herinnerde zich niet dat ze het mes had gepakt. Ze had niet eens geweten dat ze zoiets durfde.

'Ik ga een glas water voor je halen.'

'Nee. Ik ben alweer in orde.' Het was vernederend geweest, besefte ze nu, maar ze voelde zich weer goed. 'Ik verwachtte gewoon niet dat er iemand aan de deur zou komen.'

'Nee, dat zal wel niet. Het is nog niet eens half zes.' Hij liet zich op zijn hurken zakken toen ze haar hoofd weer optilde. 'Waarom ben je al zo vroeg op?'

'Ik sta meestal om…' Ze schoot als een veer overeind toen de zoemer van de oven piepte. 'God! God!' Wat lacherig sloeg ze met haar vuist op tafel. 'Als ik zo doorga mag ik me gelukkig prijzen als ik zonsopgang haal. Mijn muffins,' zei ze en ze stond snel op om ze uit de oven te halen en er de volgende volle bakplaat in te schuiven.

'Ik wist niet dat je al zo vroeg begon.'

Hij keek om zich heen en zag nu pas dat ze al een tijdje bezig was geweest. Er stond iets op de kookplaat te borrelen dat zalig rook. Een enorme kom met beslag stond op het aanrecht. Een tweede kom, afgedekt met een theedoek, stond naast de oven. En weer een ander stond op de tafel waar ze duidelijk iets aan het mengen was geweest voordat ze zo van hem was geschrokken dat het haar tien jaar van haar leven moest hebben gekost.

Allerlei ingrediënten stonden als een muziekkorps keurig in het gelid opgesteld.

'Ik wist niet dat je tot zo laat werkte.' Ze kalmeerde zichzelf door bakvet door het meel voor het deeg voor haar gebak te kneden.

'Dat doe ik normaal ook niet. Ik moest gisteravond iets afhandelen en toen alles was geregeld, ben ik in mijn bureaustoel in slaap gevallen. Nell, als je me nu niet een kopje van die koffie geeft ga ik zo meteen janken en dan breng ik ons allebei in verlegenheid.'

'O. Sorry.'

'Ga jij nou maar door met waar je mee bezig bent. Mokken?'

'Kastje rechts van de gootsteen.'

'Zal ik jou ook nog eens bijschenken?'

'Doe maar.'

Hij schonk een mok in en vulde de hare bij die naast de gootsteen stond. 'Weet je, volgens mij is er iets mis met die muffins.'

Ze draaide zich om, met een kom in haar gebogen arm. Op haar gezicht wisselden schrik en belediging zich in snel tempo af. 'Hoezo!'

'Ze lijken me niet helemaal gelukt. Zal ik er eentje voor je proeven?' Hij wierp haar een snelle, jongensachtige grijns toe waardoor haar mond vertrok.

'Waarom vraag je niet gewoon of je er eentje mag?'

'Op deze manier is het leuker. Nee, doe geen moeite. Ik kan er zelf wel een pakken.' Hij pikte er eentje uit de vorm en brandde zijn vingers. Terwijl hij de muffin van de ene hand in de andere wierp om af te koelen, vertelde de geur hem al dat hij alleszins de moeite waard zou zijn. 'Ik heb echt een zwak voor jouw bosbessenmuffins, Nell.'

'Mr. Bigelow, Lancefort Bigelow, heeft liever mijn soesjes. Hij zei dat als ik ze iedere dag voor hem wilde maken, hij met me zou trouwen en dat we naar Bimini zouden verhuizen.'

Grinnikend brak Zack de muffin doormidden en nam even de tijd om de geurige damp op te snuiven. 'Daar kan ik natuurlijk niet tegenop.'

Bigelow was een overtuigd vrijgezel van negentig jaar.

Hij keek toe hoe ze het deeg kneedde en het tot een bal vormde. Vervolgens haalde ze de muffins uit de vorm, zette ze op een rek om af te koelen en vulde de uithollingen met beslag. Toen de kookwekker weer afging haalde ze de bakplaten eruit en ging toen het gebakdeeg uitrollen.

'Je hebt een echt systeem ontwikkeld,' merkte hij op. 'Waar heb je leren bakken?'

'Mijn moeder…' Ze stopte abrupt en paste haar woorden aan. In deze rustige keuken met al die huiselijke geuren was het al te verleidelijk om je te veel op je gemak te voelen en te veel te vertellen. 'Mijn moeder bakte graag,' zei ze. 'En van haar heb ik tussen neus en lippen door de recepten en de techniek opgepikt.'

Hij wilde niet dat ze verkrampte, dus liet hij het erbij. 'Heb je ooit kaneelbroodjes gemaakt? Je weet wel, met van dat kleverige witte glazuur erop.'

'Hmm.'

'Soms maak ik ze zelf.'

'Echt?' Ze begon het deeg uit te snijden voor de gebakjes en keek hem even over haar schouder aan. Hij stond met zijn kop koffie in de hand en gekruiste enkels tegen het aanrecht geleund en zag er heel… mannelijk uit, dacht ze. 'Ik wist niet dat je kon koken.'

'Tuurlijk wel, zo af en toe tenminste. Je kunt van die hulzen in de supermarkt kopen. Die neem je mee naar huis, slaat ze tegen het aanrecht, pelt het broodjesspul eruit, zet ze in de oven en spuit er glazuur op. Fluitje van een cent.'

Ze moest erom lachen. 'Dat zal ik ook eens moeten proberen.' Ze liep naar de koelkast en haalde er een kom met vulling uit.

'Ik kom je tegen die tijd wel helpen.' Hij dronk zijn mok leeg en zette die in de gootsteen. 'Ik kan maar beter naar huis gaan en je niet langer voor de voeten lopen. Bedankt voor de koffie.'

'Graag gedaan.'

'En de muffin. Die was prima.'

'Wat een opluchting.' Ze stond bij de tafel en lepelde methodisch vulling midden op de rondjes deeg. Toen hij op haar afkwam, verstrakte ze een beetje maar bleef gewoon doorgaan.

'Nell?'

Ze keek op en toen hij zijn hand tegen haar wang legde, zakte de vulling van de lepel.

'Ik hoop echt dat dit je niet van de wijs brengt,' zei hij, bukte zich en drukte zijn mond op de hare.

Ze vertrok geen spier. Dat kon ze ook niet. Haar ogen bleven open en leken aan de zijne geklonken. Ze leek op een hert dat in de kruislijntjes gevangenzat.

Zijn lippen voelden warm aan. Dat merkte ze wel. En zachter dan ze eruitzagen. Hij raakte haar niet aan. Ze had zo'n idee dat ze uit haar vel zou springen als hij haar nu zou aanraken.

Maar het bleef bij zijn mond die licht en simpel op de hare lag.

Hij had zich erop voorbereid dat ze kwaad zou worden, of dat het haar niet zou kunnen schelen. Hij had niet verwacht dat ze bang zou zijn. Dat was wat hij van haar voelde afstralen: een verkramping die gemakkelijk in angst zou kunnen overgaan. Dus raakte hij haar niet aan zoals hij dat graag zou willen. Hij liet niet eens zijn vingers over haar armen omlaag glijden.

Als ze achteruit was geweken, zou hij niets hebben gedaan om haar tegen te houden. Maar het feit dat ze doodstil bleef staan was een verdediging op zich. Hij was het die een stapje achteruit deed en het luchtig hield, ook al knaagde er vanbinnen meer dan een opvlammend verlangen naar haar. Hij werd koud van woede op de man die haar kwaad had gedaan.

''t Lijkt erop dat ik niet alleen een zwak voor je muffins heb.' Hij stak zijn duimen in de voorzakjes van zijn spijkerbroek. 'Ik zie je.'

Hij slenterde naar buiten in de hoop dat de kus en het gemak waarmee hij was weggelopen, haar iets zou geven om over na te denken.

∾ ∾ ∾

Hij kon niet meer slapen, zag er dus maar van af en nam Lucy tot haar grote vreugde mee voor een vroeg zwempartijtje in de inham. Het stoeipartijtje en haar superdwaze gedrag deden zijn stijfheid en frustratie voor een groot deel verdwijnen.

Hij zag Ripley na het hardlopen over het strand in de golven duiken. Ze was net zo betrouwbaar als de zonsopkomst, dacht hij terwijl ze door de golven kliefde. Hij mocht dan niet altijd weten wat er in haar hoofd omging, of hoe het erin terecht was gekomen, maar hij hoefde zich zelden zorgen te maken over Ripley Todd.

Ze kon uitstekend voor zichzelf zorgen.

Toen ze omkeerde rende Lucy het water uit om haar op te wachten, en ze gingen eerst even een partijtje meidenworstelen en daarna een eindje hardlopen. Daarna kwamen ze naar hem toe op de bovenste veranda, waar Lucy hijgend van plezier neerplofte en Ripley een flesje water leegdronk.

'Mam heeft gisteravond gebeld.' Ripley liet zich in een van de deckchairs neervallen. 'Ze zijn bij de Grand Canyon gearriveerd. Ze sturen ons zes miljoen foto's die pa met zijn digital heeft genomen. Ik durf ze haast niet binnen te halen.'

'Jammer dat ik hun telefoontje ben misgelopen.'

'Ik heb ze verteld dat je iemand in de gaten moest houden,' zei ze licht spottend. 'Ze waren helemaal verrukt van die kreeftenstreken. Is er nog iets gebeurd?'

'O ja.'

Hij ging op de armleuning van een bearchair zitten en bracht haar volledig op de hoogte.

Ze hief haar gezicht naar de hemel en brulde van het lachen. 'Ik wist wel dat ik met je mee had moeten gaan. Echt een zatladderstreek. Nee, niet jij, maar onze kreeftenknul.'

'Dat had ik al begrepen. Zo dronken was hij niet, Rip.'

Ze tilde haar hand op om hem de mond te snoeren. 'Begin daar nou niet over. Ik ben in een heel goeie stemming en die wil ik niet laten bederven met geklets over Mia en haar Halloweenfratsen.'

'Jij hebt het voor het zeggen.'

'Dat heb ik meestal. Ik ga douchen en zal de eerste dienst doen. Je moet wel kapot zijn.'

'Met mij gaat het prima. Hoor eens…' Maar zijn stem stierf weg toen hij probeerde te bedenken hoe hij het onder woorden moest brengen.

'Ik luister.'

'Op weg naar huis ben ik langs de gele cottage gereden. Bij Nell brandde licht dus ben ik even bij haar langsgegaan.'

'O jee,' zei Ripley plagend.

'Hou je smerige gedachten voor je. Ik heb er een kop koffie genomen met een muffin.'

'Goh Zack, dat spijt me nou.'

Normaliter zou hij erom hebben gelachen, maar dit keer niet. Hij stond op en liep naar de balustrade. 'Jij gaat bijna iedere dag bij haar langs. Jullie kunnen goed met elkaar overweg, toch?'

'Dat dacht ik wel. Het valt niet mee om haar niet aardig te vinden.'

'Vrouwen hebben de neiging om elkaar geheimpjes toe te vertrouwen, niet?'

'Dat lijkt me wel. Moet ik haar vragen of ze je aardig genoeg vindt om mee naar het schoolfeest te gaan?' Ze begon zachtjes te grinniken maar hield op toen hij zich omdraaide en ze zijn gezicht zag. 'Hé joh, sorry. Ik wist niet dat het serieus was bedoeld. Wat is er aan de hand?'

'Ik geloof dat ze is misbruikt.'

'O, man.' Ripley staarde naar haar waterfles. 'Wat erg.'

'Ik ben ervan overtuigd dat de een of andere klootzak haar heeft mishandeld. Zelfs al is ze ervoor onder behandeling geweest of heeft ze hulp gehad, ze zou volgens mij toch een eh… vriendin kunnen gebruiken, als je begrijpt wat ik bedoel. Iemand met wie ze erover kan praten.'

'Je weet best dat dit niks voor mij is, Zack. Jij bent er veel beter in.'

'Ik ben verkeerd gebouwd om Nells vriendin te zijn, Rip. Probeer gewoon wat tijd met haar door te brengen. Ga er samen met de boot op uit, of ga winkelen, of…' Hij maakte een vaag gebaar. '… ga voor mijn part elkaars nagels lakken.'

'Pardon?'

'Toe nou, Ripley. Ik weet toch niet wat jullie in jullie mysterieuze grotten uitspoken wanneer er geen mannen in de buurt zijn?'

'We houden kussengevechten in ons ondergoed.'

Hij trok een wat vrolijker gezicht omdat ze dat graag wilde. 'Echt? Ik was al bang dat dat een verzinsel was. Dus word vriendjes met haar, oké?'

'Begin je iets voor haar te voelen?'

'Ja, en?'

'Dan zal ik maar vriendjes met haar worden.'

ლ ლ ლ

Nell liep om klokslag vijf uur de Magic Inn. Het zag er niet donker en griezelig uit en leek helemaal niet op een Heksenkring, waarvoor ze eigenlijk bang was geweest. Het was er best gezellig. Het was er wat blauwig verlicht en dat gaf een zacht tintje aan de witte bloemen die midden op elk tafeltje prijkten.

De tafels zelf waren rond met rondom diepe stoelen en bankjes. Op de glimmende bar stonden glazen te fonkelen. Nell had nog maar net een tafeltje uitgekozen toen een jonge serveerster in een niets onthullend en strak zwart pakje een zilveren schaal met zoutjes voor haar neerzette.

'Wilt u iets drinken?'

'Ik wacht op iemand. Voorlopig zou ik graag een mineraalwater willen hebben. Dank je.'

De enige andere gasten waren een stel dat over een brochure van Island Tours zat gebogen en ondertussen elk van een glas witte wijn nipten en stukjes kaas van een plankje aten. Er was zachte muziek die heel veel deed denken aan wat Mia in de boekwinkel draaide. Nell probeerde zich te ontspannen en wou maar dat ze een boek had meegenomen.

Tien minuten later kwam Mia binnengestoven. Ze droeg een lange rok die om haar benen zwierde, had een boek in de hand en zwaaide met haar vrije hand naar de bar. 'Een cabernet, Betsy.'

'Het eerste glas gaat op rekening van Carl Macey,' zei Betsy met een knipoogje naar Mia. 'Dat heeft hij me opgedragen.'

'Je mag hem vertellen dat ik ervan heb genoten.' Ze ging tegenover Nell zitten. 'Ben je met de auto?'

'Nee, ik ben komen lopen.'

'Drink je weleens iets van alcohol?'

'Af en toe.'

'Doe dat dan nu ook. Wat wil je graag?'

'De cabernet lijkt me prima.'

'Twee, Betsy. Verdorie, ik ben dol op dit spul.' Ze begon van de schaal met zoutjes te eten. 'Vooral die kleine kaaskoekjes die op Chinese tekens lijken. Goed, ik heb een boek voor je meegebracht. Een cadeautje.' Mia schoof het naar Nell toe. 'Ik dacht dat je wel iets zou willen lezen over de plek die je als je woonplaats hebt uitgekozen.'

'Ja, dat was mijn bedoeling al. *De Drie Zusters: Legenden en Feiten,'* zei ze bij het lezen van de omslag. 'Dank je wel.'

'Je begint je thuis te voelen en vaste grond onder de voeten te krijgen. Maar ik moet je eerst vertellen dat je me niet blijer had kunnen maken met jouw werk.'

'Daar ben ik blij om. Ik vind het fijn om in het café en de winkel te werken. Die baan is me op het lijf geschreven. Het had niet beter gekund.'

'O, ben jij nou Nell.' Betsy die de wijn kwam brengen, had haar woorden opgevangen en keek haar stralend aan. 'Je bent steeds al weg wanneer ik in het café kom. Ik probeer altijd er snel even binnen te wippen voordat ik de bar open. Zalige koeken.'

'Dank je.'

'Heb je nog iets van Jane gehoord, Mia?'

'Vandaag nog. Tim heeft auditie gedaan en ze hebben goede hoop. Ze werkt in een bakkerij in Chelsea om de huur te kunnen betalen.'

'Ik hoop zo dat ze gelukkig zijn.'

'Ik ook.'

'Ik zal jullie nu maar alleen laten. Laat het me weten als je nog iets nodig hebt.'

'Zo.' Mia hief haar glas en tikte ermee tegen die van Nell. *Slainte.*'

'Pardon?'

'Een Keltische toost. Proost.' Mia bracht het glas naar haar mond en keek Nell over de rand heen aan. 'Wat weet je van heksen?'

'Welke? Zoals Elizabeth Montgomery in *Bewitched* of het type dat kristal draagt en kaarsen brandt en flesjes met liefdesdrankjes verkoopt?'

Mia lachte en sloeg haar benen over elkaar. 'Ik had het eigenlijk niet over Hollywood of nep-heksen.'

'Het was niet beledigend bedoeld. Ik weet dat er mensen zijn die het heel serieus opvatten. Als een religie. Dat hoor je te respecteren.'

'Zelfs al zijn het excentriekelingen,' zei Mia met iets van een lachje.

'Nee. Jij bent geen excentriekeling. Ik weet… Nou ja, je had het er die eerste dag over, en toen gisteren tijdens je gesprek met Ripley.'

'Mooi. We hebben dus vastgesteld dat ik een heks ben.' Mia nam nog een slokje. 'Je bent een lieverd, Nell. Je doet zo je best om er intelligent en nuchter over te praten terwijl je vanbinnen vindt dat ik – hoe zal ik het zeggen – excentriek ben. Daar zullen we het later nog wel over hebben. Nu wil ik terug in de geschiedenis zodat ik je de basisprincipes duidelijk kan maken. Heb je weleens van de heksenprocessen in Salem gehoord?'

'Tuurlijk. Een paar hysterische jonge meiden en fanatieke puriteinen. Volkshysterie. Verbrand die heksen.'

'Hang ze op,' verbeterde Mia haar. 'Negentien mensen – stuk voor stuk onschuldig – werden in 1692 opgehangen. Eentje werd doodgedrukt toen hij weigerde te zeggen of hij schuldig of onschuldig was. Anderen zijn in de gevangenis doodgegaan. Door de eeuwen heen zijn er voortdurend heksenvervolgingen geweest. Hier, in Europa, en in elke uithoek van de wereld. Ook toen de meesten er niet langer in geloofden, of accepteerden dat er in hekserij werd geloofd, werden ze achtervolgd. Door de nazi's, door McCarthy, door de KKK, en ga zo maar door. Het waren allemaal fanatici met macht die hun eigen zin wilden doordrijven en genoeg zwakkelingen vonden om het vuile werk voor hen op te knappen.'

Breek me de bek niet open, dacht Mia terwijl ze even diep ademhaalde.

'Maar tegenwoordig houden we ons bezig met de geschiedenis van de mens als complex wezen.'

Ze leunde achterover en tikte heel even met haar vinger op het boek. 'De puriteinen kwamen volgens eigen zeggen hierheen om vrijheid van geloof te zoeken. Een groot aantal kwam natuurlijk alleen om anderen hun geloof en hun angst op te dringen. En in Salem werd blindelings vervolgd en gemoord. Ze deden dat zo verblind dat geen van de negentien zielen die ze hebben genomen de ziel van een heks was.'

'Vooroordeel en angst geven nooit een helder beeld.'

'Precies. Er waren daar drie heksen, vrouwen die deze plek hadden uitgekozen om hun leven te slijten en hun discipline te beoefenen. Machtige vrouwen die de zieken en de bedroefden hielpen. Deze drie wisten dat ze niet langer op hun uitverkoren plek konden blijven, en dat ze vroeg of laat beschuldigd en veroordeeld zouden worden. Dus werd het eiland van de Drie Zusters geschapen.'

'Geschapen?'

'Er wordt gezegd dat ze in het geheim bij elkaar kwamen en een betovering afriepen. En dat een deel van het vasteland werd losgetrokken. Wij leven nu op wat zij destijds van het land losmaakten. Een schuilplaats. Een toevluchtsoord. Is dat niet waarnaar jij op zoek was, Nell?'

'Ik was op zoek naar werk.'

'En dat heb je gevonden. Ze stonden bekend als Lucht en Aarde en Vuur. Gedurende een aantal jaren hebben ze hier rustig en in vrede gewoond. En alleen. Het was die eenzaamheid die hen verzwakte. Degene die Lucht werd genoemd, verlangde naar liefde.'

'Dat doen we allemaal,' zei Nell rustig.

'Misschien wel. Ze droomde van een prins, een knappe, goudgelokte prins die haar mee zou nemen naar een heerlijk oord waar ze gelukkig zouden zijn en kinderen zouden krijgen om haar te troosten. Ze ging onzorgvuldig om met haar wens, zoals vrouwen soms doen wanneer ze ergens naar snakken. Hij kwam, en ze zag alleen dat hij knap en stralend was. Ze ging met hem mee en verliet haar toevluchtsoord. Ze probeerde een goede en plichtsgetrouwe vrouw te zijn, bracht kinderen ter wereld en hield van hen. Maar dat vond hij niet genoeg. Onder al dat goud was het zwart. Ze werd uiteindelijk bang van hem, en hij voedde zich met haar angst. Op een nacht, gek van de honger, vermoordde hij haar om wat ze was.'

'Wat een triest verhaal.' Nells keel was kurkdroog maar ze bracht het glas niet naar haar mond.

'Er is nog meer, maar dit is voorlopig genoeg. Het zijn drie trieste verhalen die tragisch aflopen. Maar ze lieten alle drie een legaat na. Een kind dat een kind zou baren dat een kind zou baren, enzovoort. Er zou een moment komen, werd gezegd, dat een afstammeling van elk van de zusters op hetzelfde moment op het eiland zou zijn. Ieder zou een manier moeten vinden om het patroon te doorbreken dat driehonderd jaar geleden werd vastgelegd, en ze zouden zich ervan los moeten maken. Als dat niet gebeurde, zou het eiland in zee vallen en net als Atlantis verloren gaan.'

'Eilanden vallen niet in zee.'

'Normaal gesproken worden eilanden ook niet door drie vrouwen geschapen,' wierp Mia tegen. 'Als je het eerste gelooft, is het niet zo moeilijk om het tweede ook te geloven.'

'Jij gelooft het wel,' zei Nell knikkend. 'En dat je een van de afstammelingen bent.'

'Ja. Net als jij.'

'Ik ben niemand.'

'Daar is hij aan het woord, niet jij. Sorry.' Mia had meteen spijt, stak haar hand uit en pakte die van Nell voordat ze kon opstaan. 'Ik zei dat ik geen vragen zou stellen, en dat doe ik ook niet. Maar het ergert me jou te horen zeggen dat je niemand bent. En te horen dat je het meent. Vergeet de rest nu even als je dat per se wilt, maar vergeet niet wie en wat je bent. Je bent een intelligente vrouw met genoeg ruggengraat om een leven voor zichzelf te scheppen. Eentje met een gave – magie in de keuken. Ik bewonder je.'

'Het spijt me.' Nell, die moeite had om weer tot rust te komen, stak haar hand naar haar glas wijn uit. 'Ik ben sprakeloos.'

'Jij had de moed om in je eentje opnieuw te beginnen. Om naar een onbekend oord te komen en te zorgen dat je daar thuis ging horen.'

'Het was geen kwestie van moed.'

'Dat zie je verkeerd. Hij heeft je niet klein gekregen.'

'Dat heeft hij wel.' Ze kon er niets aan doen dat de tranen haar in de ogen schoten. 'Ik heb alleen de stukken bij elkaar geraapt en ben weggelopen.'

'Je hebt de stukken bij elkaar geraapt, je bent ontsnapt en je hebt alles weer aan elkaar gelijmd. Kun je daar nu echt niet trots op zijn?'

'Ik kan niet uitleggen hoe het precies was.'

'Dat hoeft ook niet. Maar uiteindelijk zul je je eigen macht leren kennen. Pas als je dat doet, zul je je echt heel kunnen voelen.'

'Ik wil alleen een normaal leven leiden.'

'Je kunt de andere mogelijkheden niet zomaar aan de kant schuiven.' Mia stak haar hand uit met de handpalm omhoog en wachtte af.

Nell kon het gebaar niet weerstaan en legde haar handpalm op die van Mia. En voelde de hitte, een kracht die pijnloos brandde. 'Je hebt het in je. Ik zal je helpen het te vinden. Ik zal je onderrichten,' verklaarde Mia terwijl Nell verbijsterd naar het licht keek dat tussen hun handen schemerde. 'Wanneer je er klaar voor bent.'

ↄ ↄ ↄ

Ripley liet haar blik over het strandgebeuren gaan maar zag niets bijzonders. Een van de peuters had het op zijn heupen gekregen en het schelle, boze Nee! Nee! Nee! verscheurde de rust.

Iemand die z'n middagdutje is misgelopen, dacht ze.

De mensen lagen over het hele strand verspreid. Ze hadden hun terrein afgezet met handdoeken, dekens, parasols, draagtassen, koelboxen en gettoblasters. Tegenwoordig ging niemand meer gewoon naar het strand, dacht ze peinzend. Voor een dagje strand namen ze net zoveel mee als wanneer ze naar Europa gingen.

Ze vond het iedere keer weer vermakelijk. Iedere dag weer sleepten stelletjes en groepen hun bezittingen uit hun zomerhuizen en hotelkamers en maakten daarmee een tijdelijk nest op het strand. En iedere dag pakten ze daarna alles weer in en sleepten het met een heleboel extra zand weer mee naar huis.

Vakantienomaden. De bedoeïenen van de zomer.

Ze liep weg en ging naar het dorp. Zelf had ze niets anders bij zich dan haar politiepenning, een Zwitsers legerzakmes en wat dollars. Op die manier was het leven een stuk gemakkelijker.

Ze sloeg High Street in met de bedoeling haar geld aan een snelle maaltijd uit te geven. Ze had geen dienst, voorzover Zack en zij ooit een dag vrij hadden, en snakte naar een koud biertje en een hete pizza.

Toen ze Nell een tikje verdwaasd voor het hotel zag staan aarzelde ze even. Ze kon net zo goed nu meteen proberen een paar woorden te wisselen om de weg naar vriendschap vrij te maken.

'Hé Nell.'

'Wat? O, hallo Ripley.'

'Je ziet er wat verloren uit.'

'Nee hoor.' Ze wist precies waar ze was, dacht Nell. Op dit moment was dat vrijwel het enige waar ze absoluut zeker van was. 'Ik was wat afwezig.'

'Lange dag geweest? Hoor eens, ik wilde net een hapje gaan eten. Een beetje vroeg, maar ik ben uitgehongerd. Lijkt het je wat om samen een pizza te nemen? Ik trakteer.'

'O.' Ze bleef met haar ogen knipperen alsof ze net uit een droom was ontwaakt.

'In de Surfside vind je de beste pizza van het hele eiland. Nou ja, het is weliswaar de enige pizzeria op het eiland, maar toch… Hoe gaan de zaken in het café?'

'Goed.' Er bleef haar niets anders over dan mee te lopen. Ze kon niet helder denken en zou hebben durven zweren dat haar vingers nog steeds tintelden. 'Ik vind het heerlijk om daar te werken.'

'Je hebt die tent een stuk opgewaardeerd,' merkte Ripley op. Ze hield haar hoofd schuin om te kijken wat voor boek Nell bij zich had. 'Wil je een beetje meer van de eiland-voodoo aan de weet komen?'

'Voodoo? O.' Met een nerveus lachje stopte Nell het boek onder haar arm. 'Nu ik hier woon, kan ik maar beter van eh… bepaalde zaken op de hoogte zijn.'

'Groot gelijk.' Ripley trok de deur van de pizzeria open. 'De toeristen vinden al die flauwekul over de mystiek van het eiland prachtig. Tegen de zonnewende zullen we worden overstroomd door new agers. Hai Bart!'

Ripley salueerde naar de man achter de toonbank en wist beslag te leggen op een lege nis.

Het was nog vroeg, maar het was er bomvol. De jukebox stond te blèren en de twee videospelletjes die achter in een kleine nis stonden te flitsen veroorzaakten een hoop herrie.

'Bart en zijn vrouw Terry zijn de eigenaars van deze tent.' Ripley ging verzitten en legde haar benen languit op de bank. 'Ze hebben calzone en pasta en de hele rataplan,' zei ze terwijl ze Nell een geplastificeerd menu toewierp. 'Maar eigenlijk draait hier alles om de pizza's. Is dat oké?'

'Tuurlijk.'

'Mooi. Is er iets wat je er niet op wilt?'

Nell liet haar blik over de kaart gaan. Waarom kon ze nu niet denken? 'Nee.'

'Nog mooier. Dan nemen we samen een grote met een heleboel erop. Wat we niet opeten, neem ik mee naar huis voor Zack. Hij zal de paddestoelen en de uien eraf halen en me heel dankbaar zijn.'

Ze liet zich van de bank glijden. 'Wil je een biertje?'

'Nee, nee, alleen water graag.'

'Komt eraan.'

Ripley vond het onzin om te wachten tot ze aan tafel werden bediend, dus liep ze naar de toonbank om te bestellen. Nell zag haar grapjes maken met de lange, magere man achter de toonbank. Ze zag dat ze haar zonnebril in de kraag van haar overhemd haakte. Ze zag haar die fraai gevormde en bruinverbrande armen uitstrekken om het drinken aan te pakken. Ze zag hoe het zwarte haar op en neer deinde toen ze zich omdraaide om naar de nis terug te lopen.

Het lawaai zakte af tot echo's in een droom en werd een dun kleurloos geluid dat onder een rijzend gebrul verdween. Net golven die omsloegen. Toen Ripley weer tegenover haar ging zitten, zag Nell haar mond bewegen maar ze hoorde niets. Helemaal niets.

En toen, alsof er een deur werd opengegooid, werd ze er weer door overspoeld.

'... tot aan Labor Day,' maakte Ripley haar zin af, waarna ze haar hand naar haar biertje uitstak.

'Jij bent de derde.' Nell sloeg haar nog steeds tintelende handen op tafel in elkaar.

'Huh?'

'De derde. Jij bent de derde zuster.'

Ripley deed haar mond open en toen weer dicht. Haar lippen vormden een lange, dunne streep. 'Mia.' Ze perste de beide lettergrepen eruit en sloeg toen in één teug de helft van haar bier naar binnen. 'Ik wil er niks over horen.'

'Dat begrijp ik niet.'

'Er valt niets te begrijpen. Hou er gewoon over op.' Ze zette het glas met een klap op tafel en leunde naar voren. 'Laten we even de puntjes op de i zetten. Mia mag denken en geloven wat ze maar wil. En ze mag doen wat ze wil zolang ze de wet niet overtreedt. Maar ik wil er niet in betrokken worden. Als jij dat wel wilt, is dat jouw zaak. Ik ben hier om een pizza te eten en een biertje te drinken.'

'Ik weet niet eens waar ik in betrokken word. Jij wordt er boos om, en ik raak ervan in de war.'

'Hoor eens, volgens mij ben je een verstandige vrouw. En verstandige vrouwen lopen niet te beweren dat ze heksen zijn die afstammen van een drietal heksen die een eiland uit Massachusetts hebben losgerukt.'

'Ja, maar...'

'Niks geen gemaar. Je hebt de werkelijkheid en je hebt fantasie. Laten wij het bij de werkelijkheid houden, want al het andere maakt dat ik geen trek meer in mijn pizza heb. Goed, ben je van plan met mijn broer uit te gaan?'

'Met...' Nell haalde totaal verward een hand door het haar. 'Zou je die vraag nog eens willen stellen?'

'Zack is moed aan het verzamelen om je mee uit te vragen. Ben je geïnteresseerd? Voordat je antwoord geeft, laat me eerst even zeggen dat hij alle inentingen heeft gehad, dat hij schoon is op zijn lijf en dat hij zich, afgezien van wat vervelende gewoonten, tamelijk goed gedraagt. Denk er dus maar eens over na. Ik ga de pizza halen.'

Nell blies haar adem uit en leunde achterover. Ze kwam tot de conclusie dat ze voor zo'n kort avondje veel te veel had gekregen om over na te denken.

6

Ripley had gelijk over de zonnewende. Het was zo druk in Café Boek dat Mia twee parttime verkopers voor de winkel had aangenomen en een derde voor achter de toonbank in het café.

De vraag naar vegetarische gerechten was zo groot dat Nell twee dagen lang doorlopend in paniek was.

'We hebben te weinig aubergines en alfalfa,' zei ze toen Peg haar kwam aflossen. 'Ik dacht dat ik het goed had berekend… Verdikkeme.' Ze rukte haar schort af. 'Ik ren nu meteen naar de supermarkt om te kijken wat ze daar nog hebben. Misschien moet ik er iets anders voor in de plaats doen en het menu voor de rest van de dag veranderen.'

'Hé, wat zou het. Maak je niet druk.'

Dat kun jij gemakkelijk zeggen, dacht Nell terwijl ze de trap afvloog. Tegen twaalven was ze door de hazelnootmuffins heen, en als het in dit tempo doorging, had ze geen schijn van kans dat ze met de koeken met chocoladebrokken het eind van de dag zou halen. Zij moest ervoor zorgen dat de zaken in het café naar Mia's wens verliepen. Als ze een fout zou maken…

Ze rende zo snel naar de achterdeur dat ze Lulu bijna ondersteboven liep.

'Het spijt me, het spijt me. Ik ben ook zo'n sufferd. Gaat het?'

'Ik overleef het wel.' Lulu veegde overdreven haar bloes af. Het meisje had drie weken lang goed werk geleverd, maar dat wilde nog niet zeggen dat Lulu al bereid was haar te vertrouwen. 'Doe een beetje rustig. Dat je nu geen dienst meer hebt wil nog niet zeggen dat je hier weg kunt rennen alsof de zaak in de fik staat.'

'Nee. Het spijt me. Is Mia… zou je Mia willen vertellen dat het me reuze spijt en dat ik zo terugkom?'

Ze vloog de deur uit en hield pas op met rennen toen ze op de kruideniersafdeling van de Island Market was aangekomen. Ze werd misselijk van paniek en angst. Hoe had ze nu toch zo stóm kunnen zijn! Een belangrijk deel van haar werk bestond uit het inslaan van ingrediënten. Hadden ze haar niet verteld dat er in het weekend van de zonnewende een toevloed van bezoekers kon worden verwacht? De eerste de beste kluns had een betere planning kunnen maken dan zij had gedaan.

De druk op haar borst maakte dat ze zich licht in het hoofd voelde, maar ze dwong zichzelf te bedenken wat ze moest inslaan. Ze vulde in hoog tempo haar mand. Het was een pure foltering bij de kassa op haar beurt te moeten wachten terwijl de minuten wegtikten.

Dorcas begon tegen haar te kletsen en Nell slaagde erin een paar antwoorden te bedenken, maar al die tijd schreeuwden haar hersens: Schiet op!

Ze nam de drie zware zakken in de armen, vervloekte zichzelf dat ze er niet aan had gedacht de auto te nemen, en droeg ze zo snel als ze kon terug naar de winkel.

'Nell! Nell, wacht even.' Hoofdschuddend omdat ze niet reageerde, liep Zack op een drafje de straat over. 'Ik zal je een handje helpen.'

Het verbaasde haar oprecht dat ze niet uit haar vel sprong toen hij twee zakken van haar overnam. 'Ik red het wel. Ik kan het heus wel. Ik heb haast.'

'Je zult sneller kunnen lopen als je niet zoveel hoeft mee te slepen. Voorraad voor het café?'

'Ja, ja.' Ze was bijna aan het rennen geslagen. Ze kon nog een andere salade bereiden. In tien, hooguit vijftien minuten. En de ingrediënten voor de sandwiches klaarmaken. En dan kon ze de zoetigheid te lijf gaan. Als ze meteen kon beginnen zou er misschien geen gat ontstaan.

'Je moet het wel erg druk hebben.' De blik op haar gezicht beviel hem niet. Het stond zo grimmig, zo gespannen. Alsof ze op het punt stond ten strijde te trekken.

'Ik had het moeten voorzien. Er is geen excuus voor.'

Ze schoot door de achterdeur de winkel in en vloog de trap op. Toen hij in de keuken kwam was ze al aan het uitpakken.

'Dank je. Ik kan wel voor de rest zorgen. Ik weet wat er gedaan moet worden.'

Ze bewoog zich alsof ze door het dolle heen was, dacht Zack. Haar ogen stonden glazig en haar gezicht was doodsbleek.

'Ik dacht dat je om twee uur vrij was, Nell.'

'Twee uur?' Ze nam niet eens de moeite om op te kijken maar bleef doorgaan met hakken, malen en mengen. 'Nee. Ik heb iets fout gedaan. Dat moet ik eerst rechtzetten. Alles komt in orde. Het komt prima in orde. Niemand zal van streek zijn of iets tekortkomen. Ik had het beter moeten plannen. Dat zal ik de volgende keer beslist doen, dat beloof ik.'

'Ik heb een bestelling voor twee sandwiches speciaal en een vegetarische pita... Jemig Nell,' mompelde Peg terwijl ze naar binnen kwam.

Zack legde een hand op haar arm. 'Ga Mia halen,' zei hij rustig.

'Twee speciaal en een vegetarische pita. Oké. Oké.' Nell zette de bonen-en-komkommersalade opzij en haalde de sandwich-ingrediënten te voorschijn. 'Ik heb aubergines gekocht, dus komt het wel voor elkaar. Prima voor elkaar.'

'Niemand is van streek, Nell. Je hoeft je geen zorgen te maken. Zou je niet even gaan zitten?'

'Ik heb maar een halfuurtje nodig. Twintig minuten. De klanten zullen er niets van merken.' Ze pakte de bestelbonnetjes, draaide zich wild om en bleef abrupt staan toen Mia binnenkwam. 'Het is al in orde. Echt waar, het is allemaal in orde. We hebben van alles meer dan genoeg.'

'Ik zal deze maar meenemen.' Peg schoof langs haar heen en pakte de bestellingen uit Nells hand. 'Ze zien er fantastisch uit.'

'Ik maak net een nieuwe salade.' Er zat een strakke band om haar borst, en om haar hoofd. En die trokken steeds meer aan. 'Het kost maar heel weinig tijd. En dan zal ik de rest regelen. Ik zal overal voor zorgen. Niet boos worden.'

'Niemand is boos, Nell. Ik vind dat je even pauze moet nemen.'

'Die heb ik niet nodig. Ik maak dit eerst af.' Vol wanhoop greep ze een zak noten. 'Ik weet dat ik het beter had moeten voorbereiden, en het spijt me verschrikkelijk, maar ik zal ervoor zorgen dat alles perfect is.'

Hij kon het niet verdragen. Hij kon het niet verdragen haar met een spierwit gezicht en bevend te zien staan. 'Nou is het verdomme genoeg,' zei Zack woest en deed een stap naar haar toe.

'Niet doen!' Ze deed struikelend een stapje naar achteren, liet de zak noten vallen, en stak haar armen omhoog alsof ze een klap wilde afweren. Ze had dat nog niet gedaan of de schaamte overstemde de paniek.

'Meisje toch.' Zacks stem liep over van medelijden. Het enige dat ze kon doen was zich van hem afwenden.

'Ik wil dat je nu meteen met me meekomt.' Mia liep naar haar toe en pakte haar hand. 'Goed? Kom nu met me mee.'

Ellendig en diep beschaamd liet Nell zich hulpeloos trillend meenemen. Zack stak zijn handen in zijn zakken en voelde zich volslagen nutteloos.

෴ ෴ ෴

'Ik weet niet wat me overkwam.' In feite wist ze nauwelijks wat er het afgelopen uur was gebeurd.

'Volgens mij had je een gigantische paniekaanval. Ga alsjeblieft zitten.' Mia liep door haar kantoor naar wat volgens Nell de lade van een archiefkast was. Maar Mia trok een deur open en toen zag ze dat het een minikoelkast was volgestouwd met flesjes water en sap.

'Je hoeft niet met mij te praten,' zei Mia toen ze naar haar toe kwam en haar een geopend flesje water gaf. 'Maar je moet toch eens overwegen er met íémand over te praten.'

'Dat weet ik wel.' In plaats van te drinken wreef Nell het gekoelde flesje over haar gezicht. Het was meer dan bespottelijk dat ze vanwege aubergines volledig in elkaar was gestort, dacht ze nu. 'Ik dacht dat ik eroverheen was. Het is al een hele tijd niet meer gebeurd. Maanden. We waren zo druk, en de voorraad slonk schrikbarend. En in mijn hoofd werd het steeds erger totdat ik dacht dat de wereld zou vergaan als ik niet snel nog meer aubergines ging halen.' Ze begon gretig te drinken. 'Stom van me.'

'Helemaal niet stom als je in het verleden gewend was gestraft te worden voor dat soort onbenulligheden.'

Nell liet het flesje zakken. 'Hij is hier niet. Hij kan me geen kwaad meer doen.'

'O nee? Geloof me, kleine zus, hij is nooit opgehouden je kwaad te doen.'

'Als dat waar is, dan is dat mijn zorg. Ik ben geen vod meer, en ook geen boksbal of een voetveeg.'

'Fijn om te horen.'

Ze drukte haar vingers tegen haar slaap. Ze moest iets kwijt, dat wist ze wel. Een tikje van de last wegnemen, anders zou ze opnieuw instorten. 'We gaven een keer een feest en toen raakten de olijven voor de martini's op. Toen heeft hij me voor het eerst geslagen.'

Op Mia's gezicht was niets van ontzetting te zien, of afkeuring. 'Hoe lang ben je bij hem gebleven?'

Er klonk niets berispends door in die vraag, en ook niets van medelijden of van zelfvoldaanheid. Het was kortaf gevraagd en op nuchtere toon, en Nell antwoordde op dezelfde manier. 'Drie jaar. Als hij me vindt, zal hij me vermoorden. Dat wist ik toen ik wegliep. Hij is een vooraanstaand persoon. Rijk, met veel connecties.'

'Is hij naar je op zoek?'

'Nee, hij denkt dat ik dood ben. Nu al bijna negen maanden. Ik zou liever dood zijn dan nog eens te moeten leven zoals toen. Dat klinkt melodramatisch, maar…'

'Nee, dat doet het niet. De werknemersverklaringen die je voor me hebt ingevuld, leveren die geen gevaar voor je op?'

'Nee. Ik heb de meisjesnaam van mijn grootmoeder aangenomen. Ik heb wel een paar keer de wet overtreden door in computers in te breken, valse verklaringen af te leggen, en documenten te vervalsen voor een nieuwe identiteit en een rijbewijs. En een sofi-nummer.'

'Door in computers in te breken?' Mia trok glimlachend een wenkbrauw op. 'Nell, je doet me verstomd staan.'

'Ik weet hoe ik met een computer moet omgaan. Vroeger…'

'Dat hoef je me niet te vertellen.'

'Het geeft niet. Ik heb lang geleden samen met mijn moeder een cateringbedrijf geleid. Daarbij gebruikte ik een computer. Voor de gegevens, de facturen en ga zo maar door. Omdat ik de boekhouding zou doen en de gegevens zou bijhouden heb ik een paar cursussen gevolgd. Toen ik plannen begon te maken om op de vlucht te slaan, heb ik een hoop onderzoek gepleegd. Ik wist dat ik maar één kans zou krijgen. O god. Ik heb er nooit met iemand over kunnen praten. Ik had nooit gedacht dat ik dat nog eens zou kunnen.'

'Wil je me de rest ook vertellen?'

'Dat weet ik nog niet. Ergens blijft het steken. Hier ongeveer,' zei ze, met haar vuist op haar borstkas tikkend.

'Als je besluit toch te willen praten, kom dan vanavond naar mijn huis. Ik zal je dan mijn tuin laten zien, en mijn klippen. Ondertussen moet je wat op adem komen, een wandelingetje maken en een dutje gaan doen.'

'Ik zou graag alles in het café willen afhandelen, Mia. Niet omdat ik van streek ben of me zorgen maak, maar gewoon omdat ik het graag af wil maken.'

'Best.'

ೋ ೋ ೋ

Het ritje naar de kust was adembenemend omdat er onverwacht scherpe bochten in de kronkelende weg zaten en het werd begeleid door het onophoudelijke gebulder van de branding en de ruisende wind. De herinneringen die daardoor werden opgewekt zouden haar moeten hebben verontrust, haar van slag hebben moeten maken. Maar terwijl ze probeerde wat snelheid uit haar treurige roestbak te halen, voelde ze zich juist opgewonden. Alsof ze alle overtollige belasting op die kronkelweg achterliet.

Misschien kwam het door het beeld van die hoge witte toren tegen de zomerhemel, en het sombere stenen huis ernaast. Ze leken zo uit een sprookjesboek te komen. Oud en onwrikbaar en zalig geheimzinnig.

Het schilderij dat ze op het vasteland had gezien, had het geen recht gedaan. Het was niet mogelijk gebleken om de zwiepende wind, de structuur van de rotsen en de knoestige bomen met olieverf op linnen weer te geven.

En, dacht ze toen ze de laatste bocht nam, op dat schilderij ontbrak ook Mia die in een blauwe jurk en met haar meterslange haar tussen twee felgekleurde rijen bloemen stond.

Ze zette haar armzalige auto achter Mia's glanzende zilverkleurige cabrio.

'Wat ik nu ga zeggen zul je hoop ik niet verkeerd opvatten,' zei Nell.

'Ik vat alles altijd op de juiste manier op.'

'Ik dacht net dat als ik een man was, ik je alles zou beloven wat je maar wilde.'

Terwijl Mia er alleen even om lachte, liet Nell haar hoofd naar achteren zakken in een poging het hele huis met één blik in zich op te nemen: de ongenaakbare stenen, de sublieme gevelspitsen, en de romantische uitkijkpost boven op het dak.

'Het is prachtig. En het past precies bij jou.'

'Dat doet het zeker.'

'Maar het is zo'n eind van alles en iedereen verwijderd. Voel je je hier niet eenzaam?'

'Ik geniet van mijn eigen gezelschap. Heb je hoogtevrees?'

'Nee,' antwoordde Nell. 'Dat heb ik niet.'

'Kom dan eens naar de uitloper. Het is een spectaculair uitzicht.'

Nell liep met haar tussen het huis en de toren door naar een ruw uitstekend stuk rots dat boven de zee hing. Zelfs hier stonden bloemen die zich tussen de spleten naar boven hadden geworsteld en vol in bloei stonden tussen de nietige plukjes wild gras.

Onder hen stortten de schuimende golven zich met donderend geweld tegen de klippen, trokken terug en kwamen opnieuw aangestormd. Daarachter kwam er geen eind aan het water dat diepblauw van kleur was.

'Toen ik nog klein was zat ik hier vaak en verbaasde me steeds weer over dit alles. Soms doe ik het nog wel.'

Nell draaide haar hoofd om en keek aandachtig naar Mia's profiel. 'Ben je hier opgegroeid?'

'Ja. In dit huis. Het is altijd mijn huis geweest. Mijn ouders hielden van de zee. Nu zijn ze aan het zeilen. Op dit moment bevinden ze zich in de Stille Oceaan. We waren altijd meer een echtpaar met een kind dan een gezin. Ze zijn nooit helemaal aan mij gewend geraakt, en ik trouwens ook niet echt aan hen. Hoewel we best goed met elkaar overweg kunnen.'

Met een licht schouderophalen wendde ze zich af. 'De vuurtoren straalt al bijna driehonderd jaar zijn licht uit om de schepen en de zeelui de weg te wijzen. Toch hebben hier ook schipbreuken plaatsgevonden en het verhaal doet de ronde dat je op bepaalde nachten, wanneer de wind uit de juiste hoek komt, nog steeds de wanhopige kreten van de verdronken zeelui kunt horen. Maar dat hoort bij zulke plekken.'

'Niet echt een prettig verhaaltje voor het slapengaan.'

'Nee. De zee is niet altijd even vriendelijk.'

Toch werd ze ernaartoe getrokken en werd ze haast gedwongen om naar de kuren, de charme en het geweld van het water te kijken. Vuur, aangetrokken tot Water.

'Het huis was er het eerst,' ging ze verder. 'Het was het eerste huis dat op het eiland werd gebouwd.'

'Door magie in de maneschijn opgeroepen,' zei Nell. 'Ik heb het boek gelezen.'

'Nou, of het nu magie of metselspecie was, het heeft wel standgehouden. De tuin is mijn grote hartstocht. Ik leef me er helemaal op uit,' zei ze wijzend.

Nell keek achterom naar het huis en knipperde verbaasd met haar ogen. De achterkant bood een fantastisch schouwspel van bloemen, vormen, bomen en paden. Het feit dat dit weelderige sprookjesland vlak naast de ruwe rotsen lag, maakte dat ze er bijna duizelig van werd.

'Mijn god, Mia! Het is verbijsterend, spectaculair. Net een schilderij. Doe je al het werk in je eentje?'

'Hmm. Af en toe moet ik er een sterke man bij halen, maar het merendeel kan ik alleen aan. Het ontspant me,' zei ze terwijl ze naar de eerste in elkaar verstrengelde heggen liepen. 'En het geeft me voldoening.'

Er leken wel tientallen geheime plekjes en onverwachte bochten te zijn. Een ijzeren klimrek ging schuil onder een wisteria, en een onverwacht stroompje van witte bloemen krulde zich er als een satijnen lint doorheen. Er was een vijvertje waarop waterlelies dreven en rondom het beeld van een godin schoot riet omhoog.

Ze zag stenen elfjes en heerlijk ruikende lavendel, marmeren draken en slierten Oost-Indische kers. Vrolijk bloeiende kruiden stonden langs de helling van een rotstuin die bij een bed van mos vol sterrenbloempjes eindigde.

'Geen wonder dat je je hier niet eenzaam voelt.'

'Zie je?' Mia nam een bochtig paadje en liep voor haar uit naar een stenen eiland. De tafel die daar stond was ook van steen en stond op een lachende gevleugelde waterspuwer. 'We gaan champagne drinken om de zonnewende te vieren.'

'Ik heb nog nooit iemand als jij ontmoet.'

Mia haalde de fles uit een glimmende koperen ijsemmer. 'Dat mag ik toch hopen. Ik wil per se uniek zijn.' Ze schonk twee glazen in, ging zitten, strekte haar benen voor zich uit en wiebelde de gelakte tenen van haar blote voeten. 'Vertel me eens hoe je dood bent gegaan, Nell.'

'Ik ben van een klip gereden.' Ze pakte het glas en nam een flinke teug. 'We woonden in Californië. In Beverly Hills en Monterey. Eerst voelde ik me als een prinses in een kasteel. Hij bracht me volledig het hoofd op hol.'

Ze kon niet stilzitten dus dwaalde ze rond over het kunstmatige eilandje en snoof de geur van de bloemen op. Ze hoorde getinkel en zag dat Mia dezelfde windmobile met sterretjes had die ze de eerste dag voor zichzelf had gekocht.

'Mijn vader zat in het leger. We zijn vaak verhuisd en dat viel niet mee. Maar hij was een geweldige man. Zo knap en dapper en sterk. Ik geloof wel dat hij streng was, maar nooit onvriendelijk. Ik vond het heerlijk om bij hem te zijn. Hij kon niet altijd bij ons zijn, en dan misten we hem erg. Ik vond het heerlijk als hij terugkwam en ik hem in zijn uniform zag, en zoals zijn hele gezicht oplichtte als mijn moeder en ik hem gingen afhalen. Hij is in de Golfoorlog gesneuveld. Ik mis hem nog steeds.'

Ze haalde diep adem. 'Het was voor mijn moeder niet gemakkelijk, maar ze wist zich erdoorheen te slaan. Toen begon ze met het cateringbedrijf. Ze noemde het Een Verplaatsbaar Feestmaal. Naar Hemingway.'

'Slim,' gaf Mia toe. 'En chic.'

'Dat was ze allebei. Ze had altijd vreselijk goed kunnen koken en vond het heerlijk om gasten te hebben. Ze heeft het mij ook geleerd… het was iets dat we graag samen deden.'

'Wat een band tussen jullie beiden schiep,' merkte Mia op. 'Een fijne, sterke band.'

'Ja. We verhuisden naar Chicago en daar wist ze een indrukwekkende reputatie op te bouwen. Ik ging studeren, deed de boekhouding en hielp mee als de studie het toeliet. Op mijn eenentwintigste begon ik fulltime mee te werken. We breidden uit en wisten een lijst van vooraanstaande cliënten bij elkaar te krijgen. Zo heb ik Evan leren kennen, op een feest in Chicago waarvoor wij de catering deden. Een heel belangrijk feest voor heel belangrijke mensen. Ik was toen vierentwintig. Hij was tien jaar ouder, en alles wat ik niet was. Een man van de wereld, briljant en ontwikkeld.'

Mia stak een vinger op. 'Waarom zeg je dat? Je bent een bereisde, ontwikkelde vrouw met een benijdenswaardige gave.'

'Wanneer ik bij hem was, zag ik dat helemaal niet zo.' Ze zuchtte. 'Hoe dan ook, ik bewoog me niet in dezelfde kringen. Ik kookte voor rijke, machtige en betoverende mensen maar ik zat niet bij hen aan tafel. Hij maakte dat ik me dankbaar voelde voor het feit dat hij aandacht aan me wilde schenken. Alsof dat een fantastisch compliment was. Dat besef ik nu pas,' zei ze hoofdschuddend.

'Hij flirtte met me en dat was heel opwindend. De volgende dag stuurde hij me twintig rozen. Hij gaf me altijd rode rozen. Hij vroeg me mee uit, nam me mee naar de schouwburg, naar feesten en naar beroemde restaurants. Hij bleef twee weken in Chicago en maakte me duidelijk dat hij zijn agenda aanpaste, afspraken met zijn cliënten opschoof, en dat hij zijn werk en zijn leven uitsluitend voor mij omzette. En dat ik voor hem was bestemd,' fluisterde Nell die zich over de armen wreef omdat die ineens ijskoud waren geworden.

'We waren voor elkaar bestemd. En toen hij dat tegen me zei, was het reusachtig opwindend. Later, niet eens zoveel later, joeg het me doodsangst aan. Hij zei dingen tegen me die eerst romantisch klonken. We zouden altijd samen zijn. We zouden nooit gescheiden worden. Hij zou me nooit laten gaan. Hij bracht me het hoofd op hol en toen hij me ten huwelijk vroeg, hoefde ik er echt niet over na te denken. Mijn moeder was het er niet meteen mee eens en vroeg me het een tijdje in beraad te houden, maar ik wou niet luisteren. We liepen weg om te trouwen en toen ging ik met hem mee naar Californië. De pers noemde het de romance van het decennium.'

'Ach ja.' Mia knikte terwijl Nell terug kwam lopen. 'Nu gaat me een lichtje op. Je zag er toen anders uit. Meer als een vertroeteld poesje.'

'Ik zag eruit zoals hij dat wilde, en ik gedroeg me zoals hij dat wilde. Eerst leek dat prima. Hij was ouder en wijzer, en ik was niet aan zijn wereld gewend. Hij bracht het zo redelijk, en wanneer hij tegen me zei dat ik sloom was, of saai, klonk het alsof hij me nog meer wilde leren. Hij wist het allemaal beter, dus als hij me zei dat ik me moest omkleden en een andere jurk moest aantrekken want dat ik anders niet de deur uit mocht, was dat alleen omdat hij het beste met mij voorhad – en met ons imago natuurlijk. Al die steken onder water, al die eisen, werden in het begin zo subtiel gebracht. En iedere keer dat ik hem tevredenstelde, kreeg ik iets leuks. Als een jong hondje dat wordt afgericht. Hier, je hebt je gisteravond in gezelschap heel goed gedragen, alsjeblieft, daarvoor krijg je een diamanten armband. God, ik walg van mezelf dat ik me zo gemakkelijk heb laten manipuleren.'

'Je was verliefd.'

'Ik hield inderdaad van hem. Van de man die ik dacht dat hij was. Maar hij was zo geslepen, zo meedogenloos. De eerste keer dat hij me sloeg was dat een vreselijke schok, maar het kwam geen moment bij me op dat ik het niet verdiende. Ik was te goed afgericht. Daarna werd het langzaam en stukje bij beetje erger. Mijn moeder kwam nauwelijks een jaar nadat ik was weggegaan om het leven. Door een dronken automobilist,' zei Nell met toegeknepen keel.

'En toen was je helemaal alleen. Dat spijt me heel erg.'

'Hij was zo lief, zo meelevend. Hij regelde alles, zegde al zijn afspraken voor een hele week af om me mee naar Chicago te nemen. Hij deed alles wat je maar van een liefhebbende echtgenoot kon verwachten. Maar toen we weer thuis waren, ging hij door het lint. Hij wachtte tot we thuis waren, in dat huis, en hij had alle bedienden weggestuurd. Toen sloeg hij me tegen de grond. Hij was stapelgek en sloeg maar raak. Hij gebruikte nooit zijn vuisten, nee, hij sloeg altijd met vlakke hand. Dat was volgens mij nog veel vernederender. Hij beschuldigde me ervan dat ik een affaire had met een van de rouwenden. Een man die heel goed bevriend was geweest met mijn ouders. Een vriendelijke, fatsoenlijke man die ik als een oom beschouwde.'

Ze zag verbaasd dat haar glas leeg was, liep terug naar de tafel en schonk zich nog eens in. Ze hoorde vogeltjes zingen die lieflijk tussen de bloemen tjilpten. 'Nou, ik hoef het niet klap voor klap te vertellen. Hij mishandelde me en ik liet het gebeuren.'

Ze hief het glas, nam een slok en kreeg zich weer in de hand. 'Eén keer ben ik naar de politie gegaan. Hij had een heleboel vrienden bij de politie, en heel veel invloed. Ze namen me niet serieus. O zeker, ik had blauwe plekken, maar die waren niet levensbedreigend. Hij kwam erachter, en bracht me aan het verstand dat als ik hem nog een keer zo zou vernederen, hij me zou vermoorden. Ik wist ook een keertje te ontsnappen, maar hij wist me te vinden. Hij zei dat ik van hem was, en dat hij me nooit zou laten gaan. Dat zei hij met zijn handen om mijn keel geklemd. Hij zei dat als ik nog eens zou proberen hem te verlaten, hij me zou vinden en vermoorden. En geen mens zou er ooit achter komen. En ik geloofde hem.'

'En toch ben je bij hem weggegaan.'

'Ik ben een half jaar lang bezig geweest met plannen maken, stap voor stap, en al die tijd paste ik er wel voor op dat ik geen verdenking zou wekken. We ontvingen gasten, we reisden, we sliepen met elkaar. We waren het schoolvoorbeeld van een volmaakt en rijk echtpaar. Maar hij sloeg me nog steeds. Er was altijd wel iets wat ik net niet helemaal goed deed, maar ik bood er steeds mijn verontschuldigingen voor aan. Ik gapte geld wanneer ik maar kon en verstopte het in een doos tampons. Het was een redelijk veilige plek, ik mocht er wel van uitgaan dat hij daar niet zou zoeken. Ik wist een vals rijbewijs te bemachtigen, en dat verstopte ik ook. En toen was ik zover.

Hij had een zuster die in Big Sur woonde. Ze had gasten uitgenodigd voor een uitgebreide thee. Iets voor dames alleen. Ik was ook uitgenodigd. Die ochtend klaagde ik over hoofdpijn wat hem natuurlijk ergerde. Ik zocht gewoon een excuus, zei hij. Er zouden ook cliënten van hem komen, en ik wilde hem alleen maar in verlegenheid brengen door niet te komen opdagen. Dus zei ik dat ik dan wel zou gaan. Dat sprak toch vanzelf. Ik zou een paar aspirientjes nemen en dan zou het wel goed komen. Maar ik wist dat juist mijn onwilligheid hem zover zou krijgen dat hij me het huis uit zou laten gaan.'

Ze was zelf ook heel goed geworden in bedrog en doen alsof, dacht Nell nu.

'Ik was toen niet eens bang. Hij ging golfen, en ik stopte alles wat ik nodig had in de kofferbak. Ik stopte onderweg en zette een zwarte pruik op. Daarna haalde ik een fiets af die ik een week eerder had gekocht, en legde die ook in de achterbak. Voordat ik naar het feestje ging, stopte ik nog een keer om de fiets te verstoppen op een plek die ik eerder had uitgezocht. Toen reed ik over Highway 1 naar het theefestijn.'

Nell ging zitten en sprak kalm verder terwijl Mia zwijgend luisterde. 'Ik zorgde ervoor dat een aantal mensen merkte dat ik me niet goed voelde. Barbara, zijn zus, stelde zelfs voor dat ik een poosje zou gaan liggen. Ik wachtte tot de meeste gasten waren vertrokken en bedankte haar toen voor de gezellige tijd. Ze maakte zich zorgen om me, want ik zag zo bleek. Ik wuifde het weg en wist naar mijn auto te ontsnappen.'

Ze klonk heel rustig, bijna vlak. Ze deed aan een vrouw denken die een lichtelijk onsmakelijk verhaal vertelde over iets dat iemand anders was overkomen.

Dat had ze zichzelf wijsgemaakt.

'Het was inmiddels donker geworden. Dat wilde ik ook. Ik belde Evan met mijn mobieltje om te zeggen dat ik onderweg was. Daar stond hij altijd op. Ik bereikte de weg waar ik de fiets had verstopt. Er waren geen andere auto's te zien. Ik wist dat het moest kunnen lukken. Dat moest gewoon. Ik deed de veiligheidsgordel af. Ik dacht nergens meer aan. Ik had het wel duizend keer in mijn hoofd geoefend, daarom wilde ik er niet meer over nadenken. Ik deed onder het rijden het portier open, gaf een ruk aan het stuur en drukte het gaspedaal in. Ik reed naar de rand van de klip. Als het niet lukte, nou, dan was ik niet slechter af. Ik sprong. Het was alsof ik vloog. De auto schoot over de rand, als een vogel, sloeg met een afschuwelijk geluid op de rotsen, rolde om en om en viel in zee. Ik rende terug naar waar ik de fiets en de tas had achtergelaten. Ik trok mijn mooie pakje uit, deed een oude spijkerbroek en een sweatshirt aan en zette de pruik op. Ik was nog steeds niet bang.'

Nee, ze was niet bang geweest, toen niet. Maar nu, terwijl ze het allemaal nog eens doormaakte, begon haar stem te stokken. Het was dus toch niet iemand anders overkomen.

'Ik reed omhoog en omlaag door de heuvels. Toen ik Carmel bereikte, ging ik naar het busstation en betaalde contant voor een enkele reis Las Vegas. Pas toen ik in de bus zat, en die bij het station wegreed, pas toen werd ik bang. Bang dat hij zou komen opdagen en de bus zou tegenhouden. Dat ik toch aan het kortste eind zou trekken. Maar hij kwam niet. In Vegas stapte ik op een bus naar Albuquerque, en in Albuquerque kocht ik een krant en las daarin over de tragische dood van Helen Remington.'

'Nell.' Mia stak haar hand uit en sloot die om Nells hand. Ze betwijfelde of Nell zich ervan bewust was dat ze de laatste tien minuten had zitten huilen. 'Ik heb ook nog nooit iemand als jij ontmoet.'

Nell bracht het glas omhoog en terwijl de tranen haar over de wangen liepen, bracht ze een toost uit. 'Dank je.'

Op aandringen van Mia bleef ze die nacht slapen. Het leek het verstandigst om zich na een paar glazen champagne en een emotionele zuivering naar een groot hemelbed te laten brengen. Zonder protest trok ze het zijden nachthemd aan dat Mia haar had geleend, gleed tussen de zachte linnen lakens en viel meteen in slaap.

En werd in de door de maan verlichte duisternis wakker.

Het duurde even voordat ze zich kon oriënteren en zich herinneren waar ze was en wat haar wakker had gemaakt. Mia's logeerkamer, dacht ze lichtelijk beneveld. En er waren mensen aan het zingen.

Nee, het was geen zingen. Er werd iets gereciteerd. Het was een lieflijk, melodieus geluid dat net binnen het gehoor lag. Ze werd ernaartoe getrokken, klom nog steeds wat versuft uit bed en liep rechtstreeks naar de openslaande deuren.

Ze duwde ze open, werd begroet door een warme, geselende wind en stapte in het parelwitte licht van een driekwart volle maan naar buiten. De geur van de bloemen leek naar haar op te stijgen en haar te omringen, net zoals de wind dat eerder had gedaan, waardoor haar hoofd begon te tollen.

Het hart van de zee klopte snel, bijna door het dolle heen, en haar eigen hart deed zijn best om de maat te houden.

En toen zag ze Mia uit het bos komen, gehuld in een jurk die in het maanlicht van zilver leek. De bomen wiegden als dansers heen en weer.

Ze liep naar de klippen en het zilver van haar japon en de vlammende haren wervelden achter haar aan. En daar, hoog op de rotsen, ging ze met haar gezicht naar de zee staan en hief haar armen omhoog naar de sterren en de maan.

De lucht vulde zich met stemmen, en de stemmen leken vol van vreugde. Met ogen verdwaasd van verwondering en prikkend van de tranen waarvan ze niet wist waar die vandaan kwamen, keek Nell toe toen het licht in glinsterende stralen uit de hemel omlaag kwam en de puntjes van Mia's vingers en de uiteinden van het uitwaaierende haar raakte.

Heel even leek het alsof ze een rechte, slanke, opvlammende kaars was die de rand van de wereld verlichtte.

En toen was er alleen nog het geluid van de branding, het parelwitte licht van de afnemende maan, en een vrouw die in haar eentje op een klip stond.

Mia draaide zich om en keerde terug naar het huis. Haar hoofd ging omhoog en haar blik vond die van Nell. En hield die vast. Hield die vast.

Ze glimlachte kalm en stapte in de schaduw van het huis. En was verdwenen.

7

*H*et was nog donker toen Nell op haar tenen naar Mia's keuken liep. Het huis was enorm groot en het kostte wat tijd om haar doel te bereiken. Hoewel ze niet wist hoe laat Mia meestal opstond, zette ze voordat ze wegging toch maar een pot koffie voor haar gastvrouw en schreef ze een briefje om haar te bedanken.

Ze zouden moeten praten, dacht Nell toen ze door de lichter wordende dag naar huis reed. Over een aantal dingen. Dat zou gebeuren zodra ze erachter was waar ze moest beginnen, besloot ze.

Ze slaagde er bijna in zichzelf ervan te overtuigen dat wat ze in het maanlicht had gezien niets anders was geweest dan een droom waaraan de champagne schuldig was. Dat lukte haar bijna, maar het stond haar veel te helder voor de geest om een droom te zijn geweest.

Licht dat als vloeibaar zilver uit de sterren omlaag stroomde. Een toenemende wind vol met gezang. Een vrouw die als een toorts stond te gloeien.

Dat soort dingen waren fantasieën. En toch was dat niet zo... Als het echt was geweest en zij maakte er deel van uit, dan moest ze weten wat het allemaal had te betekenen.

Voor het eerst in bijna vier jaar voelde ze zich volledig rustig en kalm. Dat was voorlopig genoeg.

ᥱᛞ ᥱᛞ ᥱᛞ

Tegen de middag had ze het zo druk dat ze alleen nog aan haar werk kon denken. Ze had haar salaris in de zak, en haar vrije dag kwam al om de hoek kijken.

'Een grote ijscappuccino met hazelnoot.' De man die dat bestelde leunde tegen de toonbank toen Nell ermee aan de slag ging. Ze schatte hem midden dertig, en gezond met behulp van fitness-training. Iemand van het vasteland.

Het deed haar plezier dat ze inmiddels al redelijk nauwkeurig een vastelander kon herkennen, en dat ze er als een echte eilander wat zelfgenoegzaam op reageerde.

'Biecht eens op, hoeveel afrodisiacum stop je in die koeken?' vroeg hij.

Ze keek op. 'Pardon?'

'Vanaf het moment dat ik je havermoutkoeken met rozijnen heb geproefd, heb ik je niet meer uit mijn hoofd kunnen zetten.'

'Echt waar? Ik had durven zweren dat ik alle liefdespoedertjes in de notenkoeken had gedaan.'

'In dat geval wil ik er drie,' zei hij. 'Ik ben Jim, en jij hebt me met je baksels verleid.'

'Dan kun je maar beter van mijn bonensalade afblijven, want anders zul je helemaal geen andere vrouw meer zien staan.'

'Als ik alle bonensalades koop, wil je dan met me trouwen en kinderen met me krijgen?'

'Nou, dat zou ik wel willen, Jim, maar ik heb een heilige eed afgelegd om vrij te blijven zodat ik voor de hele wereld liefdeskoeken kan bakken.' Ze drukte een deksel op zijn beker koffie en zette die in een zak. 'Wil je echt wat van die koeken?'

'Reken maar. Wat dacht je van een picknick op het strand? We hebben met een stel vrienden een huis gehuurd en vanavond willen we wat schelpdieren verschalken.'

'Vanavond een picknick, morgen een huis in een buitenwijk en een cockerspaniël.' Ze sloeg het bedrag op de kassa aan en nam glimlachend zijn geld aan. 'Ik blijf liever aan de veilige kant. Sorry, maar evengoed bedankt.'

'Je breekt mijn hart,' zei hij zwaar zuchtend en liep vervolgens de trap af.

'O jongens, wat een lekkertje.' Peg rekte haar hals om hem in het oog te kunnen houden totdat hij de trap af was. 'Wil je echt niets van hem weten?'

'Nee.' Nell deed haar schort af en liet haar schouders rollen.

'Dan vind je het dus niet erg als ik een kansje bij hem waag?'

'Ga je gang. Er staat meer dan genoeg bonensalade in de koelkast. En Peg? Nog bedankt dat je het gisteren zo goed hebt opgevangen.'

'Ah joh, iedereen slaat wel eens door. Tot maandag.'

Tot maandag, dacht Nell. Zo simpel was het dus. Ze maakte deel uit van het team, ze had vrienden. Ze had de toenadering van een aantrekkelijke man afgeweerd zonder er de zenuwen van te krijgen.

Ze had het in feite wel leuk gevonden, net zoals ze vroeger van dat soort dingen had genoten. Wie weet kwam er nog eens een dag dat ze het niet meer uit de weg wilde gaan.

Op een goeie dag zou ze misschien wel met een man en een paar van zijn vrienden op het strand willen gaan picknicken. Om te praten, te lachen, en van hun gezelschap te genieten. Om luchtige vriendschappen tot stand te brengen. Dat moest toch kunnen. Maar zelfs wanneer ze opnieuw kon leren emotioneel bij een man betrokken te raken, zou een serieuze relatie toch onmogelijk zijn.

Ze was uiteindelijk nog steeds officieel getrouwd.

Maar op dit moment was dat feit meer een veiligheidsnet dan de nachtmerrie die het vroeger was geweest. Ze was vrij om te zijn wie ze wilde, maar niet vrij genoeg om weer met iemand verbonden te raken, niet met een man tenminste.

Ze besloot zichzelf op een ijsje te trakteren en een ommetje langs het strand te maken. Bij het passeren werd ze met haar naam aangesproken, en in haar hart vond ze dat heerlijk.

Toen ze over het strand liep zag ze Pete Stahr met zijn beruchte hond. Zack stond met de handen op zijn heupen bij hen en ze zagen er allebei nogal schaapachtig uit.

Hij had haar aangeraden tijdens het tuinieren een hoed te dragen, maar zelf droeg hij er nooit een. Daardoor was zijn haar aan de punten opgelicht en zat het bijna altijd in de war door de wind van zee. Hij droeg ook haast nooit zijn penning, had ze gemerkt, maar wel altijd bijna onverschillig het pistool in de holster op zijn heup.

Het kwam bij haar op dat als hij bij het café langs was gekomen en haar voor een strandpicknick had uitgenodigd, het best mogelijk was geweest dat ze hem niet zou hebben afgewezen.

Toen de hond hoopvol zijn poot optilde, schudde Zack het hoofd en wees naar de hondenriem die Pete in de hand had. Nadat hij weer was aangelijnd liepen de man en zijn hond met hangend hoofd weg.

Zack draaide zich om. De zon weerkaatste op zijn donkere zonnebril. Nell wist instinctief dat hij naar haar keek. Ze zette zich schrap toen ze naar hem toe liep.

'Sheriff.'

'Nell. Pete had zijn hond weer eens los laten lopen. Dat mormel stinkt een uur in de wind naar vis. Je ijsje lekt.'

'Het is ook zo warm.' Nell likte het hoorntje af en besloot nu maar meteen de koe bij de horens te vatten. 'Wat gisteren betreft…'

'Voel je je weer wat beter?'

'Ja.'

'Mooi. Mag ik ook?'

'Wat? O, natuurlijk.' Ze stak hem het ijsje toe en voelde even haar bloed tintelen toen hij er vlak boven haar vingertoppen een lik van nam. Raar, dacht ze, die leuke vent met zijn strandpicknick had haar bloed helemaal niet doen tintelen. 'Wil je niet weten hoe dat kwam?'

'Niet als jij het liever niet wilt vertellen.' Ja, hij had naar haar gekeken. En had gezien dat ze bewust haar schouders rechtte voordat ze naar hem toe kwam. 'Loop een stukje met me mee. Vlak bij het water is het briesje verfrissend.'

'Ik vroeg me eigenlijk af… wat doet Lucy de hele dag wanneer jij bezig bent de wet te handhaven?'

'O, van alles wat. Hondenklusjes.'

Daar moest ze om lachen. 'Hondenklusjes?'

'Zeker wel. Soms moet een hond een hele dag om het huis rondhangen, lekker in het gras rollen en diep nadenken. Andere keren, wanneer haar kop ernaar staat, komt ze met me mee naar het bureau. Of ze gaat zwemmen en vreet mijn schoenen op. Ik zit erover te denken een broertje of een zusje voor haar te kopen.'

'Ik denk erover een kat te nemen. Ik weet niet zeker of ik wel een puppy zou kunnen africhten. Een kat zou een stuk gemakkelijker zijn. Ik zag een briefje voor gratis af te halen katjes op het prikbord in de supermarkt hangen.'

'Dat is de poes van de Stubens. Voorzover ik weet hebben ze er nog een of twee over. Ze wonen op Bay. Een wit houten huis met blauwe luiken.'

Ze knikte en bleef toen staan. Ze hield zich voor dat haar intuïtie haar tot nu toe niet in de steek had gelaten, dus zou ze zich er nu toch ook wel op kunnen verlaten? 'Vanavond ga ik een nieuw recept proberen, Zack. Tonijn met linguini, feta en zongedroogde tomaten. Ik zou wel een proefkonijn kunnen gebruiken.'

Hij tilde haar hand op en nam nog een lik van haar lekkende ijsje. 'Nou, toevallig heb ik voor vanavond geen dringende plannen, en als sheriff doe ik mijn uiterste best om te doen wat ik kan om de gemeenschap tevreden te stellen. Hoe laat?'

'Zeven uur, schikt dat?'

'Wat mij betreft wel.'

'Prima, tot vanavond dan. En zorg dat je trek hebt,' zei ze, waarna ze snel wegliep.

'Reken daar maar op,' zei hij en liet zijn donkere zonnebril zakken om haar na te kijken toen ze haastig naar het dorp terugliep.

∾ ∾ ∾

Om zeven uur waren de aperitiefjes klaar en stond de wijn te koelen. Nell had een tweedehands tafel gekocht en ze was van plan een deel van haar vrije dag te gebruiken om die af te krabben en opnieuw te schilderen. Maar voor deze gelegenheid had ze het bekraste blad en de afbladderende verf onder een tafelkleed verstopt.

Ze had hem op het grasveld aan de achterkant gezet, met twee oude stoelen die ze voor een habbekrats op de kop had getikt. Ze zagen er niet zo fraai uit maar ze boden wel mogelijkheden. En ze waren van haar.

Ze zette twee borden op tafel, twee schalen en twee wijnglazen – allemaal in de tweedehands winkel op het eiland gekocht. Niets paste bij elkaar, maar ze vond dat het er vrolijk en aantrekkelijk uitzag.

En absoluut het tegenovergestelde van het formele porselein en het zware zilver uit haar verleden.

Haar tuin begon er ook goed uit te zien, en de volgende ochtend zou ze de tomaten, de paprika's, de courgettes en de kalebassen gaan planten.

Ze was alweer bijna platzak, en volmaakt tevreden.

Nell draaide zich om en zag Gladys Macey met een enorme witte tas aan de rand van het grasveld staan.

'Echt een plaatje.'

'Goh, ms. Macey. Hallo.'

'Ik hoop dat je het niet erg vindt dat ik zomaar kom aanwaaien. Ik zou wel hebben gebeld maar je hebt geen telefoon.'

'Nee, natuurlijk niet. Eh… wilt u misschien iets drinken?'

'Nee, nee, doe geen moeite. Ik kom om zakelijke redenen.'

'Zakelijk?'

'Ja, dat klopt.' Haar keurig geknipte zwarte haar dat als een helm om haar hoofd sloot, verroerde nauwelijks toen ze kort knikte. 'Carl en ik vieren in de tweede helft van juli onze dertigste trouwdag.'

'Gefeliciteerd.'

'Dat mag je wel zeggen. Twee mensen die het drie decennia met elkaar uithouden, dat zegt toch wel iets. En daarom wil ik een feest geven, en ik heb Carl net aan het verstand gebracht dat hij zich in het pak zal moeten hijsen. Ik vroeg me af of jij voor mij het eten en drinken zou willen regelen.'

'O jee.'

'Ik wil alles laten verzorgen,' zei Gladys gedecideerd. 'En ik wil dat het er magnifiek uitziet. Toen mijn dochter trouwde, dat was in april twee jaar geleden, hebben we een cateraar van het vasteland genomen. Die was naar mijn smaak veel te chic, en voor Carls portemonnee veel te duur, maar we hadden toen weinig keuze. Volgens mij zul jij het niet te chic maken en me geen godsvermogen voor een schaal koude garnalen rekenen.'

'Ik vind het fijn dat u aan mij hebt gedacht, ms. Macey, maar daar heb ik de spullen niet voor.'

'Nou, je hebt nog genoeg tijd, niet? Ik heb hier een lijst van het aantal gasten, en wat ik in gedachten heb.' Ze haalde een map uit de enorme tas en duwde die Nell in de handen. 'Ik wil het bij mij thuis doen, en ik heb het mooie servies van mijn moeder en meer van dat spul. Kijk jij nu maar wat je kunt samenstellen, dan praten we er morgen wel verder over. Kom morgenmiddag maar naar mij toe.'

'Ik zou u echt graag willen helpen. Misschien kan ik...' Ze keek naar de map en zag dat Gladys er 'Dertigste Trouwdag' op had geschreven en dat ze er in het midden een hartje op had gezet met de initialen van haar en Carl.

Dat raakte haar en ze stak de map onder haar arm. 'Ik zal kijken wat ik kan doen.'

'Je bent een fijne meid, Nell.' Gladys keek over haar schouder toen ze een auto hoorde aankomen, en trok haar wenkbrauwen op toen ze Zacks patrouillewagen herkende. 'En je hebt smaak ook. Kom morgen maar langs, dan regelen we het wel verder. Ga maar lekker eten.'

Ze wandelde naar de auto en bleef staan om een paar woorden met Zack te wisselen. Ze gaf hem een tikje op zijn wang en zag de bloemen die hij bij zich had. Tegen de tijd dat ze achter het stuur zat was ze al druk aan het bedenken wie ze het eerst zou bellen om te vertellen dat Zachariah Todd bezig was die kleine Channing het hof te maken.

'Ik ben wat aan de late kant. Sorry. Er was een aanrijding in het dorp. Dat heeft me wat opgehouden.'

'Het geeft niet.'

'Ik dacht dat je deze wel leuk zou vinden voor de tuin.'

Ze keek glimlachend naar de pot witte chrysanten. 'Fantastisch. Dank je wel.' Ze pakte ze aan en zette ze naast de trap naar de keuken. 'Ik ga de wijn en de hapjes halen.'

Hij liep achter haar aan naar de keuken. 'Het ruikt hier verrukkelijk.'

'Toen ik eenmaal op gang was, heb ik een paar recepten uitgeprobeerd. Je weet dus wat je te doen staat.'

'Ik ben er helemaal klaar voor. En wat hebben we hier?' Hij ging op zijn hurken zitten en liet een vinger over het rookgrijze katje glijden dat opgerold op een kussen in de hoek lag.

'Dat is Diego. We wonen samen.'

Het katje miauwde, rekte zich uit en begon toen tegen Zacks schoenveters te meppen. 'Je bent druk geweest. Koken, meubels kopen, en een huisgenoot vinden.' Hij pakte Diego op en draaide zich naar haar om. 'Jij zult nooit onder het mos komen te zitten, Nell.'

Daar stond hij nu, groot en knap en met een grijs katje dat aan zijn schouder snuffelde.

En hij had chrysanten voor haar meegebracht, in een witte plastic pot.

'O verdorie.' Ze zette het blad met de hapjes weer neer en haalde even diep adem. 'Laat me meteen even iets duidelijk maken. Ik wil niet dat je de verkeerde indruk krijgt over dit etentje, en… en zo. Ik voel me erg tot je aangetrokken maar ik zit niet in een situatie dat ik aan mijn gevoelens gehoor kan geven. Ik vind het niet meer dan eerlijk om je dat van tevoren te vertellen. Ik heb er een heel goede reden voor, maar ik wil er nu niet verder op ingaan. Dus als je liever weer weg wilt, zal ik je dat niet kwalijk nemen.'

Hij luisterde nuchter naar haar woorden terwijl hij het katje met één vinger tussen de oren kriebelde. 'Ik waardeer het dat je me dat zo recht voor zijn raap vertelt, maar het lijkt me zonde om al dat eten te verspillen.' Hij pikte een gevulde olijf van het blad en stopte die in zijn mond. 'Als het jou niet uitmaakt blijf ik nog een poosje. Zal ik de wijn mee naar buiten nemen?'

Met Diego nog steeds op zijn schouder pakte hij de fles en gaf de hordeur een zet met zijn heup. 'O ja, het lijkt me niet meer dan eerlijk om jou te vertellen dat ik vast van plan ben jou uit die situatie te manoeuvreren waarin je vastzit.'

Na dat gezegd te hebben hield hij de deur voor haar open. 'Wil jij dat naar buiten brengen?'

'Dat zal je niet zo gemakkelijk vallen als je wel denkt.'

'Schat, jij bent in geen enkel opzicht gemakkelijk.'

Ze pakte het blad en zeilde langs hem heen. 'Dat zal ik maar als een compliment opvatten.'

'Zo was het ook bedoeld. Goed, laten we maar een glas wijn nemen om wat te ontspannen, en dan mag je me vertellen wat Gladys Macey kwam doen.'

Toen ze hadden plaatsgenomen schonk ze de wijn in terwijl hij het katje op zijn schoot zette. 'Ik dacht dat je als sheriff precies wist wat er hier allemaal gaande is.'

'Nou.' Hij boog voorover naar het blad en koos een gnocchi. 'Aangezien ik ben opgeleid om te observeren, kan ik het wel deduceren. Er ligt een map op je aanrecht met het handschrift van Gladys erop, wat me doet vermoeden dat ze van plan is een feest te geven. En omdat ik regelrecht in de hemel lijk te zijn beland door wat ik zojuist in mijn mond heb gestopt, en wetende dat Gladys een uitgekookte dame is, heb ik zo'n vermoeden dat ze wil dat jij de catering verzorgt. Hoe doe ik het tot dusver?'

'In één keer raak.'

'En doe je het?'

'Ik zit er nog over te denken.'

'Je zou het fantastisch doen.' Hij pikte nog iets van het blad en bestudeerde het achterdochtig. 'Zit er iets van paddestoelen in dit ding? Ik vind paddestoelen afschuwelijk.'

'Nee. Vanavond geen fungi. Waarom denk je dat ik het goed zou doen?'

'Ik zei fantastisch.' Hij stopte het in zijn mond. Iets van roomkaas en kruiden in een dun laagje korstdeeg. 'Omdat je betoverend kookt, er als een engel uitziet en net zo georganiseerd als een computer te werk gaat. Je bent goed in regelen en je hebt stijl. Waarom eet jij niks van dit spul?'

'Ik wil eerst zien of jij blijft leven.' Toen hij alleen maar grinnikte en gewoon verder at, leunde ze achterover en nam een slokje wijn. 'Ik ben een goeie kok. Zet me in een keuken en ik kan de hele wereld aan. Ik zie er redelijk uit, maar ik lijk absoluut niet op een engel.'

'Ik zie je toch.'

'Ik ben georganiseerd,' ging ze door, 'omdat ik mijn leven zo eenvoudig mogelijk hou.'

'Ook een manier om te zeggen dat je niet van plan bent mij de kans te geven het gecompliceerd te maken.'

'Zie je, weer in één keer raak. Ik ga de salade halen.'

Zack wachtte met lachen tot ze hem de rug had toegekeerd. 'Weet je,' zei hij tegen Diego, 'als je maar weet waar haar zwakke plek zit, is het doodsimpel haar kwaad te maken. Ik zal je eens vertellen wat ik in de loop van de jaren over vrouwen aan de weet ben gekomen. Doe nooit twee keer achtereen hetzelfde, dan weten ze nooit wat ze van je kunnen verwachten.'

Toen Nell weer naar buiten kwam, begon Zack over de kinderarts uit Washington en de effectenmakelaar uit New York die voor de apotheek in High Street op elkaar waren gebotst.

Hij bracht haar aan het lachen en slaagde er op die manier in haar weer wat tot rust te brengen. Voor ze het wist vertelde ze hem over wat aanvaringen in de keukens van de diverse restaurants waar ze had gewerkt.

'Temperament en vlijmscherp gereedschap vormen een gevaarlijke combinatie,' zei ze. 'Ik heb eens een kok meegemaakt die me met een elektrische garde bedreigde.'

Omdat de schemering inviel stak hij de dikke rode kaarsen aan die ze op tafel had gezet. 'Ik had geen idee dat er achter die klapdeuren zoveel gevaar en intriges bestonden.'

'En seksuele spanning,' voegde ze eraan toe terwijl ze wat linguini om haar vork draaide. 'Smeulende blikken boven borrelende pannen bouillon, gebroken harten in de slagroom. Een waar broeinest van wellust en verlangens.'

'Eten is een en al sensualiteit. De smaak, de structuur, de geur. Deze tonijn brengt mijn bloed aan het koken.'

'Dit gerecht is dus geslaagd?'

'Het is fantastisch.' Kaarslicht past bij haar, dacht hij. Het zorgde voor gouden lichtjes in die diepblauwe poelen. 'Hoe doe je het eigenlijk? Verzin je dit allemaal of verzamel je recepten?'

'Allebei. Ik vind het heerlijk om te experimenteren. Toen mijn moeder…' Haar stem zakte weg maar Zack pakte gewoon de wijnfles en vulde hun glazen bij. 'Ze kookte graag,' zei Nell eenvoudig. 'En gaf graag dineetjes.'

'Mijn moeder… nou, laten we maar zeggen dat de keuken niet haar favoriete plek was. Ik was twintig voordat het tot me doordrong dat een karbonade niet mocht stuiteren als je hem liet vallen. Ze woonde het grootste deel van haar leven op een eiland, maar wat haar betrof kwam tonijn uit een blikje. Maar ze weet goed raad met cijfers.'

'Met cijfers?'

'Ze is registeraccountant… inmiddels met pensioen. Zij en mijn vader hebben zo'n groot aluminium blik op wielen gekocht en zijn een jaar geleden de grote Amerikaanse snelwegen onveilig gaan maken. Ze genieten.'

'Wat fijn.' Dat gold ook voor de onmiskenbare genegenheid die in zijn stem doorklonk. 'Mis je hen?'

'Ja. Ik zal niet zeggen dat ik het koken van mijn moeder mis, maar wel hun gezelschap. Mijn vader zat vroeger altijd op de achterveranda banjo te spelen. Dat mis ik ook.'

'Banjo?' Het klonk zo lief. 'Speel jij ook?'

'Nee. Ik heb mijn vingers nooit zover gekregen dat ze wilden meewerken.'

'Mijn vader speelde piano. Vroeger…' Ze stopte opnieuw en stond op om haar gedachten te ordenen. 'Mijn vingers wilden ook niet meewerken. We hebben aardbeientaart als dessert. Kun je dat nog aan?'

'Ik denk dat ik uit beleefdheid wel een paar happen naar binnen kan krijgen. Ik zal je even helpen.'

'Nee.' Voordat hij kon opstaan gebaarde ze dat hij moest blijven zitten. 'Alles staat al klaar. Ik hoef alleen maar…' Ze keek naar beneden toen ze zijn bord pakte en zag Diego met zijn buikje omhoog en kennelijk in extase op zijn schoot liggen. 'Heb je die kat van je bord gevoerd?'

'Ik?' Zack pakte als de onschuld zelve zijn wijnglas. 'Ik begrijp niet waarom je dat nu denkt.'

'Je verwent hem, en bovendien maak je hem misselijk.' Ze bukte zich om de kat op te pakken maar besefte toen waar Diego precies lag en dat het misschien een tikje al te persoonlijk zou worden. 'Zet hem op de grond zodat hij wat kan rondrennen en die tonijn uit zijn lijf werkt voordat ik hem mee naar binnen neem.'

'Tot uw dienst, mevrouw.'

De koffie stond klaar en ze wilde net een punt taart afsnijden toen hij met de dekschalen door de deur naar binnen kwam.

'Bedankt. Maar het hoort niet dat gasten helpen afruimen.'

'Bij mij thuis wel.' Hij keek naar de taart, schuimig wit en sappig rood. En toen weer naar haar. 'Schat, ik moet zeggen dat het een echt kunstwerk is.'

'Het uiterlijk is de helft van het werk,' zei ze ingenomen. Ze werd stil toen hij zijn hand op de hare legde. En werd weer bijna rustig toen hij haar hand alleen een stukje verder schoof om een grotere punt te krijgen.

'Ik ben een groot liefhebber van de kunst.'

'Als je zo doorgaat zal Diego niet de enige zijn die misselijk wordt.' Maar ze sneed een punt voor hem af die twee keer zo groot was als de hare. 'Ik breng de koffie.'

'Ik moet je trouwens nog iets vertellen,' zei hij terwijl hij de borden pakte en daarna de deur voor haar openhield. 'Ik ben van plan je aan te raken. Vaak. Misschien zou je vast een beetje aan dat idee kunnen gaan wennen?'

'Ik hou er niet van als iemand me betast.'

'Dat was niet precies wat ik in gedachten had.' Hij liep naar de tafel, zette de taartbordjes neer en ging zitten. 'Hoewel wederzijds betasten ook heel bevredigend kan werken. Ik bezorg vrouwen geen blauwe plekken, Nell. Op die manier gebruik ik mijn handen niet.'

'Ik wil er niet over praten,' antwoordde ze kortaf.

'Ik vraag je ook niets. Ik heb het over mij, en jou, en zoals de zaken er nu voorstaan.'

'Zo ligt het niet.'

'Maar zo wordt het wel.' Hij nam een stukje taart om te proeven. 'God, meid, als je dit op de markt brengt, ben je binnen een half jaar miljonair.'

'Ik hoef niet rijk te worden.'

'Ah, je hebt je vechtlust weer terug,' merkte hij op en at gewoon verder.

'Dat maakt me niet uit. Sommige mannen zoeken een vrouw die toegeeft, die aan het lijntje loopt, wat dan ook.' Hij haalde zijn schouders op en prikte een dikke aardbei aan zijn vork. 'Ik begrijp dat nooit. Volgens mij zullen beide partijen zich binnen de kortste keren stierlijk gaan vervelen. Dan vonkt het niet, als je begrijpt wat ik bedoel.'

'Het hoeft voor mij ook niet te vonken.'

'Dat wil toch iedereen? Mensen die de vonken er doen afspatten wanneer ze maar in elkaars buurt zijn, nou, dat zou wel erg vermoeiend zijn.' Ze had zo'n donkerbruin vermoeden dat hij het niet zo gauw zou opgeven – of uitgeput zou raken.

'Maar als er helemaal nooit een vonkje overspringt,' ging hij door, 'dan loop je het geknetter mis dat er altijd op volgt. Als jij zonder specerijen of kruiden zou koken, zou het wel eetbaar zijn maar het zou je geen voldoening geven.'

'Heel slim van je. Maar er zijn er ook die gezonder blijven op een simpel dieet.'

'Mijn oudoom Frank,' zei Zack met een gebaar van zijn vork voordat hij zich weer op de taart stortte. 'Maagzweren. Er wordt weleens beweerd dat het uit pure gierigheid is, en daar valt niet veel tegenin te brengen. Hij was een stijfkoppige, vrekkige yankee. Nooit getrouwd geweest. Hij krulde zich in bed liever tegen zijn grootboeken dan tegen een vrouw. Hij is achtennegentig geworden.'

'En wat is de moraal van dit verhaal?'

'O, ik had geen moraal in gedachten. Ik dacht alleen aan oudoom Frank. Toen ik nog klein was, gingen we iedere derde zondag van de maand bij mijn grootmoeder eten. Ze maakte de lekkerste stoofpot die er was – je weet wel, zo eentje waar van die krielaardappeltjes en worteltjes omheen worden gelegd? Mijn moeder heeft oma's talent voor stoofpotten niet meegekregen. Maar goed, oudoom Frank kwam dan ook en at dan rijstpudding terwijl de rest zich volpropte met vlees, groenten en aardappels. Die man joeg me altijd de stuipen op het lijf. Zelfs nu nog kan ik geen schaal rijstpudding zien zonder de koude rillingen te krijgen.'

Of je wilde of niet, het was gewoon onmogelijk om je bij hem niet ontspannen te voelen, dacht ze. Het leek wel tovenarij. 'Volgens mij zuig je de helft uit je duim.'

'Er is geen woord van gelogen. Hij staat in het register van de methodistenkerk van het eiland. Francis Morgan Bigelow. Mijn oma is met een Ripley getrouwd, maar heette Bigelow van zichzelf en ze was Franks zuster, ouder dan hij. Zelf haalde ze net de honderd. In mijn familie worden ze vaak oud, vandaar dat de meesten al in de dertig zijn wanneer ze aan een huwelijk en een gezin beginnen.'

'Juist.' Omdat hij zijn taart op had, schoof Nell de hare naar hem toe en was totaal niet verbaasd toen hij meteen een hap nam. 'Ik heb altijd gedacht dat de yankees uit New England nogal zwijgzaam van aard waren. Je weet wel – ja ja, nee nee, zou kunnen.'

'In mijn familie praten we graag. Ripley kan weleens kortaf zijn maar ze is dan ook niet echt dol op de mens als specimen. Dit is de lekkerste maaltijd die ik sinds de zondagse etentjes bij mijn oma heb gehad.'

'Een beter compliment is er niet.'

'Een strandwandeling is de beste manier om dit af te sluiten.'

Ze kon geen enkele reden bedenken om nee te zeggen. Misschien wilde ze dat ook niet.

Het werd steeds donkerder en langs de randen was het al nacht. Over de horizon zwiepte een naalddunne, felle straal licht en in het westen gloeide nog een roze blosje. Het was afnemend tij waardoor een brede baan donker, nat zand was vrijgekomen die onder de voeten koel aanvoelde. De golven rolden aan en lieten linten van schuim achter terwijl vogels met smalle lijven en poten als stelten bezig waren hun avondeten op te pikken.

Er liepen meer mensen op het strand. Bijna allemaal stelletjes, zag Nell. Hand in hand of gearmd. Nadat ze haar schoenen had uitgetrokken en haar spijkerbroek had opgerold stopte ze dan ook uit voorzorg haar eigen handen in de zakken.

Hier en daar lag drijfhout opgestapeld om er later, als het helemaal donker was, een vuurtje mee te stoken. Ze vroeg zich af hoe het zou zijn om met een stel vrienden rondom de vlammen te zitten. Om te lachen en zomaar wat te kletsen.

'Ik heb je er nog niet in zien gaan.'

'In wat?'

'In het water,' verduidelijkte Zack zich.

Ze had geen badpak, maar ze vond het niet nodig hem dat te vertellen. 'Ik heb een paar keer pootje gebaad.'

'Kun je niet zwemmen?'

'Natuurlijk wel.'

'Laten we het dan nu doen.'

Hij pakte haar zo snel op dat haar hart omhoogschoot naar een plekje tussen haar borstkas en haar keel. Ze kon bijna geen lucht meer krijgen, laat staan dat ze kon schreeuwen. Maar voordat ze echt in paniek kon raken, lag ze al in het water.

Zack lachte en draaide haar weg waardoor hij zelf de klap van de aankomende golf opving. Ze gleed uit, rolde om en vocht uit alle macht om weer op de been te komen, en hij pakte haar simpelweg bij haar middel en zette haar weer overeind.

'Je moet wel gedoopt worden om op de Drie Zusters te mogen wonen.'

Hij gooide zijn natte haar naar achteren en trok haar dieper de zee in.

'Het is steenkoud.'

'Het is lekker,' verbeterde hij haar. 'Je bloed is nog wat dun. Hier komt een flinke. Je kunt je maar beter aan mij vasthouden.'

'Ik wil niet…' Wat ze wel of niet wilde deed er niet toe, want de zee had haar eigen gedachten. De golf trof doel, smeet haar omver en maakte dat hun benen zich verstrengelden.

'Je bent gek.' Maar ze lachte toen ze weer bovenkwam. Zodra ze de lucht op haar huid voelde, dook ze weer tot haar nek in het water. 'De sheriff hoort beter te weten dan met kleren en al in zee te springen.'

'Ik had me wel willen uitkleden maar we kennen elkaar nog niet zo lang.' Hij liet zich op zijn rug rollen en bleef lui drijven. 'De eerste sterren komen te voorschijn. Daar gaat toch niets boven. Dit is het summum. Kom.'

Ze zag de sterren van kleur veranderen terwijl de zee haar wiegde en haar het gevoel gaf gewichtloos te zijn. De hemel werd steeds donkerder en er kwamen steeds meer sterren tot leven.

'Je hebt gelijk, dit is super. Maar het is nog steeds steenkoud.'

'Je hebt alleen een winter op het eiland nodig om je bloed dikker te maken.' Hij pakte haar hand, en zo bleven ze stil verbonden op een armlengte van elkaar drijven. 'Ik ben nooit langer dan drie maanden achter elkaar van het eiland geweest. Dat was toen ik studeerde. Het duurde drie jaar en ik had het geen dag langer kunnen uithouden. Ik wist toch al wat ik wilde. En dat is me gelukt.'

De cadans van de golven, de uitgestrektheid van de hemel, de rustige stem die uit het donker op haar afkwam.

'Het is een beetje magisch, hè?' zei ze zuchtend terwijl een koel, vochtig briesje over haar gezicht streek. 'Precies te weten wat je wilt, en het dan ook nog te krijgen.'

'Een beetje magie kan geen kwaad. En je werk helpt een handje. Net als geduld en dat soort dingen.'

'Ik weet nu wat ik wil, en dat zal ik krijgen ook. Voor mij is dat pure tovenarij.'

'Daar heeft het eiland nooit gebrek aan gehad. Dat zal wel komen omdat het door heksen is gecreëerd, denk ik.'

De verbazing klonk in haar stem door. 'Geloof jij in dat soort dingen?'

'Waarom niet? Dat soort dingen bestaat, of je er nu in gelooft of niet. Gisteravond stonden er lichten aan de hemel die geen sterren waren. Je had je blik kunnen afwenden, maar dat veranderde niets aan het feit dat ze er waren.'

Hij zette zijn voeten weer op de bodem en tilde haar op totdat ze tot aan haar middel met haar gezicht naar hem toe stond. Het was inmiddels nacht geworden en het licht van de sterren sprankelde op het oppervlak van het water.

'En dit kun je ook niet ontkennen.' Hij veegde haar natte haar uit haar gezicht en liet zijn handen liggen. 'Maar toch is het er.'

Ze drukte met haar hand tegen zijn schouder toen hij zijn mond naar de hare bracht. Ze wilde zich afwenden, ze zei tegen zichzelf dat ze de andere kant uit moest kijken waar alles veilig en geordend en simpel was.

Maar de vonk waarover hij had gesproken sprong warm en helder in haar op. Ze krulde haar vingers in zijn natte overhemd en gaf zich aan haar gevoelens over.

Ze leefde. Ze was koud waar de lucht over haar huid streek. En warm in haar buik waar het verlangen begon op te komen. Om zichzelf op de proef te stellen leunde ze tegen hem aan en deed haar lippen onder de zijne van elkaar.

Hij deed het rustig aan, net zo goed voor zichzelf als voor haar. Hij proefde en genoot. Ze smaakte naar de zee. Ze rook er ook naar. Heel even liet hij zich in een met sterren doordrenkte golf wegzakken.

Hij trok zich terug en liet zijn handen over haar schouders omlaag glijden naar haar armen voordat hij zijn vingers in de hare haakte. 'Het is echt niet zo ingewikkeld.' Hij kuste haar opnieuw, lichtjes, hoewel hem dat de grootste moeite kostte. 'Kom, dan breng ik je thuis.'

8

'*M*ia, kan ik je even spreken?'
          Nell had nog tien minuten voor het café openging en liep snel naar beneden. Lulu was al bezig postbestellingen op te tellen en wierp haar zoals gewoonlijk een achterdochtige blik toe. Mia legde de laatste hand aan een nieuwe etalage.

'Natuurlijk. Wat is het probleem?'

'Nou, ik…' De winkel was klein genoeg, en leeg genoeg, dat Lulu ieder woord zou kunnen horen. 'Ik hoopte dat we voor een minuutje naar je kantoor konden gaan.'

'Het kan prima hier. Laat je niet door Lulu's zure gezicht van de wijs brengen.' Mia bouwde een torentje van een stapeltje nieuwe zomeruitgaven. 'Ze is bang dat je me om een lening zult vragen, en natuurlijk ben ik zo'n zacht eitje – en bovendien niet goed bij mijn hoofd – dat je me het hemd van mijn lijf zult stelen en ik zonder een cent in de goot beland. Dat klopt toch, hè Lulu?'

Lulu snoof alleen maar en bleef op de toetsen van de kassa rammen.

'O nee, het gaat helemaal niet om geld. Ik zou nooit vragen… terwijl jij zo… wel verdorie.' Nell greep met haar beide handen in haar haar en trok eraan tot haar rug verkrampte van de pijn. Doelbewust draaide ze zich om naar Lulu.

'Ik begrijp dat je Mia wilt beschermen, en dat je geen reden hebt om mij te vertrouwen. Ik kwam uit het niets opdagen en doe mijn werk, maar woon hier nog geen maand. Maar ik ben geen dief, en geen uitbuiter. Ik doe mijn werk, en zal dat blijven doen. En als Mia me vraagt om sandwiches op één been te serveren en tegelijkertijd Yankee Doodle Dandy te zingen, dan zal ik er mijn uiterste best voor doen. Juist omdat zij bereid was me een kans te geven terwijl ik uit het niets kwam opdagen, en me hier een baan gaf.'

Lulu snoof nog eens luidruchtig. 'Dat zou ik weleens willen zien. Goeie kans dat het nieuwe klanten trekt. Ik heb nooit beweerd dat je je werk niet doet,' voegde ze eraan toe, 'maar dat betekent nog niet dat ik je niet in de gaten zal houden.'

'Dat maakt me niet uit. Dat begrijp ik wel.'

'Hou alsjeblieft op met dat sentimentele gedoe,' zei Mia terwijl ze quasi-ontroerd haar ogen depte. 'Jullie bederven mijn mascara nog.' Ze deed een stapje naar achteren, bekeek de uitstalling en knikte tevreden. 'Goed, waarover wilde je met me praten, Nell?'

'Mrs. Macey geeft volgende maand een feest. Ze zou het graag chic willen laten verzorgen.'

'Ja, dat is me bekend.' Mia draaide zich naar de planken om hier en daar wat recht te leggen. 'Ze zal je gek maken met alle veranderingen en voorstellen en vragen, maar je kunt het wel aan.'

'Ik heb nog niet toegezegd om… We hebben het er gisteren alleen maar over gehad. Ik wist niet dat je al had gehoord dat ze het mij had gevraagd. Ik wilde er eerst met jou over praten.'

'Het is maar een klein eiland en zoiets doet al snel de ronde. Het is niet nodig dat je met mij over catering in je vrije tijd praat, Nell.'

Ze maakte in gedachten een notitie om meer rituele kaarsen te bestellen. Tijdens de zonnewende waren die de deur uit gevlogen. En hun voorraad Passie en Voorspoed was ook schrikbarend verminderd. Wat maar weer eens liet zien wat voor veel mensen het belangrijkste was.

'Je kunt in je vrije tijd doen en laten wat je wilt,' zei ze nog.

'Ik wilde je alleen zeggen dat als ik het voor Gladys zou doen, het geen invloed zou hebben op mijn werk hier.'

'Dat mag ik hopen, vooral omdat ik je opslag ga geven.' Ze keek op haar horloge. 'Tijd om de zaak te openen, Lulu.'

'Wil je me opslag geven?'

'Je hebt het verdiend. Ik heb je op proef aangenomen en daar was je salaris op gebaseerd. Nu ben je niet meer op proef.' Ze deed de deur van slot en zette vervolgens de muziek aan. 'Hoe was het etentje met Zack gisteravond?' vroeg Mia vrolijk. 'Zoals ik al zei, het is maar een klein eiland.'

'Het ging prima. Gewoon een etentje tussen vrienden.'

'Knappe vent,' zei Lulu. 'Goeie eigenschappen ook.'

'Ik probeer hem echt niet in verleiding te brengen.'

'Dan mankeert er toch wat aan je.' Lulu liet de zilveren bril zakken en keek haar over de rand heen aan. Ze was bijzonder trots op die blik. 'Als ik een paar jaar jonger was, zou ik het wel proberen. Trouwens ook fantastische handen. Ik durf er wat om te verwedden dat hij die weet te gebruiken.'

'Ongetwijfeld,' zei Mia zachtmoedig. 'Maar je brengt onze Nell in verlegenheid. Waar was ik ook weer gebleven? Even denken: het feest van Gladys, salarisverhoging, etentje met Zack.' Ze stopte even en tikte met haar vinger tegen haar lippen. 'Ach ja, ik wilde je nog wat vragen, Nell. Heb je religieuze of politieke bezwaren tegen cosmetica of sieraden?'

Ze wist niets beters te bedenken dan haar adem met een plof te laten ontsnappen. 'Nee.'

'Wat een opluchting. Hier.' Ze deed de zilveren oorbellen uit haar oren en overhandigde die aan Nell. 'Draag deze maar. Als ze je vragen waar je die vandaan hebt, zeg je dat ze van All That Glitters komen, twee deuren verderop. We maken graag reclame voor de andere winkeliers. Aan het eind van je dienst wil ik ze terug. Morgen zou je eens wat blusher en lippenstift kunnen proberen, en oogschaduw.'

'Die heb ik niet.'

'Neem me niet kwalijk.' Mia stak haar ene hand op, legde de andere op haar hart en wankelde naar de toonbank om daar steun te zoeken. 'Zei je nu werkelijk dat je géén lippenstift hebt?'

Nells mondhoek trok iets omhoog waardoor er even kuiltjes te voorschijn kwamen. 'Ik vrees van niet.'

'Lulu, we moeten dit meisje helpen. Dat is onze plicht. Noodrantsoenen. Vlug, vlug.'

Met trillende lippen – het had een lachje kunnen zijn – haalde Lulu een grote make-uptas onder de toonbank vandaan. 'Ze heeft een mooie huid.'

'Een onbeschilderd doek, Lu. Kom mee.'

'Het café – zo meteen komen de vaste klanten al.'

'Ik ben snel en ik ben goed. Schiet op.' Ze greep Nell bij de hand, en trok haar mee de trap op naar de toiletruimte.

Tien minuten later hielp Nell met zilveren oorbellen in, perzikkleurig aangezette lippen en deskundig aangebrachte loodgrijze oogschaduw haar eerste klanten.

Ze kwam tot de slotsom dat het een heel prettig gevoel was je weer vrouw te voelen.

Met angst in haar hart nam ze de cateringopdracht aan. Toen Zack vroeg of ze zin had een avond mee te gaan zeilen, zei ze ja en voelde ze zich machtig.

Toen een klant vroeg of ze voor een verjaardag een taart in de vorm van een ballerina kon bakken, zei ze natuurlijk ook ja. Het geld dat ze ermee verdiende gaf ze uit aan een paar oorbellen.

Steeds meer mensen raakten ervan op de hoogte en als gevolg daarvan werd Nell gevraagd ter gelegenheid van de Vierde Juli een picknick voor twintig personen te verzorgen en tien lunchpakketten voor een zeiltocht. Ze deed het allebei.

Op Nells keukentafel lagen aantekeningen, mappen en menu's uitgespreid. Op de een of andere manier was ze bezig haar eigen huisbedrijfje op te zetten.

Ze keek op toen er kort op de deur werd geklopt en verwelkomde Ripley blijmoedig.

'Heb je even?'

'Tuurlijk. Ga zitten. Is er iets?'

'Nee, alles is prima.' Ripley ging zitten en toen Diego aan haar schoenen begon te snuffelen, pakte ze hem op. 'Bezig met plannen voor het dagmenu?'

'Ik moet die cateringopdrachten regelen. Had ik maar een computer… Maar voor een professionele mixer zal ik nog een keer mijn ziel willen geven. En mijn beide voeten voor een professionele keukenmachine. Voorlopig zal ik het moeten doen met wat ik heb.'

'Waarom gebruik je de computer in de boekwinkel niet?'

'Mia doet al genoeg voor me.'

'Dat zal wel. Hoor eens, ik heb een afspraakje voor de Vierde Juli. Een afspraakje met mogelijkheden,' zei ze nog. 'Niet iets bijzonders omdat Zack en ik de hele nacht min of meer dienst hebben. Van vuurwerk en bier raken de mensen soms een beetje meer in een feeststemming dan goed voor hen is.'

'Ik kan haast niet wachten tot het vuurwerk begint. Iedereen zegt dat het heel spectaculair is.'

'Ja, we maken er echt wat van. Maar het zit zo… Die kerel is een veiligheidsbeambte van het vasteland en hij heeft een oogje op me. Ik heb besloten hem zijn zin te geven.'

'Goh Ripley, wat romantisch. Je beneemt me bijna de adem.'

'En het is echt een stuk,' ging Ripley door terwijl ze Diego achter zijn oor krabde. 'Dus het ligt erg voor de hand dat er na het vuurwerk nog wat vuurwerk komt, als je begrijpt wat ik bedoel. De laatste tijd ben ik qua seks een beetje tekortgekomen. Hoe dan ook, we hebben het over een nachtelijke picknick gehad en op de een of andere manier moet ik voor het eten zorgen. En omdat ik zo'n idee heb dat ik hem wel zal willen bespringen, wil ik hem van tevoren liever niet vergiftigen.'

'Een romantische picknick voor twee personen,' schreef Nell op. 'Vegetarisch of met vlees?'

'Met vlees. Maar niks bijzonders, oké?' Ripley pikte een druif van de fruitschaal die op tafel stond en stopte hem in haar mond. 'Ik wil niet dat hij meer belangstelling voor het eten heeft dan voor mij.'

'Is genoteerd. Haal je het af of moet ik het komen brengen?'

'Cool, zeg.' Vrolijk stopte ze nog een druif in de mond. 'Ik haal het wel af. Kunnen we het onder de vijftig dollar houden?'

'Onder de vijftig. Zeg hem dat hij een lekker pittig wit wijntje meebrengt. Als je nu een picknickmand had…'

'Die hebben we nog wel ergens.'

'Uitstekend. Breng die dan langs, dan pak ik hem in. Wat eten betreft is alles voor je geregeld. Dat bespringen moet ik aan jou overlaten.'

'Dat lukt me wel. Weet je, als je dat wilt kan ik weleens rondvragen of er ergens nog een tweedehands computer te koop is.'

'Dat zou fantastisch zijn. Ik ben blij dat je langs bent gekomen.' Ze stond op en pakte twee glazen. 'Ik was al bang dat je je aan me had geërgerd.'

'Nee, niet aan jou. Dat bepaalde onderwerp ergert me. Het is niet anders dan een hoop flauwekul, net als…' Ze keek kwaad door de hordeur naar buiten. 'Als je het over de duivel hebt…'

'Daar heb ik het liever niet over. Dat is om narigheid vragen,' zei Mia die binnen kwam zeilen. Ze legde een briefje op het aanrecht. 'Er was een telefoontje voor je. Gladys, met de nieuwste ideetjes over het feest.'

'Wat vervelend. Je hebt daar geen tijd voor. Ik zal het met haar bespreken en ik beloof dat ik ervoor zal zorgen zelf telefoon te krijgen.'

'Maak je niet druk. Ik wilde toch een ommetje maken, anders had ik het wel tot morgen laten liggen. Ik lust ook wel een glas van die limonade.'

'Ze heeft een computer nodig,' zei Ripley vlak. 'Ze wil die van de winkel niet gebruiken omdat ze jou niet lastig wil vallen.'

'Ripley! Het lukt me op deze manier prima, Mia.'

'Ze mag natuurlijk de computer in de winkel gebruiken wanneer die vrij is,' zei Mia tegen Ripley. 'En ze heeft jou niet nodig om als bemiddelaar tussen haar en mij op te treden.'

'Dat zou ze ook niet als jij niet probeerde haar onder jouw spiritistische blablabla te bedelven.'

'"Spiritistische blablabla" klinkt als de naam van een tweederangs popgroep en heeft niets van doen met wat ik ben. Maar zelfs dat is beter dan verblinde, koppige ontkenning. Kennis is altijd beter dan domheid.'

'Zal ik je eens vertellen wat domheid is?' zei Ripley terwijl ze opstond.

'Hou op! Hou ermee op.' Nell, die vanbinnen helemaal trilde, ging tussen hen beiden in staan. 'Doe niet zo belachelijk. Moeten jullie elkaar nu altijd in de haren vliegen?'

'Ja.' Mia pakte een glas en nipte er voorzichtig aan. 'We genieten ervan, nietwaar, deputy?'

'Ik zou ervan genieten jou een knal voor je kop te geven, maar dan zou ik mezelf moeten arresteren.'

'Probeer het maar.' Mia stak haar kin uit. 'Ik beloof je dat ik geen aanklacht zal indienen.'

'Niemand slaat hier. Niet in mijn huis.'

Op slag berouwvol zette Mia haar glas neer en wreef over Nells arm. Die leek wel van staal. 'Het spijt me, kleine zus. Ripley en ik irriteren elkaar nu eenmaal, dat doen we al jaren. Maar we moeten jou er niet bij betrekken. We moeten haar er niet bij betrekken,' zei ze tegen Ripley. 'Dat is niet eerlijk.'

'Daar zijn we het dan over eens. Wat dacht je hiervan? Als we elkaar hier tegenkomen, is dit niemandsland. Je weet wel, zoals het gebied van Romulus, waar niet wordt gevochten.'

'Het niemandsland van Romulus. Ik heb je kennis van populaire cultuur altijd bewonderd. Afgesproken.' Ze pakte zelfs een tweede glas en gaf het aan Ripley. 'Daar. Zie je nou, Nell, je hebt nu al een goede invloed op ons.' Ze gaf een derde glas aan Nell. 'Op positieve invloeden.'

Ripley aarzelde en schraapte haar keel. 'Oké, oké, wat dondert het ook. Op positieve invloeden.'

En in een klein kringetje bij elkaar staand tikten ze hun glazen tegen elkaar. Het klonk als een kerkklok, één enkele heldere slag, en tegelijkertijd spoot een fontein van licht omhoog van de plek waar de tweedehands glazen elkaar raakten.

Mia begon traag te glimlachen en Nell snakte lachend naar adem.

'Verdorie,' mopperde Ripley en dronk haar limonade in een klap op. 'Ik haat dat.'

cð cð cð

Het eiland werd overstroomd door feestgangers die de Vierde Juli kwamen vieren. Rode, witte en blauwe vlaggen klapperden aan de relingen van de veerboten die naar het eiland stoomden. Langs de dakgoten van de winkels in High Street wapperden vlaggetjes en andere versieringen die vrolijk naar de dichte menigte van toeristen en eilanders wuifden die de straten en stranden bevolkten.

Voor Nell was het absoluut geen vakantiedag, maar desondanks was ze in een feestelijke stemming toen ze de bestellingen bezorgde. Ze had niet alleen een baan waar ze dol op was, ze had ook een onderneming waar ze trots op kon zijn.

Onafhankelijkheidsdag, dacht ze. Dat zou het ook voor haar worden.

Voor het eerst in negen maanden begon ze toekomstplannen te maken. Voor een bankrekening, voor postorders, en voor spullen voor zichzelf die niet binnen de kortste keren in een plunjezak of een rugzak konden worden gepropt.

Een normaal, goed lopend leven, dacht ze terwijl ze even voor de etalage van Beach Where bleef staan. De etalagepop droeg een vlotte zomerbroek met knalblauwe en witte strepen, en een bijna doorzichtig wit topje dat heel laag was uitgesneden. Aan de voeten had ze witte riempjessandalen die er leuk uitzagen maar ook heel onpraktisch waren.

Nell beet op haar lip. Het geld brandde een gat in de zak van haar stokoude spijkerbroek. Dat was altijd haar probleem geweest, hield ze zich voor. Als ze tien dollar bezat, kon ze altijd wel een manier bedenken om er negen uit te geven.

Ze had geleerd zuinig te zijn, te schrapen, en niet toe te geven aan de verleiding. En wat ze allemaal met vijf dollar kon doen.

Maar ze had al zo lang niets nieuws, niets leuks bezeten. En Mia had haar een stille hint gegeven dat ze zich voor haar werk een beetje moest optutten. En de laatste tijd was ze trouwens niet meer zo stil geweest.

En daar kwam nog bij dat ze er voor haar cateringbedrijf representatief moest uitzien. Als ze een zakenvrouw wilde worden, zou ze zich dienovereenkomstig moeten kleden. Op het eiland betekende dat nonchalant. Maar nonchalant kon toch heel goed aantrekkelijk zijn.

Anderzijds zou het praktischer en verstandiger zijn om het geld te bewaren voor meer keukengerei. Ze had meer behoefte aan een keukenmachine dan aan sandalen.

'Ga je naar de goede engel luisteren of naar de slechte?'

'Mia.' Ze geneerde zich een beetje dat ze was betrapt terwijl ze over een paar schoenen stond te dagdromen, en begon te lachen. 'Je liet me schrikken.'

'Fantastische sandalen. En in de uitverkoop.'

'O ja?'

Mia tikte tegen het glas, vlak onder het bordje met Uitverkoop erop. 'Mijn favoriete woord. Ik proef hier mogelijkheden, Nell. Laten we gaan winkelen.'

'Dat zou ik echt niet moeten doen. Ik heb niets nodig.'

'Je moet heus iets aan jezelf doen.' Mia gooide haar haar naar achteren en pakte Nell stevig bij de elleboog alsof ze een koppig kind was dat door haar moeder moest worden meegesleept. 'Schoenen heb je nooit nodig, je wilt ze gewoon hebben. Weet je eigenlijk hoeveel paar schoenen ik heb?'

'Nee.'

'Ik ook niet,' zei ze en duwde Nell de winkel in. 'O, kijk nou eens! Ze hebben die broek ook met zuurstokstrepen. Die zal je fantastisch staan. Maatje zesendertig?'

'Ja. Maar ik moet echt voor een goeie keukenmachine sparen.' Toch stak ze haar hand uit om de stof van de broek te voelen die Mia van het rek had gehaald. 'Wat zacht.'

'Probeer hem eens met dit hier.' Na een korte speurtocht had Mia naar haar idee het perfecte topje gevonden. Een strak zittend wit haltertopje. 'Vergeet niet je beha uit te doen. Je hebt kleine voeten. Ook maatje zesendertig?'

'Ja, inderdaad.' Nell keek even heimelijk naar de prijskaartjes. Zelfs met de korting was het meer dan ze in maanden voor zichzelf had uitgegeven. Ze protesteerde stotterend toen Mia haar achter het gordijn van de paskamer duwde.

'Passen is nog geen kopen,' fluisterde ze steeds maar weer tegen zichzelf terwijl ze zich tot op haar degelijke katoenen onderbroekje uitkleedde.

Mia had gelijk wat dat roze betrof, dacht ze toen ze de broek aantrok. Je fleurde meteen op van de felle kleur. Maar dat haltertopje, nou, dat was iets heel anders. Het voelde… decadent om iets aan te hebben dat zo strak zat, en zonder beha. En de rug… ze keek over haar schouder. Feitelijk zat er geen rug in.

Evan zou haar nooit hebben toegestaan iets te dragen dat zo onthullend was en bovendien behoorlijk suggestief.

Toen die gedachte in haar hoofd opkwam, vervloekte Nell zichzelf.

'Oké, dat vlakken we meteen uit,' droeg ze zichzelf op.

'Hoe gaat het daarbinnen?'

'Prima. Het is een enig stelletje, Mia, maar ik moest toch maar niet...'

Voordat ze haar zin kon afmaken, trok Mia het gordijn open. Ze stond met de sandalen in de ene hand en een vinger van de andere hand tegen haar lippen. 'Perfect. Lekker sexy, nonchalant, chic. Doe de schoenen aan. En ik zag zonet een tasje dat er precies bij past. Ik ben zo terug.'

Het was alsof ze door een in het leger vergrijsde generaal naar het slagveld werd gejaagd, dacht Nell. En aangezien zij maar een gewone infanterist was, bleef haar niets anders over dan de bevelen op te volgen.

Twintig minuten later waren haar gebruikelijke spijkerbroek, t-shirt en gympen in een draagtas gestopt. Wat er nog van haar geld over was zat in een tasje dat niet groter was dan haar hand en dat dwars over haar lichaam op de heup van haar nieuwe broek hing die in het straffe briesje zacht om haar benen wapperde.

'Hoe voel je je nu?'

'Schuldig. En fantastisch.' Nell kon het niet laten en wiebelde met haar tenen in haar nieuwe sandalen.

'Goed. En nu gaan we er nog een paar oorbellen bij kopen.'

Nell gaf alle verzet op. Onafhankelijkheidsdag, hield ze zich voor. Ze bezweek meteen voor de roze kwarts hangers.

'Waarom geven oorbellen je toch zo'n zelfverzekerd gevoel?'

'Het versieren van je lichaam laat zien dat je je van je lichaam bewust bent, en dat je dat van anderen ook verwacht. Goed, laten we naar het strand gaan en kijken of we daar een paar reacties krijgen.'

Nell betastte de bleekroze stenen die aan haar oren bungelden. 'Mag ik je iets vragen?'

'Ga je gang.'

'Ik ben hier nu een maand, en in al die tijd heb ik je nog nooit met iemand gezien. Voor een afspraakje, bedoel ik. Met een man.'

'Op dit moment is er niemand in wie ik ben geïnteresseerd.' Mia hield haar hand boven haar ogen om het strand af te speuren. 'Ja, er was wel iemand. Vroeger. Maar dat was in een andere fase van mijn leven.'

'Hield je van hem?'

'Ja. Heel veel.'

'Het spijt me, ik hoor mijn neus niet in jouw zaken te steken.'

'Het is geen geheim,' zei Mia luchtig. 'En de wond is allang genezen. Ik ben graag alleen. Ik vind het fijn mijn lot in eigen handen te hebben, en zelf alle dagelijkse beslissingen te nemen en keuzen te kunnen maken. Met iemand samen zijn vereist een zekere mate van onzelfzuchtigheid. Ik ben van nature een zelfzuchtig persoon.'

'Dat is niet waar.'

'Er zijn meerdere vormen van gulheid.' Mia begon te lopen en hief haar gezicht omhoog naar de zeewind. 'Het staat niet gelijk aan altruïsme. Ik doe wat ik wil, en dat komt voort uit zelfbelang. Ik vind niet dat ik me daarvoor hoor te verontschuldigen.'

'Ik weet van nabij wat zelfzuchtigheid betekent. Je mag dan doen wat je wilt, Mia, maar je zou nooit opzettelijk iemand pijn doen. Ik heb gezien hoe je met mensen omgaat. Ze vertrouwen je omdat ze weten dat ze je kunnen vertrouwen.'

'Het feit dat ik niemand pijn kan doen komt voort uit wat me is gegeven. Jij bent net zo.'

'Dat lijkt me volslagen onmogelijk. Ik ben altijd machteloos geweest.'

'En daarom leef je mee met iedereen die pijn heeft of wanhopig is. Wat ons overkomt gebeurt nooit zomaar, kleine zus. Wat we doen om wie we zijn, en wat we ermee doen, is de sleutel tot wie en wat we zijn.'

Nell keek naar de zee, naar de boten die voorbijgleden, naar de jetskiërs die aan het racen waren, naar de zwemmers die vrolijk op de golven deinden. Ze zou haar ogen kunnen sluiten voor wat ze volgens anderen was, dacht ze, en voor wat er van haar gevraagd zou kunnen worden. Ze kon hier een kalm en normaal leven krijgen.

Of meer.

'Die nacht dat ik bij jou logeerde, de nacht van de zonnewende, toen ik je op de klippen zag, maakte ik mezelf wijs dat ik droomde.'

Mia draaide zich niet om en bleef gewoon rustig over zee uitkijken. 'Is dat wat je wilt geloven?'

'Ik ben er niet helemaal zeker van. Ik heb van dit eiland gedroomd. Zelfs al toen ik nog klein was droomde ik ervan. Heel lang heb ik die dromen genegeerd, of weggestopt. Maar toen ik een schilderij zag – van de klippen en de vuurtoren, en van jouw huis – moest ik hierheen komen. Het was alsof ik eindelijk naar huis mocht.'

Ze keek achterom naar Mia. 'Vroeger geloofde ik in sprookjes. Later wist ik wel beter. Dat leerde ik op de harde manier.' En dat had ze, dacht Mia. Geen enkele man had ooit de hand naar haar opgeheven, maar er waren andere manieren om iemand te kwetsen en littekens te bezorgen. 'Het leven is geen sprookje, en de gave heeft zijn prijs.'

Het liep Nell ineens koud over de rug. Het was gemakkelijker om er je ogen voor te sluiten, dacht ze. Het was veiliger om ervoor op de vlucht te slaan.

Een van de boten op zee schoot een vuurpijl af die vrolijk gillend omhoogvloog en in een uitbarsting van licht eindigde, en even later stroomden kleine gouden vlekjes omlaag. Vanaf het strand steeg een verrukte kreet op. Ze hoorde een kind verbaasd roepen.

'Je zei dat jij me zou onderrichten.'

Mia liet de adem ontsnappen. Ze was zich er niet eens van bewust geweest dat ze die had ingehouden. Er hing zoveel van af. 'En dat gebeurt ook.'

Ze draaiden zich om en keken naar de volgende vuurpijl die omhoogschoot.

'Blijf je hier om naar het vuurwerk te kijken?' vroeg Nell.

'Nee, ik kan het vanaf mijn klippen zien. Het is daar een stuk rustiger. Bovendien haat ik het om het vijfde wiel aan de wagen te zijn.'

'Het vijfde wiel?'

'Dames.' Zack kwam aangewandeld. Dit bleek een van die zeldzame gelegenheden dat hij zijn penning had opgespeld. 'Ik moet jullie vragen door te lopen. Twee mooie vrouwen die op het strand staan levert een te groot gevaar op.'

'Is het geen schatje?' Mia legde haar handen om zijn gezicht en gaf hem een klapzoen. 'Toen ik nog in de derde klas zat, was ik vast van plan met hem te trouwen en in een zandkasteel te gaan wonen.'

'Dat had je me weleens kunnen vertellen.'

'Je was verliefd op Hester Burmingham.'

'Nee, ik had alleen een oogje op haar glimmend rode fiets. Toen ik met Kerstmis twaalf werd, kreeg ik er zelf een van de kerstman en toen bestond Hester niet meer voor me.'

'Mannen zijn rotzakken.'

'Kan zijn, maar ik heb die fiets nog steeds, en Hester heeft een tweeling, twee meiden, en een minibusje. Voor alle betrokkenen een gelukkige afloop.'

'Hester kijkt nog steeds naar je kontje wanneer je wegloopt,' zei Mia en zag tot haar vreugde dat zijn mond openzakte. 'En nu moet ik er echt vandoor. Geniet maar van het vuurwerk.'

'Die vrouw slaagt er altijd in het laatste woord te hebben,' zei Zack mopperend. 'Wanneer een man eindelijk zijn tong uit de knoop heeft, is ze al weg. En nu we het toch over een knoop in de tong hebben, jij ziet er fantastisch uit.'

'Dank je.' Ze hield haar armen opzij. 'Ik heb met geld gesmeten.'

'En je hebt de juiste plekken weten te raken. Laat mij dat maar dragen.'

Hij haalde de draagtas uit haar hand.

'Ik moet dit naar huis brengen en nog een paar dingen doen.'

'Ik kan wel een stukje met je meelopen. Ik hoopte al dat ik je vandaag tegen het lijf zou lopen. Ik hoorde dat je over het hele eiland aardappelsalade hebt bezorgd.'

'Ik heb er geloof ik wel vijfenzeventig liter van gemaakt, en genoeg gebraden kip om de complete kippenbevolking voor de komende drie maanden te hebben uitgeroeid.'

'Je hebt zeker niets meer over?'

Haar kuiltjes lonkten hem toe. 'Wie weet.'

'Ik heb haast geen tijd gehad om te eten – verkeerscontrole, strandwacht, je weet wel. Ik heb een stelletje knullen in de kraag moeten grijpen die dachten dat het wel leuk was om rotjes in vuilnisbakken te gooien en te kijken hoe ze ontploften. Ik heb genoeg rotjes, Bengaals vuurwerk en vuurpijlen in beslag genomen om een eigen handeltje te beginnen. En dat allemaal op twee hotdogs.'

'Dat is niet eerlijk.'

'Nee, dat is het ook niet. Ik heb een paar van je lunchpakketten gezien. Volgens mij zat er ook appeltaart in.'

'Je hebt goeie ogen. Ik kan vermoedelijk nog wel een paar drumsticks vinden, een bak aardappelpuree bij elkaar schrapen en misschien zelfs nog een stuk appeltaart vinden om dat aan een hardwerkende ambtenaar te geven.'

'Misschien is het zelfs aftrekbaar voor de belasting. Ik moet toezicht houden op het vuurwerk.' Hij bleef aan het eind van de straat staan. 'Meestal begint het rond negen uur.' Hij zette haar draagtas neer en liet zijn handen over haar blote armen omhoogglijden. 'Zo rond half tien, kwart voor tien, wordt het rustiger. Ik heb met Ripley geloot en moet de laatste ronde doen. Het hele eiland rondrijden om zeker te weten dat niemand zijn huis in de fik heeft gestoken. Zou je het leuk vinden om mee te rijden?'

'Dat denk ik wel.'

Zijn vingers dansten nu op en neer over haar rug. 'Wil je me een plezier doen? Leg je handen op mijn schouders. Ik zou graag willen dat je me dit keer stevig vasthoudt wanneer ik je kus.'

'Zack…' Ze haalde twee keer voorzichtig adem. 'Ik zou ook graag willen dat jij me dit keer stevig vasthoudt.'

Hij sloeg zijn armen om haar heen en zij legde de hare om zijn nek. Heel even bleven ze zo staan, met hun lippen een zuchtje van elkaar, terwijl haar hele lijf vol verwachting van onder tot boven trilde.

Hun monden raakten elkaar, trokken zich terug en veegden weer over elkaar. Zij was het die steunde, zij perste in een vlaag van verhitte hunkering haar lippen op de zijne.

Ze had het niet gewild. En zelfs toen hij haar sluimerende behoeften weer tot leven had gebracht, had ze er toch op gelet dat dit niet zou gebeuren. Tot nu toe dan.

Ze wilde zijn kracht voelen, de druk van dat harde, mannelijke lijf. Ze wilde zijn rijpe geur proeven, de hitte die van hem afstraalde.

De zijdezachte dans van de tongen, het plagende knabbelen van de tanden, de ongedurige opwinding van zijn hart dat ze tegen het hare voelde kloppen. Ze slaakte een zuchtje van genot toen hij de kus verdiepte.

En opnieuw ging ze er helemaal in op.

Ze maakte dat de pijn op het ritme van zijn hart door zijn lijf bonsde. Zachte genotskreetjes bromden in haar keel en brachten zijn bloed aan het koken. Haar huid voelde als hete satijn, en het onder zijn handen voelen deed erotische beelden in zijn hoofd opkomen – verlangens, behoeften die in het donker thuishoorden.

Hij hoorde vaag een volgende vuurpijl ontploffen, en de juichende kreten op het strand die erop volgden.

Hij kon haar in twee minuten in haar cottage hebben. En in drie minuten naakt onder hem.

'Nell.' Buiten adem en bijna wanhopig verbrak hij de kus.

En ze glimlachte. Haar ogen waren zwart en vol vertrouwen en genot.

'Nell,' zei hij weer en liet zijn voorhoofd tegen het hare zakken. Hij wist dat er een tijd was dat je nam, en dat er een tijd was dat je wachtte. 'Ik moet mijn ronden doen.'

'Goed.'

Hij pakte de tas en gaf die aan haar. 'Kom je terug?'

'Ja, ik kom terug.' Ze leek te zweven toen ze zich omdraaide en naar haar cottage liep.

9

'*M*acht,' zei Mia tegen Nell, 'brengt verantwoordelijkheid met zich mee, en respect voor traditie. Het moet in toom worden gehouden door medeleven, hopelijk ook intelligentie, en een begrip voor de feilen van de mens. Macht mag nooit onzorgvuldig worden gebruikt, hoewel er wel ruimte is voor humor. Bovenal mag macht nooit worden gebruikt om te kwetsen.'

'Hoe wist jij dat je... Hoe wist jij dat je het was?'

'Een heks?' Mia liet zich op haar hurken zakken. Ze was de tuin aan het wieden. Ze droeg een vormloze grasgroene jurk met diepe zakken in de rok, dunne gebloemde tuinhandschoenen, en een strooien hoed met een brede rand. Op dat moment leek ze in de verste verte niet op de heks die ze beweerde te zijn.

'Je mag het woord wel uitspreken. Het is niet verboden. We zijn geen snoevers met puntmutsen die op bezemstelen rondvliegen, zoals we vaak worden afgeschilderd. We zijn gewoon mensen – huisvrouwen, loodgieters, zakenvrouwen. Ons leven is onze eigen keus.'

'Heksenkringen?'

'Ook een eigen keus. Persoonlijk heb ik er nooit iets voor gevoeld. En de meesten die een groep vormen of de Leer bestuderen, zijn op zoek naar tijdverdrijf, of naar een antwoord. Daar is niets mis mee. Jezelf een heks noemen en rituelen uitvoeren is één ding, een heks zijn is wat anders.'

'Hoe zie je het verschil?'

'Wat moet ik daar nu op antwoorden, Nell.' Ze boog zich weer naar voren en knipte handig de dode bloemen af. 'Er borrelt iets vanbinnen. Een lied in je hoofd, gefluister in je oor. Je weet dat zelf ook wel, net zo goed als ik. Je had het alleen nog niet herkend.'

De dode bloemen werden bij het onkruid in een mand gegooid.

'Heb jij bij het schillen van een appel nooit gedacht dat je een wens mocht doen of dat het je geluk zou brengen als je de schil in één stuk wist te laten? Heb jij nooit je vingers gekruist of geduimd? Dat zijn ook tovermiddeltjes,' zei Mia terwijl ze weer op haar hurken ging zitten, 'oude tradities.'

'Zo eenvoudig kan het toch niet zijn.'

'Net zo eenvoudig als een wens doen, en net zo ingewikkeld als de liefde. En in wezen net zo gevaarlijk als een bliksemschicht. Macht is riskant. En een grote vreugde.'

Ze pakte een van de uitgebloeide bloemen en sloeg er voorzichtig haar beide handen omheen. Nadat ze haar handen weer had geopend, bood ze Nell een zonnige gele bloem aan.

Verrukt en gefascineerd liet Nell hem tussen haar vingers ronddraaien. 'Als je dat kunt, waarom laat je ze dan doodgaan?'

'Het gaat om de cyclus, de natuurlijke gang van zaken. Die moet worden gerespecteerd. Verandering is noodzakelijk.' Ze stond op, pakte de mand met onkruid en dode bloemen en bracht die naar een compostbak. 'Zonder dat zou er geen vooruitgang zijn, geen wedergeboorte, en niets om naar uit te zien.'

'De ene bloem is uitgebloeid en maakt plaats voor een nieuwe.'

'Een groot deel van de Leer berust op filosofie. Zou je iets praktischers willen proberen?'

'Ik?'

'Ja, een eenvoudige betovering. Het in beweging brengen van de lucht lijkt me bij nader inzien wel geschikt. Bovendien is het warm vandaag, en een fris windje zou heel welkom zijn.'

'Wil je dat ik…' Nell liet haar vingers in de rondte gaan. 'Dat ik de lucht in beweging breng?'

'Het is een kwestie van techniek. Je moet er je aandacht op richten. De lucht over je gezicht en je lichaam voelen gaan. Zie in gedachten hoe het golft en kolkt. Je kunt de muziek horen die het maakt.'

'Mia.'

'Nee. Zet alle twijfels aan de kant en denk aan die mogelijkheden. Richt er je gedachten op. Het doel is zo simpel. Het is overal om je heen. Je hoeft het alleen maar in beroering te brengen. Neem het in je handen,' zei ze terwijl ze haar eigen handen ophief, 'en zeg me na: "Lucht is adem en adem is lucht. Breng het in beweging, van hier naar daar. Laat een briesje tollen, zachtjes tollen." Als jij het wilt, Nell, dan zal het zo zijn. Zeg me de woorden na, driemaal.'

Gebiologeerd herhaalde Nell de woorden. En voelde de lucht heel zacht langs haar wang glijden. Ze zei ze nog eens en zag Mia's haar opwapperen. Bij de derde keer voegde Mia's stem zich bij de hare.

De wind tolde om hen heen, hun eigen draaimolen van lucht, koel en geurig, en met een vrolijk deuntje erin. Hetzelfde deuntje dat vanbinnen bij haar neuriede en toen ze zich omdraaide en rond en rond ging, danste haar korte haar in de wind.

'Het voelt heerlijk! Jij hebt dat klaargespeeld.'

'Ik heb alleen het laatste zetje gegeven.' Mia lachte toen haar jurk opbolde. 'Maar jij hebt het op gang gebracht. Voor een eerste keer was dat heel goed. Breng het nu weer tot staan. Gebruik je gedachten. Zie voor je hoe het weer stil wordt. Juist ja, zo moet het. Mooi. Je kunt het goed in beeld brengen.'

'Ik heb het altijd leuk gevonden om in mijn hoofd beelden te tekenen,' zei Nell, nu helemaal buiten adem. 'Je weet wel, beelden die je aanspreken of die je je wilt herinneren. Dit lijkt erop. Wauw, ik ben duizelig.' Ze ging op de grond zitten. 'Ik voelde het vanbinnen tintelen, wat niet onprettig was. Bijna als wanneer je echt intens aan eh… seks denkt.'

'Magie is sexy.' Mia liet zich naast haar vallen. 'Vooral wanneer je de kracht hebt tegengehouden. Heb je de laatste tijd vaak aan seks gedacht?'

'Ik heb er acht maanden lang geen moment aan gedacht.' Nell was wat tot bedaren gekomen en schudde haar haar naar achteren. 'Ik wist niet eens zeker of ik ooit nog eens met een man samen wilde zijn. Sinds de Vierde Juli heb ik heel vaak aan seks gedacht. Op een manier die je de kriebels bezorgt.'

'Dat ken ik. Waarom doe je er dan niets aan? Krabben waar het jeukt?'

'Ik dacht… ik nam aan dat Zack en ik vorige week na het vuurwerk in bed zouden belanden. Maar nadat we hadden rondgereden en hij klaar was met patrouilleren, bracht hij me naar huis. Voor de deur kuste hij me welterusten. Het was zo'n kus waarvan je uit je dak gaat en je op de benen doet tollen. En toen ging hij naar huis.'

'Het is zeker niet bij je opgekomen hem mee naar binnen te sleuren, hem op de grond te smijten en hem de kleren van het lijf te rukken?'

Nell moest erom giechelen. 'Zoiets kan ik gewoon niet.'

'Een minuutje geleden dacht je ook dat je geen briesje kon opwekken. Je bezit de macht, kleine zus. Zachariah Todd is het type man dat bereid is de macht in jouw handen te leggen, jou te laten bepalen waar en wanneer.

Als er zo'n man was die zich tot mij voelde aangetrokken, en tot wie ik me voelde aangetrokken, dan zou ik mijn macht werkelijk gebruiken.'

Ze voelde die tinteling weer, iets dat haar vanbinnen beroerde. 'Ik zou niet weten hoe ik dat moest aanpakken.'

'Haal je het beeld voor ogen, kleine zus,' zei Mia ondeugend. 'Haal je het beeld voor ogen.'

❧ ❧ ❧

Zack bracht een zondagochtend het liefst door met naakt te gaan zwemmen met het meisje van wie hij hield. Het water was koel, de zon warm, en de inham privé genoeg voor dat soort activiteiten.

Ze bespraken of ze later zouden gaan zeilen, en de aanbidding in haar mooie bruine ogen zei hem dat ze hem overal zou volgen. Hij streelde haar, en ze kronkelde even van plezier voordat ze gezellig samen door het frisse, rustige water begonnen te zwemmen.

Wanneer een man een zo ongecompliceerde, toegewijde vrouw bezat, had hij alles wat hij maar wenste, vond Zack.

Toen ontsnapte haar een blafje van opwinding, smeet ze een golf water in zijn gezicht en zwom recht op het strand af. Zack zag dat zijn vrolijke metgezel hem verliet voor de vrouw die op de ruige oever stond.

Lucy sprong op de oever en pal tegen Nell aan, dreef haar een paar passen naar achteren en maakte haar drijfnat van het zeewater en de hondenkusjes.

Zack luisterde naar Nells geschater en zag hoe ze enthousiast met beide handen over Lucy's natte vacht wreef. Een man met een aardige hond had dan misschien toch niet alles, besloot hij.

'Hoi. Hoe gaat het?'

'Het gaat uitstekend.' Wat een schouders, dacht ze. Die man had verbijsterende schouders. 'Hoe is het water?'

'Bijna perfect. Kom erin, dan kun je het zelf voelen.'

'Nee dank je, ik heb geen zwempak bij me.'

'Ik ook niet,' zei hij met een flitsend lachje. 'Daarom heb ik Lucy's voorbeeld maar niet gevolgd.'

'O.' Haar blik schoot omlaag en meteen weer omhoog, en bleef zo'n twintig centimeter boven zijn hoofd hangen. 'Tja. Goh.'

Haal je het beeld voor ogen, had Mia haar gezegd. Maar dit leek niet het juiste moment.

'Ik beloof dat ik niet zal kijken. Je bent toch al nat.'

'Toch denk ik dat ik maar hier blijf.'

Lucy dook weer in het water en haalde er een mishandelde rubberbal uit. Nadat ze weer op de wal was gekrabbeld, legde ze hem netjes voor Nells voeten neer.

'Ze wil spelen,' zei Zack. En dat wou hij ook.

Nell deed wat er van haar werd verwacht, pakte de bal en smeet hem weg. Voordat die het water raakte, ging Lucy er al met grote sprongen achteraan.

'Goeie werparm. Over een paar weken wordt er softbal gespeeld. Interesse?' Hij was onder het praten iets dichter naar de wal gedreven.

Nell pakte de bal die Lucy had opgehaald en gooide die weer met een grote boog weg. 'Misschien wel. Ik denk erover een nieuw recept uit te proberen.'

'O ja?'

'Het cateren begint op een echte onderneming te lijken. Als ik wil gaan uitbreiden, zal ik toch een behoorlijk assortiment schotels moeten kunnen aanbieden.'

'Ik ben een groot voorstander van het kapitalisme, dus zeg maar of ik kan helpen.'

Ze keek omlaag. Hij had zo'n aardig gezicht, dacht ze. Ze kon zich maar beter daarop concentreren en de rest vergeten. Nu tenminste. 'Dat vind ik erg aardig, sheriff. Ik ben tot nu toe op m'n gevoel afgegaan, maar het lijkt me tijd worden om een echte lijst samen te stellen van gerechten en prijzen. Als ik het officieel ga doen, zal ik een BTW-nummer moeten aanvragen.'

Dat zou geen probleem zijn, verzekerde ze zichzelf. Ze had een schone lei.

'Je zult het druk krijgen.'

'Ik heb het graag druk. Er is niets ergers dan je met je tijd of je hobby's geen raad te weten.' Ze schudde het hoofd. 'Nu klink ik vast en zeker saai en vervelend.'

Nee, maar ze had wel grimmig geklonken. 'Wat vind je van ontspannen?'

'Daar ben ik voor.' Ze trok haar wenkbrauwen op toen hij zijn hand luchtig om haar enkel sloeg. 'En wat heeft dat te betekenen?'

'Dat noem ik de lange arm van de wet.'

'Je bent veel te aardig om me in het water te trekken terwijl ik kom vragen of je vanavond bij me wilt eten.'

'Nee, dat ben ik niet.' Hij gaf een speels rukje aan haar voet. 'Maar ik ben bereid je de kans te geven je eerst uit te kleden.'

'Dat is heel attent van je.'

'Mijn moeder heeft me goed opgevoed. Kom erin en laten we gaan spelen, Nell.' Hij keek om naar Lucy die met de bal in de bek rondpeddelde. 'We hebben een chaperonne.'

Waarom ook niet, dacht ze. Ze wilde bij hem zijn. En meer nog wilde ze het soort vrouw zijn dat bij hem durfde te zijn. Een vrouw met genoeg zelfvertrouwen, en open genoeg om iets leuks en geks te doen zoals haar kleren uittrekken en een duik nemen.

Ze wierp hem een snel en zorgeloos grijnsje toe. Terwijl zij haar schoenen uitschopte, was hij aan het watertrappen. 'Ik ben van gedachten veranderd. Ik ga toch kijken,' waarschuwde hij haar. 'Ik zou wel kunnen zeggen dat ik niet stiekem kijk, maar dan zou ik liegen.'

'Lieg jij?'

'Niet als ik het kan voorkomen.' Zijn blik ging naar beneden toen ze de zoom van haar T-shirt pakte. 'Dus ga ik je ook niet vertellen dat ik met mijn handen van je af zal blijven als je eenmaal in het water bent. Ik wil je nat en naakt, Nell. Simpel gezegd: ik wil jou.'

'Als ik wilde dat je je handen thuis zou houden, zou ik dit niet doen.' Ze haalde diep adem en begon haar T-shirt uit te trekken.

'Sheriff Todd! Sheriff Todd!'

'God bestaat niet,' mopperde Zack toen het verrukkelijke glimpje van romige huid verdween omdat Nell haastig haar T-shirt naar beneden trok. 'Ik ben hier,' riep hij. 'Ben jij dat, Ricky?' En tegen Nell: 'Het zal me hooguit twee, drie minuten kosten om hem te verdrinken. Blijf wachten.'

'Jawel, sir, sheriff.'

Een knulletje van een jaar of tien met een bos touwhaar scharrelde langs de rotsige helling omlaag. Zijn sproetensmoeltje was rood van opwinding. Hij knikte even haastig naar Nell. 'Ma'am. Sheriff, mamma zegt dat ik meteen naar u toe moest gaan om het te vertellen. De huurders in het vakantiehuis van de Abbotts hebben vreselijke ruzie. Ze zijn aan het schreeuwen en vloeken en met van alles aan het smijten.'

'Welk huis, dat van Dave Abbott of dat van Buster?'

'Van Buster, sheriff. Recht tegenover het onze. Mamma zegt dat het lijkt alsof de man daarbinnen bezig is de vrouw helemaal in elkaar te slaan.'

'Ik kom eraan. Ga jij terug naar huis en naar binnen.'

'Yes sir.'

Nell bleef waar ze was. Door een waas zag ze een gespierd, bruinverband lijf toen Zack zich uit het water hees. 'Sorry, Nell.'

'Nee, je moet meteen gaan. Je moet haar helpen.' Terwijl ze hem zijn broek zag aantrekken was het net alsof er een dun laagje vernis over haar hersens kwam te liggen. 'Schiet op.'

'Ik kom zo gauw mogelijk terug.'

Hij vond het vreselijk om haar achter te moeten laten terwijl ze daar met haar handen stijf in elkaar stond. Hij vloog de trap op om een overhemd te pakken.

Binnen vier minuten was hij bij het vakantiehuis van Abbott. Een handjevol mensen stond op straat en uit het huis kwam geschreeuw en het geluid van brekend glas. Een man die Zack niet herkende kwam naar hem toe gerend toen hij op de stoelen op de veranda af liep.

'U bent de sheriff. Ik ben Bob Delano. Ik heb het huis hiernaast gehuurd. Ik heb gekeken of ik er iets aan kon doen, maar de deuren zitten op slot. Ik wilde de deur al gaan intrappen maar toen zeiden ze dat u eraan kwam.'

'Ik handel het wel af, mr. Delano. Misschien zou u al die mensen op afstand willen houden?'

'Natuurlijk. Ik heb die vent gezien, sheriff. Een grote klootzak. U mag wel uitkijken.'

'Dank u voor de waarschuwing. Ga nu maar terug.' Zack sloeg met zijn vuist op de deur. Hoewel hij liever had gehad dat Ripley erbij was, durfde hij niet te wachten tot ze op zijn oproep reageerde. 'Dit is sheriff Todd. Open de deur. Nu.' Binnen ging iets kapot en een vrouw begon te jammeren. 'Als deze deur niet binnen de vijf tellen open is, trap ik hem in.'

De man kwam aan de deur. Delano had gelijk. Het was een beregrote klootzak. Ongeveer een meter negentig, en een dikke honderd kilo. Hij zag eruit alsof hij een kater had en hij was pis- en pisnijdig.

'Wat wil jij nou verdomme?'

'Ik wil dat u een stapje achteruit doet, en uw handen daar houdt waar ik ze kan zien.'

'Je hebt het recht niet om binnen te komen. Ik heb dit huis gehuurd en de volle mep betaald.'

'Uw huurovereenkomst geeft u niet het recht andermans eigendommen te vernielen. Naar achteren.'

'Zonder huiszoekingsbevel kom jij hier niet binnen.'

'Wedden?' zei Zack zacht. Zijn hand schoot bliksemsnel uit, greep de man bij de pols en draaide die om. 'En als u me een klap wilt verkopen,' ging hij op dezelfde kalme toon verder, 'dan voegen we er nog aan toe dat u zich bij arrestatie hebt verzet en een dienstdoende agent hebt aangevallen. Nog meer schrijfwerk, maar daar word ik voor betaald.'

'Tegen de tijd dat mijn advocaat met je heeft afgerekend, is dit hele klote eiland van mij.'

'U mag hem met alle plezier bellen – vanuit het politiebureau.' Zack deed hem de handboeien om en keek opgelucht om toen hij Ripley de trap op hoorde stormen.

'Sorry. Ik was helemaal bij Broken Shell. Wat hebben we hier. Een huiselijke twist?'

'Plus de rest. Dit is mijn deputy,' deelde Zack zijn arrestant mee. 'En geloof gerust dat ze je helemaal kan inpakken. Zet hem achter in de patrouillewagen, Ripley. Noteer zijn gegevens en wijs hem op zijn rechten.'

'Wat is uw naam?'

'Rot op.'

'Oké mr. Rotop, u bent gearresteerd voor…' Ze keek achterom naar Zack die al door de scherven van kapot glas en serviesgoed naar de vrouw liep die met de handen voor haar gezicht op de vloer zat te huilen.

'Voor vernieling van privé-eigendom, voor het verstoren van de openbare orde en voor mishandeling.'

'Hebt u dat gehoord? Goed, dan lopen we nu naar de patrouillewagen en gaan we een ritje maken. Tenzij u graag wilt dat ik u voor de ogen van al deze aardige mensen een schop onder de kont verkoop. U hebt het recht te zwijgen,' ging ze door terwijl ze hem behulpzaam een zet gaf om hem op gang te krijgen.

'Mevrouw.' Ze was achter in de dertig, schatte Zack. Vermoedelijk knap wanneer ze geen gebarsten lip had en haar bruine ogen niet bont en blauw waren geslagen. 'U moet met me mee. Ik zal u naar de dokter brengen.'

'Ik heb geen dokter nodig.' Ze krulde zichzelf op. Zack zag ondiepe snijwonden op haar armen, te danken aan rondvliegend glas. 'Wat gaat er met Joe gebeuren?'

'Daar praten we later wel over. Kunt u me vertellen hoe u heet?'

'Diane. Diane McCoy.'

'Ik zal u helpen opstaan, ms. McCoy.'

ഔ ഔ ഔ

Diane McCoy zat ineengedoken in een stoel en hield een ijszak tegen haar linkeroog gedrukt. Ze weigerde nog steeds medische hulp. Nadat hij haar een kop koffie had aangeboden, trok Zack zijn eigen stoel achter het bureau vandaan in de hoop dat ze zich daardoor wat meer op haar gemak zou voelen.

'Ms. McCoy, ik wil u graag helpen.'

'Mij mankeert niets. We zullen de schade vergoeden. Laat de verhuurder maar een lijst van de schade opmaken, dan zullen we het allemaal vergoeden.'

'Dat zullen we ook moeten regelen. Ik zou graag van u horen wat er is voorgevallen.'

'We hadden gewoon ruzie. Dat gebeurt soms. U had Joe niet hoeven op te sluiten. Als we een boete krijgen, zullen we die ook betalen.'

'U zit hier met een bloedende lip, met een blauw oog en met snijwonden en kneuzingen op uw armen. Uw man heeft u mishandeld.'

'Zo was het niet.'

'Hoe was het dan?'

'Ik vroeg erom.'

Toen Ripley aan de overkant van het vertrek van woede begon te blazen, wierp Zack haar een waarschuwende blik toe. 'Hebt u hem gevraagd of hij u wilde slaan, ms. McCoy? Om u tegen de grond te slaan en uw lip te splijten?'

'Ik heb hem kwaad gemaakt. Hij staat onder grote druk.' De woorden tuimelden eruit. Het klonk een beetje onduidelijk door de gezwollen lip. 'We zijn op vakantie, en ik had hem niet zo aan zijn hoofd moeten zeuren.'

Ze moest de withete afkeuring van Ripley hebben gevoeld want ze draaide haar hoofd om en keek haar uitdagend aan. 'Joe werkt vijftig weken per jaar erg hard. Het minste wat ik kan doen is hem met rust laten wanneer hij vakantie heeft.'

'Mijns inziens is het minste wat hij hoort te doen u niet tijdens uw vakantie op uw gezicht te timmeren.'

'Ripley, haal eens een glas water voor ms. McCoy.' En hou je mond. Hij hoefde dat laatste niet hardop te zeggen. De uitdrukking op zijn gezicht sprak boekdelen. 'Waar ging de ruzie over, ms. McCoy?'

'Ik denk dat ik met het verkeerde been uit bed ben gestapt. Joe was laat opgebleven en had zitten drinken. Het is normaal dat een man in zijn vakantie met een paar biertjes tv gaat zitten kijken. Hij had een enorme rotzooi gemaakt – bierblikjes en chips die hij op het kleed had laten vallen. Dat ergerde me en zodra hij zijn ogen opendeed, begon ik tegen hem uit te varen. Hij zei dat ik mijn mond moest houden, en als ik dat had gedaan zou er niets zijn gebeurd.'

'En omdat u ondanks dat hij het u opdroeg niet uw mond hield, had hij het recht om met zijn vuisten op u in te beuken, ms. McCoy?'

Ze veerde op. 'Wat er tussen man en vrouw gebeurt gaat alleen hun aan en verder niemand. We hadden niets kapot horen te maken. Daar zullen we voor betalen. Ik kan zelf de troep wel opruimen.'

'In Newark kan hij ervoor behandeld worden, ms. McCoy,' begon Zack, 'en er zijn blijf-van-mijn-lijfhuizen voor vrouwen die dat nodig hebben. Ik kan een paar telefoontjes plegen en wat informatie voor u in-winnen.'

Haar ogen waren dan wel gezwollen maar ze konden nog steeds erg boos kijken. 'Ik heb geen informatie nodig. U kunt Joe niet achter slot en grendel houden als ik geen aanklacht indien, en dat ben ik niet van plan.'

'Dat hebt u mis. Ik kan hem in de cel houden voor het verstoren van de openbare orde. En de eigenaar van het huis kan ook een aanklacht indie-nen.'

'U zult het er alleen maar erger op maken.' De tranen begonnen te stromen. Ze nam het papieren bekertje aan dat Ripley haar voorhield en dronk gretig van het water. 'Begrijpt u het dan niet? U zult het er alleen maar erger op maken. Hij is een goeie man. Joe is een goeie man, hij wordt alleen heel snel kwaad. Ik zei toch dat we alles zullen betalen. Ik zal een cheque voor u uitschrijven. We willen geen narigheid. Ik heb hem kwaad gemaakt. Ik heb ook dingen naar zijn hoofd gegooid. U zult mij ook moeten opsluiten, net als hem. Wat heeft het voor zin?'

Wat had het inderdaad voor zin, dacht Zack later. Hij had niet tot haar door kunnen dringen, en hij was niet zo eigengereid om te denken dat hij de eerste was die dat had geprobeerd. Hij kon niet helpen wanneer hulp werd afgewezen. De McCoys zaten in een cyclus die beroerd moest eindi-gen, dat kon niet anders.

Het enige dat hij kon doen was die cyclus van zijn eiland verwijderen.

Er was een halve dag voor nodig om de rotzooi op te ruimen. De ver-huurder nam genoegen met een cheque van tweeduizend dollar. Tegen de tijd dat de McCoys waren gepakt, was er al een schoonmaakbedrijf aan het werk. Zonder een woord te zeggen wachtte Zack totdat Joe McCoy koffers en koelboxen achter in het nieuwste model Grand Cherokee had geladen.

Ze stapten aan weerszijden in. Diane had een zonnebril op om de scha-de te verbergen. Allebei negeerden ze Zack toen hij in zijn patrouillewa-gen stapte en achter hen aan naar de veerboot reed.

Hij bleef daar wachten totdat de jeep en de mensen erin niet meer dan een stipje op weg naar het vasteland waren.

 barbarbar

Hij had niet verwacht dat Nell op hem was blijven wachten, en besloot dat het maar goed was ook. Hij was te gedeprimeerd en veel te kwaad om nu met haar te praten. In plaats daarvan ging hij met Lucy in de keuken zitten om een biertje te drinken. Hij overwoog net er nog een te nemen toen Ripley binnenkwam.

'Ik begrijp het niet. Ik begrijp zulk soort vrouwen gewoon niet! Die vent weegt minstens vijfenzeventig pond meer dan zij, en dan toch is het háár schuld dat hij haar gezicht in elkaar heeft getimmerd. En ze geloofde het ook nog.' Ze pakte een biertje voor zichzelf en stak de fles kwaad zijn kant uit voordat ze de dop eraf haalde.

'Misschien moet ze wel.'

'Duvel toch op, Zack. Duvel toch op.' Nog steeds ziedend liet ze zich in een stoel tegenover hem vallen. 'Ze is gezond en ze is intelligent. Wat wint ze erbij door zich aan een vent vast te klampen die haar als boksbal gebruikt wanneer zijn kop ernaar staat? Als ze een aanklacht had ingediend, hadden we hem lang genoeg kunnen vasthouden om haar de kans te geven haar koffers te pakken en ervandoor te gaan. We hadden hem sowieso moeten vasthouden.'

'Ze zou niet zijn weggegaan. Het zou geen donder hebben uitgemaakt.'

'Oké, ik weet wel dat je gelijk hebt. Het zit me alleen gruwelijk dwars.' Ze nam een slok van haar bier en keek hem aan. 'Jij denkt aan Nell. Je neemt aan dat het voor haar net zo was.'

'Ik weet niet hoe het voor haar was. Ze praat er niet over.'

'Heb je het haar gevraagd?'

'Als ze het me had willen vertellen, had ze dat wel gedaan.'

'Nou, je hoeft mij niet af te snauwen.' Ripley legde haar voeten op de stoel naast haar. 'Ik vraag het alleen omdat ik je ken, grote broer. Als jij iets voor haar voelt, en dat iets wordt belangrijk, dan wordt het nooit wat tenzij je weet wat er met haar is gebeurd. Als je dat niet weet, kun je haar niet helpen, en als je haar niet kunt helpen, zul je er knettergek van worden. Je zit zelfs nu al vanbinnen te smeulen omdat je een vrouw die je nog nooit had gezien en ook nooit meer zult zien, niet naar jouw tevredenheid hebt kunnen helpen. Dat zijn die genen van de goede Samaritaan die je in je hebt.'

'Weet je niet iemand anders op het eiland die je aan de kop kunt zeuren?'

'Nee, want ik hou het meest van jou. Dus ga liever met Lucy zeilen in plaats van nog een biertje te pakken. Het is nog licht genoeg, en je hoofd zal ervan opklaren en je stemming zal een stuk verbeteren. Het is gewoon niet leuk om je in de buurt te hebben wanneer je zo broeierig bent.'

'Misschien doe ik dat wel.'

'Mooi zo. Ga dan. De kans dat zich vandaag nog een crisis voordoet lijkt me erg klein, maar ik zal voor alle zekerheid de ronde doen.'

'Oké.' Hij stond op en na even aarzelen bukte hij zich en gaf haar een kus op haar hoofd. 'Ik hou ook het meest van jou.'

'Alsof ik dat niet weet.' Ze wachtte tot hij bij de deur was. 'Weet je, Zack, wat Nell ook te vertellen heeft, er is één belangrijk verschil tussen haar en Diane McCoy. Nell is wel weggelopen.'

10

*M*aandag was het incident in het vakantiehuis van Abbott in het hele dorp het gesprek van de dag. Iedereen had tijd gehad zich een mening te vormen, vooral degenen die van het voorval getuige waren geweest.

'Buster zei dat ze alle frutseltjes in het huis aan diggelen hebben gegooid. Voor mij graag wat van die kreeftensalade, Nell, lieverd,' zei Dorcas Burmingham om meteen weer onvervaard met haar metgezel verder te roddelen. Zij en Biddy Devlin, een verre nicht van Mia en de eigenares van Surfside Treasures, hadden elke maandag om half een een vaste lunchafspraak in het café.

'Ik hoorde dat sheriff Todd de man met geweld uit het huis heeft moeten verwijderen,' verklaarde Biddy. 'Onder bedreiging van zijn pistool.'

'O nee, Biddy, dat is niet waar. Ik heb Gladys Macey gesproken die het rechtstreeks van Anne Potter had die als eerste de sheriff heeft laten roepen. Zack had zijn pistool gewoon in de holster. Mag ik een ijsmokka bij mijn salade, Nell?'

'Het is voor een politieman het gevaarlijkst om bij een huiselijke ruzie te worden geroepen,' informeerde Biddy haar. 'Dat heb ik eens ergens gelezen. Goeie hemel, die soep ruikt goddelijk, Nell. Ik heb geloof ik nog nooit eerder gazpacho gegeten, maar ik wil het toch proberen, en doe me er maar een van je brownies bij.'

'Ik zal de lunch wel naar jullie tafel brengen,' bood Nell aan, 'als jullie tenminste liever aan tafel willen eten.'

'O, dat hoeft niet, we wachten er wel op.' Dorcas wuifde haar aanbod weg. 'Je hebt al genoeg te doen. Weet je wat ik trouwens hoorde? Dat die arme vrouw toch de kant van die bruut koos die haar een blauw oog had geslagen en haar zo'n klap op haar lip had gegeven dat die begon te bloeden. Ze wou geen aanklacht indienen.'

'Het is een ten hemel schreiende schande, en dat is het. Alle kans dat haar vader haar moeder heeft geslagen, zodat ze bij het opgroeien aan dat soort dingen gewend is geraakt en denkt dat het zo hoort. Het is een cyclus. Dat zeggen de statistieken tenminste. Mishandeling roept mishandeling op. Ik durf te wedden dat als die vrouw in een gelukkig gezin was opgegroeid, ze nooit met een man zou willen samenwonen die haar zo behandelde.'

'Dames, dat is dertien vijfentachtig.' Nells hoofd bonsde als een zere kies, en haar zenuwen leken te worden uitgerekt tot dunne draadjes toen de beide vrouwen hun wekelijkse routine afwerkten van wie nu ook weer aan de beurt was om te betalen.

Dat deden ze altijd op een grappige toon, en meestal vond Nell het leuk. Maar dit keer wilde ze dat ze weg zouden gaan. Ze wilde niets meer over Diane McCoy horen.

Wat wisten deze twee vrouwen met hun gerieflijke leventje er nu van? dacht ze verbitterd. Wat wisten zij nu van angst en hulpeloosheid?

Ze wilde wel uitschreeuwen dat het niet altijd een cyclus was. Dat het niet altijd volgens een vast patroon verliep. Zij was ook in een liefhebbend gezin opgegroeid, met ouders die aan elkaar verknocht waren, en aan haar. Natuurlijk was er weleens ruzie geweest, en irritatie, of ergernis. Maar ze hadden alleen hun stemmen verheven, nooit hun vuisten.

Voordat Evan Remington in haar leven was gekomen, had ze nog nooit een klap gehad.

Ze was verdomme geen statistiek.

Toen de vrouwen eindelijk naar hun tafeltje liepen, had zich een dunne band met vlijmscherpe stekels om Nells slapen gelegd. Ze draaide zich zonder iets te zien naar de volgende klant en zag dat Ripley haar stond op te nemen.

'Je lijkt een beetje van streek, Nell.'

'Ik heb hoofdpijn. Wat kan ik vandaag voor je klaarmaken?'

'Zou je niet liever een aspirientje nemen? Ik wacht wel.'

'Nee, het gaat best. De salade met fruit en kool is heel goed. Een Scandinavisch recept. Ik heb er goeie reacties op gekregen.'

'Oké, ik waag het erop. En een ijsthee. Die twee,' ging ze met een knikje naar Biddy en Dorcas verder, 'die kletsen als een stelletje parkieten. Die bezorgen iedereen hoofdpijn. Ik neem aan dat ze allemaal over de narigheid van gisteren aan het kleppen zijn?'

'Tja.' Ze verlangde naar een donkere kamer en een uurtje rust. 'Het was groot nieuws.'

'Zack deed wat hij kon om die vrouw te helpen. Ze wilde niet geholpen worden. Niet iedereen wil dat.'

'Niet iedereen weet wat je met aangeboden hulp aan moet, of dat je degene die het aanbiedt kunt vertrouwen.'

'Zack wel. Die kun je wel vertrouwen.' Ripley legde het geld op de toonbank. 'Hij laat het niet zo merken, maar zo is hij wel. En wanneer het erop aankomt, staat hij pal achter je. Je zou iets aan die hoofdpijn moeten doen, Nell,' zei ze nog voordat ze haar lunch mee naar een tafeltje nam.

ల౨ ల౨ ల౨

Ze had net tijd om een paar aspirines te slikken. Peg was te laat en kwam met een heleboel verontschuldigingen binnenstormen, en een fonkeltje in haar ogen waardoor Nell begreep dat het aan een man lag dat ze te laat was.

Aangezien Nell een afspraak met Gladys Macey had om – o god, alsjeblieft – definitief het menu samen te stellen voor haar feest, moest ze naar huis rennen om haar aantekeningen en mappen te halen.

Toen ze eindelijk bij Gladys aanklopte, was de hoofdpijn uitgegroeid tot een complete nachtmerrie.

'Ik heb je al vaker gezegd dat je niet hoeft te kloppen, Nell. Je kunt gewoon roepen en binnenkomen,' zei Gladys terwijl ze haar het huis in trok. 'Ik ben zo opgewonden. Ik heb laatst dat programma van *Homes and Gardens* op de tv gezien. En dat heeft me op allerlei ideeën gebracht die ik met je zou willen doornemen. Ik vind dat we van die witte lichtjes door mijn bomen moeten slingeren, en die grote lampen – die met die hartjes op de bollen – langs de oprit en de patio moeten zetten. Wat vind jij?'

'Ik vind dat u precies moet doen wat u graag wilt, ms. Macey. Ik doe alleen de catering.'

'Nou liefje, ik zie jou meer als mijn feestcoördinator. Laten we naar de zitkamer gaan.'

De kamer was smetteloos schoon, alsof stof een zonde tegen de natuur was. Alle meubelstukken pasten bij elkaar. Het patroontje van de bank vond je terug in de valletjes boven de gordijnen en de smalle rand boven aan het behang, vlak onder het plafond.

Er stonden twee identieke lampen, twee identieke stoelen en twee identieke bijzettafeltjes. Het vloerkleed paste bij de gordijnen, en de gordijnen pasten bij de losse kussens.

Al het houtwerk was honingkleurig esdoornhout, ook de kast waarin de breedbeeld-tv stond waarop op dat moment een roddelprogramma uit Hollywood werd uitgezonden.

'Ik heb een zwak voor dat soort shows. Al die beroemde mensen. Ik vind het heerlijk om te zien wat ze allemaal dragen. Ga zitten,' beval Gladys. 'Maak het je gemakkelijk. Ik ga een lekker kopje thee voor ons halen en dan rollen we de mouwen op en gaan meteen aan de slag.'

Net als de eerste keer dat ze van Gladys een rondleiding door het huis had gekregen in verband met de plannen voor het feest, was Nell ook dit keer weer verbijsterd. Iedere kamer was zo schoon als een kerkbank en de hele inrichting deed aan een meubeltoonzaal denken. Op de koffietafel lagen tijdschriften tot op de millimeter nauwkeurig uitgewaaierd, en er stond een boeket van zijden kunstbloemen op in exact dezelfde kleuren paars en blauw van de bekleding.

Het feit dat het huis er toch gezellig uitzag zei volgens Nell meer over de bewoners dan over de inrichting.

Ze ging zitten en sloeg haar mappen open. Ze wist dat Gladys de thee in lichtgroene glazen zou binnenbrengen die bij haar daagse servies pasten, en dat er blauwe onderzetters zouden worden gebruikt.

Die zekerheid bood een zekere mate van troost, dacht ze.

'Het gala van gisteravond was een en al glitter en glamour. Evan Remington, een grootmacht bij uitstek en beschermheer van de sterren, zag er in zijn Hugo Boss net zo sensationeel uit als zijn eigen cliënten. Hoewel Remington ontkende dat er sprake was van een romance tussen hem en de verrukkelijke Natalie Winston, zijn metgezellin van die avond – die in een strakke, met kraaltjes bestikte japon schitterde – zijn er bronnen die het tegendeel beweren.

Remington is pas afgelopen september weduwnaar geworden toen zijn vrouw Helen in de auto op weg naar hun huis in Monterey kennelijk de macht over het stuur verloor. Haar Mercedes sedan reed van de klippen op Highway 1 af en sloeg te pletter. Haar lichaam is helaas nooit gevonden. Het doet *Hollywood Talk* deugd te zien dat Evan Remington na dit tragische ongeval weer op de weg terug is.'

Nell vloog overeind. Ze kon nauwelijks ademhalen. Evans gezicht, zijn knappe trekken, ieder blond haartje, leek het hele scherm te vullen.

Ze kon duidelijk en angstaanjagend kalm zijn stem horen. *Denk je nu echt dat ik je niet kan zien, Helen? Denk je nu echt dat ik je zal laten gaan?*

'Het was niet mijn bedoeling om zo lang weg te blijven, maar ik dacht dat je voor de verandering misschien weleens een stukje gebak van een ander wilde proeven. Ik heb deze krentencake gisteren gebakken. Carl heeft er bijna de helft van weggewerkt. Ik begrijp niet waar die man het laat. Als ik maar een klein deel at van wat hij…'

Gladys, met het dienblad nog in handen, hield abrupt op met haar vrolijke gebabbel en was op slag bezorgd toen ze Nells gezicht zag. 'Je ziet vreselijk bleek, liefje. Wat is er?'

'Het spijt me, het spijt me. Ik voel me niet goed.' De paniek prikte als een ijskoude pook in haar buik. 'Hoofdpijn. Ik kan het nu even niet aan, denk ik.'

'Natuurlijk niet. Arme ziel. Maak je maar geen zorgen. Ik rij je naar huis en stop je meteen in bed.'

'Nee, nee, ik wil liever gaan lopen. Frisse lucht. Het spijt me echt enorm, ms. Macey.' Nell pakte haar mappen onhandig bij elkaar en ze zat bijna te snikken toen ze tussen haar trillende vingers uit glipten. 'Ik bel u nog wel voor een nieuwe afspraak.'

'Daar mag je niet eens aan denken. Nell, lieverd, je beeft helemaal.'

'Ik moet gewoon naar huis.' Met een laatste doodsbange blik op het televisiescherm schoot ze op de deur af.

Ze dwong zichzelf niet te gaan hollen. Wanneer je dat deed, viel het op, en dan begonnen de mensen zich van alles af te vragen. Maar ze bleef oppervlakkig en piepend ademen, ook al hield ze zich streng voor dat ze langzaam en rustig moest ademhalen. De lucht bleef in haar longen steken en deed haar naar adem happen.

Denk je echt dat ik je zal laten gaan?

Haar hele huid was nat van het koude zweet en ze kon haar eigen angst ruiken. Ze kon niet goed meer zien toen ze één keer verwilderd achteromkeek. Zodra ze over de drempel van haar cottage was, sloeg de misselijkheid hard en pijnlijk toe.

Ze wist de badkamer te bereiken en moest vreselijk overgeven. Toen haar maag helemaal leeg was, ging ze op het smalle reepje vloer liggen wachten tot er een eind aan het beven zou komen.

Zodra ze weer op haar benen kon staan, trok ze al haar kleren uit, liet ze op een hoopje op de grond liggen en stapte onder de douche. Ze draaide de warmwaterkraan zo ver open als ze kon verdragen en deed alsof de stralen dwars door haar huid drongen en haar ijskoude botten verwarmden.

Ze wikkelde een handdoek om zich heen, kroop in bed, trok de dekens over zich heen en zakte weg in de vergetelheid.

Diego sprong lenig op het bed en ging languit naast haar liggen. Hij bleef roerloos en stil naast haar liggen, alsof hij de wacht over haar hield.

ↄ ↄ ↄ

Ze wist niet precies hoe lang ze had geslapen, maar ze werd wakker met het gevoel dat ze lang ziek was geweest waardoor haar lichaam zwaar en pijnlijk aanvoelde en haar maag wel rauw leek. Ze kwam in de verleiding zich om te draaien, weer te gaan slapen en gewoon te blijven liggen. Maar dat zou niets oplossen.

In touw blijven, dat zou haar erdoorheen helpen. Dat had het altijd gedaan.

Ze ging als een oude vrouw op de rand van het bed zitten om haar botten te testen en te kijken of ze in evenwicht kon blijven.

Dat op zich was ook een soort test.

Ze kon naar hem kijken, en ze zou naar hem kijken. En zich te herinneren hoe het was geweest en wat er allemaal was veranderd. Om te verwerken wat er was gebeurd, hield ze zich voor.

Als troost pakte ze het katje op, zette het op haar schoot en begon het te wiegen.

Ze was weer op de vlucht geslagen. Na bijna een jaar had zijn beeld op het televisiescherm haar zo doodsbang gemaakt dat ze blindelings op de vlucht was geslagen. Zo erg dat ze er ziek van was geworden, en de complete en moeizaam vergaarde afweer die ze weer had weten op te bouwen, volledig had verbrokkeld, en er van haar niet meer dan een bibberende, rillende massa paniek was overgebleven.

Want ze had het laten gebeuren. Ze had hem toegestaan die greep op haar te hebben. En alleen zij kon daar verandering in brengen. Ze had de moed gevonden om weg te vluchten, hield ze zich voor. Nu moest ze de moed zien te vinden om stand te houden.

Net zo lang tot ze zonder angst aan hem kon denken, net zo lang tot ze zijn naam kon uitspreken. Dan pas zou ze vrij zijn.

Ze riep in gedachten het beeld van hem voor ogen en deed alsof ze het in stukken zag breken, waarbij ze met haar wilskracht als hamer het glas verbrijzelde. 'Evan Remington,' fluisterde ze, 'je kunt me niets meer doen. Je kunt me geen pijn meer doen. Jij bent verleden tijd, en ik sta aan het begin.'

Die inspanning putte haar uit, maar ze zette Diego op de grond, duwde zich omhoog en trok moeizaam een sweatshirt en een korte broek aan. Ze zou weer aan het werk gaan, haar menukaart ontwerpen en kijken wat die waard was. Het werd tijd om erachter te komen hoe ze het slaapkamertje het beste als kantoor kon inrichten.

Als Gladys Macey een feestcoördinator wilde, dan zou ze die krijgen ook.

Ze had de map laten vallen toen ze naar binnen was gevlogen. Ze verzamelde alle verspreid liggende aantekeningen, tijdschriftenknipsels en zorgvuldig uitgeschreven menukeuzen bij elkaar en nam alles mee naar de keuken. Ze was een tikje verbaasd dat de zon nog scheen.

Ze had het gevoel alsof ze uren had geslapen.

De klok boven het fornuis vertelde haar dat het nog maar net zes uur was. Tijd genoeg om nog eens na te denken over de klus voor de Maceys en om een uitgebreide lijst samen te stellen van alle menu's en diensten die Sisters Catering, zoals ze haar onderneming wilde gaan noemen, had te bieden.

Ze zou Mia's aanbod aannemen om de kantoorcomputer te gebruiken, en zelf een ontwerp voor haar folders en visitekaartjes maken. Ze moest berekenen wat haar budget zou zijn en een boekhouding op poten zetten.

Als ze zichzelf niet serieus nam, zouden anderen dat ook niet doen.

Maar toen ze haar mappen neerlegde en om zich heen keek, vroeg ze zich af waarom het voelde alsof ze niet eens in staat was water voor koffie op te zetten.

Ze draaide zich met een ruk om toen er op de deur werd geklopt. Toen ze Zack achter de hordeur zag staan, was haar eerste gedachte: niet nu. Nog niet. Ze had geen tijd gehad om weer de oude te worden.

Maar hij deed de deur al open en stond haar dwars door de cottage aandachtig op te nemen. 'Gaat het, Nell?'

'Ja.'

'Je ziet er niet goed uit.'

Ze kon zich wel voorstellen hoe ze eruitzag. 'Ik voelde me daarstraks niet goed.' Verlegen haalde ze een hand door het haar. 'Ik had hoofdpijn en heb een dutje gedaan. Het gaat nu weer prima.'

Ze had holle ogen, ze was bleek, en zag er verre van prima uit, vond Zack. Hij kon net zomin weggaan en haar alleen laten als hij een verdwaalde puppy langs de weg kon laten liggen.

Diego gaf hem de kans door uit een hoek te voorschijn te schieten en een aanval op zijn schoenen te ondernemen. Zack pakte het katje op, wreef hem over zijn vacht en liep naar Nell toe. 'Heb je iets ingenomen?'

'Ja.'

'Iets gegeten?'

'Nee. Ik hoef niet te worden verpleegd, Zack. Ik had gewoon hoofd-pijn.'

Hoofdpijn deed een vrouw niet uit andermans huis vliegen alsof de duivel haar op de hielen zat. Want zo had Gladys het beschreven. 'Je ziet er beroerd uit, liefje, dus ga ik voor jou de traditionele oppepper van de familie Todd klaarmaken.'

'Dat vind ik erg lief, maar ik was van plan een tijdje aan het werk te gaan.'

'Ga je gang.' Hij gaf haar het katje en liep langs haar heen naar de koel-kast. 'Ik ben niet veel waard in de keuken, maar dit kan ik nog wel – pre-cies zoals mijn moeder het deed wanneer een van ons tweeën zich niet lek-ker voelde. Heb je iets van jam?'

Het stond vlak voor zijn neus, dacht ze kwaad. Wat was dat toch met mannen dat ze ziende blind werden zodra ze een koelkast opentrokken? 'Tweede plank.'

'Ik zie... o ja. Wij gebruikten altijd druiven, maar aardbeien moet ook kunnen. Ga jij maar aan het werk. Let maar niet op mij.'

Nell zette Diego bij zijn etensbakje. 'Wat ga je klaarmaken?'

'Roerei met opgerolde jamsandwiches.'

'Opgerolde jamsandwiches.' Ze ging zitten, te moe om tegen hem in te gaan. 'Dat klinkt perfect. Ms. Macey heeft je dus opgebeld?'

'Nee. Ik liep haar toevallig tegen het lijf. Ze zei dat je ergens door van streek was geraakt.'

'Ik was niet van streek. Ik had hoofdpijn. De koekenpan staat in het linkerkastje onderin.'

'Ik vind wel wat ik nodig heb. Het is hier niet groot genoeg om veel te verstoppen.'

'Maak je roerei en opgerolde jamsandwiches voor iedereen op het ei-land wanneer ze hoofdpijn hebben?'

'Dat hangt ervan af. Ik maak het voor jou omdat ik je aardig vind, Nell. Dat is al zo vanaf dat ik je voor het eerst zag. En wanneer ik hier binnen kom lopen en jij eruitziet als iets dat door een op hol geslagen stoomwals is overreden, dan zit me dat niet lekker.'

Ze zei niets toen hij eieren kapot tikte en ze in melk en veel te veel zout liet vallen. Hij was een goeie man, dat geloofde ze stellig. En vriendelijk en fatsoenlijk. Maar het was niet goed dat hij haar zo aardig vond.

'Zack, ik zal je niet kunnen geven wat je wilt of wat je zoekt. Ik weet dat ik gisteren liet doorschemeren dat ik dat wel kon… dat ik dat ook wou. Dat had ik niet moeten doen.'

'Hoe weet je waarnaar ik op zoek ben, of wat ik wil?' Hij roerde in de schaal met eieren. 'Het is mijn probleem, nietwaar? Wat het ook is.'

'Het is niet eerlijk van me je de indruk te geven dat het iets tussen ons kan worden.'

'Ik ben een grote jongen.' Ze trok een gezicht toen ze zag hoeveel boter hij in de koekenpan deed. 'Ik verwacht niet dat het leven altijd eerlijk verloopt. En feitelijk is er al iets tussen ons. Dat jij doet alsof dat niet zo is, verandert er niets aan.' Hij draaide zich om terwijl de boter smolt. 'Het feit dat we nog niet hebben gevreeën, verandert er evenmin iets aan. Als ik gisteren niet was weggeroepen, zou dat toen zijn gebeurd.'

'Het zou fout zijn geweest.'

'Als het leven niet vol fouten zat, zou het er verdraaid saai aan toegaan. Als ik je alleen maar in bed wilde hebben, had ik je daar allang gekregen.'

'Je hebt denk ik gelijk – en daar gaat het nu precies om.'

'Waarmee heb ik gelijk, met de fouten of met de seks?' vroeg hij terwijl hij jam op boterhammen begon te smeren.

Ze kwam tot de conclusie dat het niet uitmaakte, zelfs als ze er het antwoord op wist. Vriendelijk en fatsoenlijk, dat was hij. En zo koppig als een ezel. 'Ik zal wel koffie zetten.'

'Hier hoort geen koffie bij. Dit vraagt om thee. En die zet ik wel.'

Hij vulde de ketel, zette die op het vuur, en goot de eieren in de verhitte koekenpan die meteen begon te spetteren.

'Nu ben je boos.'

'Ik kwam half kwaad binnen, en een blik op jou zorgde voor het tweede deel. Grappig trouwens. Ik kan pisnijdig worden op een vrouw en me er toch van weerhouden haar alle hoeken van de kamer te laten zien. Zo'n verbazingwekkende zelfbeheersing heb ik nu eenmaal.'

Nell haalde diep adem om zich te kalmeren, en legde haar gevouwen handen op tafel. 'Ik ben me heel goed bewust dat niet iedere man zijn humeur met fysiek geweld afreageert. Zo verbazingwekkend intelligent ben ik nu eenmaal.'

'Da's dan mooi.' Hij zocht net zo lang tot hij theezakjes had gevonden, een kruidenthee die hem meer geschikt leek voor porseleinen kopjes dan voor haar stoere aardewerken mokken.

Hij schepte de eieren op borden, vond een paar vorken en scheurde een paar stukken van de keukenrol om als servet te gebruiken.

Hij had gezegd dat hij niet veel waard was in de keuken, dacht Nell toen hij een bord voor haar neerzette en daarna theezakjes in de mokken doopte. Maar zelfs hierin had hij iets aantrekkelijks. Het viel haar op dat hij zich niet overbodig druk maakte, en ze vroeg zich af of dat aangeboren gratie was of uit praktische overwegingen voortsproot.

Hoe dan ook, het werkte.

Hij ging tegenover haar zitten, en waagde het erop Diego tegen de pijp van zijn spijkerbroek omhoog te laten klimmen en zijn dijbeen te kneden. 'Eten.'

Ze nam een vork vol om te proeven. 'Het is lekkerder dan ik dacht, zeker als je bedenkt dat je bijna een pond zout per ei hebt gebruikt.'

'Ik hou van zout.'

'Niet de kat aan tafel voeren.' Ze zuchtte en at door. Het was zo heerlijk normaal om hier veel te zoute eieren te zitten eten en aardbeienjam die tussen een dubbele boterham was gesmeerd.

'Ik ben er niet zo beroerd aan toe als vroeger,' zei ze. 'Maar af en toe speelt het nog op. Zolang dat niet voorbij is, wil ik mijn leven of dat van anderen niet ingewikkelder maken dan het is.'

'Verstandig.'

'Ik ga me op mijn werk concentreren.'

'Een mens moet zijn prioriteiten stellen.'

'Er zijn dingen die ik wil doen, en dingen die ik moet leren. Voor mezelf.'

'Uhuh.' Hij at zijn bord leeg en leunde achterover met de mok thee in de hand. 'Ripley zei dat je op zoek was naar een computer. Het verhuurbedrijf van vakantiehuizen wil een paar oude computers voor nieuwe inruilen. Je zou er vermoedelijk een tegen een redelijke prijs kunnen kopen. Misschien zou je er eens langs kunnen gaan en naar Marge vragen. Zij is daar de manager.'

'Dank je. Ik zal het morgen meteen navragen. Waarom ben je nu niet meer kwaad?'

'Wie zei dat ik dat niet ben?'

'Ik weet precies wanneer iemand kwaad is.'

Hij bestudeerde haar gezicht. Ze had weer wat meer kleur, maar ze zag er nog steeds doodmoe uit. 'Dat geloof ik graag. Het heeft weinig zin.' Hij bracht zijn bord naar de gootsteen en spoelde het af. 'Het is best mogelijk dat ik straks ga zitten mokken. Volgens mijn zus heb ik die neiging.'

'Vroeger was ik een kampioen in mokken.' Overtuigd dat ze weer op goede voet stonden, pakte ze haar bord op. 'Misschien zou ik moeten kijken of ik dat weer kan gaan doen. Je had gelijk met die traditionele Todd-maaltijd. Dat heeft het 'm geflikt.'

'Het werkt altijd. Maar toch is druivenjam beter.'

'Ik zal wat in voorraad nemen, voor het geval dat.'

'Mooi zo. Ik zal je nu maar aan het werk laten gaan. Zo meteen.'

Hij trok haar hard tegen zich aan, rukte haar omhoog tot ze op haar tenen stond, en bedekte haar mond met de zijne in een vurige, bezitterige kus. Het bloed leek naar haar hoofd te schieten en er meteen weer uit weg te stromen, wat haar duizelig en slap maakte en naar meer deed verlangen.

Er ontsnapte haar een verstikt gekreun voordat ze weer met beide benen op de grond stond en zich aan het aanrecht moest vasthouden om overeind te blijven.

'Daar was niks verstandigs aan,' zei Zack, 'maar het was wel echt. Je zult het in je lijstje met prioriteiten moeten zien te verwerken. En blijf niet te lang doorwerken.'

Hij wandelde naar buiten en liet de hordeur kalmpjes achter zich dichtslaan.

    ᘒ ᘒ ᘒ

Die nacht was er in haar droom een kring. Een dunne zilveren streep op de aarde, als het licht van de sterren. Binnen die cirkel stonden drie vrouwen in witte gewaden. Hun stemmen klonken als muziek in haar oren, hoewel de woorden haar vreemd waren. Onder het zingen sprongen lichtstrepen van de kring omhoog, glinsterende zilveren staven tegen het zwarte gordijn van de nacht.

Ze zag een kom, een mes met een uitgesneden handvat, en takjes kruiden zo groen als de zomer.

Ze dronken een voor een uit de kom. En ze proefde wijn op haar tong, zoet en licht. De zwartharige trok met het lemmet symbolen op de grond.

En ze rook de aarde. Het rook fris en donker.

Terwijl ze zingend rondcirkelden schoot in het midden een zuiver gouden vlam op. De hitte ervan verwarmde haar huid.

Toen stegen ze hoog boven het goud van het vuur, boven het koele zilver van de staven van licht. Het was alsof ze op de lucht dansten.

En daar, terwijl de wind haar wangen kuste, leerde ze de vrijheid en de vreugde kennen.

11

Nell zat in Mia's kantoor en zweette peentjes over feiten, berekeningen, de realiteit en mogelijkheden.

De mogelijkheden bevielen haar het beste, omdat ze daarin een tweedehands computer had ingecalculeerd die aan haar eisen voldeed. Verder een aantrekkelijk verkoopaanbod, visitekaartjes, een gezellig maar toch functioneel kantoor aan huis, en een uiterst professionele keukenmachine.

Feit was dat ze al die dingen plus nog een paar meer nodig had om een levensvatbaar en redelijk winstgevend bedrijf op poten te zetten.

De berekeningen toonden aan dat ze dit kon realiseren als ze zich in de komende twaalf maanden geen uitspattingen meer veroorloofde, en dat sloeg ook op eten, drinken en kleren.

Zoals ze het nu zag, had ze de keus om ongeveer een jaar lang als een mol te leven of af te zien van de professionele apparaten die haar zouden helpen haar zaak van de grond te krijgen.

Leven als een mol was zo erg niet, dacht ze peinzend. In essentie had ze dat maandenlang gedaan voordat ze naar het eiland was gekomen. Als ze niet zo zwak was geweest haar geld niet aan een windmobile en sandalen en oorbellen te verspillen, had ze zelfs niet eens meer geweten hoe leuk het was om met geld te smijten.

Maar dat moest nu afgelopen zijn.

Als Marge van de Island Realty geduld kon opbrengen, kon ze volgens haar berekeningen binnen de drie weken genoeg geld bij elkaar schrapen voor de computer. Ze zou natuurlijk nog een paar honderd dollar extra nodig hebben voor de printer, een telefoonaansluiting, een BTW-nummer en kantoorbenodigdheden. Wanneer dat allemaal voor elkaar was, kon ze op de computer haar eigen folders en menu's ontwerpen.

Met een zucht liet ze zich achterover zakken en haalde haar handen door het haar. Ze had het uniform erbuiten gelaten. Ze kon moeilijk op het feest van de Maceys in een spijkerbroek en een T-shirt gaan bedienen. Ze had een nette zwarte broek nodig, een frisse witte bloes en een paar gemakkelijke maar chique zwarte schoenen.

Ze keek op toen Mia binnenkwam.

'Hoi. Ik zal me uit de voeten maken.'

'Dat is niet nodig.' Mia gebaarde dat ze kon blijven zitten. 'Ik moet alleen iets in de septembercatalogus opzoeken.' Ze pakte hem van een plank en bladerde erdoor terwijl ze Nell over de pagina's bleef aankijken. 'Geldproblemen?'

'Waarom vraag je dat?'

'Dat voel ik.'

'Niet zozeer problemen als wel obstakels van verschillende afmetingen. Ik haat het om het toe te geven, maar ik wil te veel te snel.'

'Waarom? Ik heb het niet over het haten, maar waarom zeg je dat je te snel te veel wilt?' vroeg Mia terwijl ze ging zitten. Ze rekte zich als een kat op een haardkleedje uit.

'Een paar opdrachten, een paar lunchpakketten, één groot feest, en meteen ben ik bezig logo's en visitekaartjes te ontwerpen en geld te besparen voor een computer, terwijl ik alles gemakkelijk met behulp van een notitieboekje kan regelen. Ik moet mezelf zien in te tomen.'

'Ik weet bijna niets zo vervelends als je intomen,' verklaarde Mia. 'Toen ik met de winkel begon, dacht vrijwel niemand dat ik er een goedlopende zaak van kon maken. Een kleine gemeenschap, een seizoensgebonden toeristenbestand. Boekwinkels en bijzondere koffiesoorten hoorden in steden en hippe buitenwijken thuis. Ze hadden het mis. Ik wist wat ik wilde, en wat ik kon bereiken. Dat geldt ook voor jou.'

'Over een half jaar of een jaar misschien,' gaf Nell toe. 'Maar ik loop mezelf voorbij.'

'Waarom zou je wachten? Je hebt wat kapitaal nodig, maar je kunt het er niet op wagen bij de bank om een zakelijke lening te vragen. Veel te veel lastige vragen over je kredietwaardigheid in het verleden, je vroegere werkzaamheden, en ga zo maar door.'

Mia neeg het hoofd toen Nell zuchtte. Ze vond het heerlijk om al bij het eerste schot de roos te treffen. 'Hoe voorzichtig je ook bent geweest, je kunt altijd iets over het hoofd hebben gezien,' ging Mia verder. 'En je bent veel te slim om in dat opzicht risico's te nemen.'

'Ik heb erover nagedacht,' bekende Nell. 'Als ik zoveel over mezelf zou moeten vertellen, zou ik geen rust meer hebben. Nell Channing heeft geen vroegere kredietwaardigheid, en het zal me tijd kosten om die in elkaar te flansen.'

'Dat is een van de obstakels voor het kapitaal. Er zijn natuurlijk betoveringen. Maar ik hou er niet van betoveringen voor persoonlijk voordeel te doen. Ik vind het zo... grof.'

'Ik probeer mijn budget op te rekken om de hoognodige kantoorspullen te kopen, en met dat in gedachte lijkt het me niet meer zo grof.'

Mia trok haar mond samen en tikte haar vingers tegen elkaar. 'Ik had eens een kennis die financieel gezien een beetje in de knoei zat. Ze riep een betovering op om te vragen haar huidige geldzorgen op te heffen. En de volgende week won ze vijftigduizend met de lotto.'

'Echt waar?'

'Echt waar. Ze kon al haar schulden afbetalen en trakteerde zichzelf op een weekje in het Doral Spa in Miami. Het is daar trouwens fantastisch. Toen ze terugkwam, begaf haar auto het, begon haar dak te lekken, liep haar souterrain onder water en kreeg ze een aanslag van de belastingdienst. Uiteindelijk had ze niets anders gedaan dan de ene zorg voor een andere te ruilen, hoewel ze natuurlijk wel dat weekje op de beautyfarm eruit had gesleept, wat ook wel iets waard was.'

Nell zag er de humor van in en grinnikte even. 'Ik snap het al. Magie mag je niet uit gemak als opstapje gebruiken.'

'Je leert snel, kleine zus. Goed, laten we dan nu even zakelijk praten.' Mia deed haar mooie hooggehakte schoenen uit en krulde haar benen onder zich. 'Ik ben in de markt voor een investering.'

'Ik kan je niet zeggen hoe ik dat waardeer, Mia, maar...'

'Je wilt het allemaal zelf doen, enzovoort, enzovoort.' Met een korte polsbeweging schoof Mia Nells protesten terzijde. 'Laten we ons alsjeblieft een beetje volwassen opstellen.'

'Probeer je me nu door middel van irritatie of intimidatie een lening aan te praten?'

'Over het algemeen probeer ik nooit te irriteren of te intimideren, hoewel me is verteld dat ik er goed in ben. In alle twee. Ik heb trouwens niets over een lening gezegd. We hebben het over een investering.'

Ze haalde haar benen traag onder zich vandaan en haalde voor hen allebei een flesje water uit de koelkast. 'Voor de opstartkosten zou ik je wel een lening willen geven. Laten we zeggen tienduizend, terug te betalen over een periode van zestig maanden tegen twaalf procent rente.'

'Ik heb geen tienduizend nodig,' zei Nell die kwaad aan de dop van het flesje draaide. 'En twaalf procent is belachelijk.'

'Een bank zou je minder rekenen, maar ik ben geen bank en ik stel geen lastige vragen.'

Mia's rode, fraaie lippen sloten zich om de hals van het flesje. 'Maar ik voel toch meer voor een investering. Ik ben een zakenvrouw die graag winst wil maken. Jij beheerst een vak dat goed zal verkopen, wat door de belangstelling van het eiland al is bewezen. Met wat werkkapitaal kun je een levensvatbaar bedrijf op poten zetten. En ik heb het gevoel dat het geen concurrentie voor mijn eigen zaak zal zijn maar die eerder ten goede zal komen. Ik heb al wat ideeën in mijn hoofd, maar daar praten we later nog wel over. Ik investeer tien mille in je bedrijf en word je stille vennoot voor een redelijke compensatie van, laten we zeggen, acht procent van de brutowinst.'

'Ik heb geen tien mille nodig.' Het was een hele tijd geleden dat ze over lonen en contracten had onderhandeld, dacht Nell met haar vingers op het bureau tikkend.

Tienduizend zou heel welkom zijn en op slag het zweet en de zorgen van tafel vegen. Maar als je het zweet en de zorg verbande, nam je ook het innig tevreden gevoel weg dat succes met zich meebracht.

'Vijf is genoeg,' besloot ze. 'Voor zes procent netto.'

'Goed, vijf dan, voor zeven procent netto.'

'Afgesproken.'

'Uitstekend. Ik zal door mijn advocaat een contract laten opstellen.'

'En ik zal een zakelijke rekening bij de bank openen.'

'Zou het niet beter zijn als ik dat regelde, plus het BTW-nummer?'

'Ik doe het zelf wel. Ik zal toch eens stelling moeten nemen.'

'Dat heb je al maanden geleden gedaan, kleine zus. Maar ik kan het met een gerust hart aan jou overlaten om er een groot succes van te maken, Nell,' zei ze terwijl ze de deur opendeed.

ᘓ ᘓ ᘓ

Ze ging als een gek aan het werk met de voorbereidingen, de planning en de uitvoering ervan. Haar keuken was een broeikas van experimenten, verwerpingen en successen. Haar computer en printer draaiden tot laat in de avond in haar kantoortje waar ze haar eigen computergraficus werd en menu's, folders, visitekaartjes, facturen en postpapier ontwierp. Op alles stond 'Sisters Catering' en het door haar ontworpen logo van drie vrouwen die met de handen ineen in een kring stonden.

En op alles stond Nell Channing als eigenares vermeld, samen met haar pasverworven telefoonnummer.

Toen ze haar eerste aanbieding had samengesteld reed ze er met een fles van de beste champagne die ze kon betalen mee naar Mia en zette alles bij haar voordeur neer.

Hun zaak was van start gegaan.

∽ ∽ ∽

Op de dag van het feest van de Maceys stond Nell in de keuken van Gladys het geheel op te nemen. Ze was er van vier uur af aan het werk geweest en had nu nog dertig minuten voordat de gasten zouden arriveren.

Voor het eerst sinds Nell aan de opzet van het feest was begonnen had ze eindelijk een stil en rustig moment voor zichzelf. Als Gladys de avond zou kunnen doorkomen zonder flauw te vallen van opwinding en bezorgdheid zou dat een waar wonder zijn.

Elk deel van de keuken was naar Nells aanwijzingen ingericht. Over precies tien minuten zou ze de hapjes gaan klaarzetten. Aangezien de gastenlijst tot meer dan honderd personen was uitgegroeid, had ze al haar overredingskracht moeten gebruiken om Gladys ervan te overtuigen dat ze beter kon afzien van een formeel viergangendiner en in plaats daarvan door het hele huis en op het terras op strategische punten buffetten in te richten.

Ze had zelf voor de bloemstukken gezorgd, en had Carl persoonlijk met de feestlichtjes en de lampen geholpen. Er stonden overal kaarsen in gehuurde zilveren kandelaars, en er lagen papieren servetjes, op Nells suggestie versierd met een hartje met daarin de initialen van het blijde bruidspaar.

Het ontroerde haar nog steeds dat Gladys' ogen zich met tranen hadden gevuld toen ze die te zien had gekregen.

Overtuigd dat de keuken klaar was voor de komende veldslag, liep ze naar buiten om haar troepen en de rest van het slagveld te controleren.

Ze had Peg ingehuurd om te helpen bedienen, en Betsy van de Magick Inn om de bar onder haar hoede te nemen. Zelf zou ze bijspringen zodra ze de keuken even alleen kon laten.

'Het ziet er fantastisch uit,' verkondigde ze en liep vervolgens naar de terrasdeuren. Het beloofde een heldere avond te worden. Zowel zij als Gladys had bij de gedachte dat het weleens kon regenen de meest vreselijke nachtmerries gekregen.

Nell trok het zwarte vestje omlaag dat ze aan het uniform had toegevoegd waarop haar keuze was gevallen. 'Nog één keer, Peg. Jij gaat rond en probeert ieder kwartier een volle ronde te maken. Wanneer je blad leeg of bijna leeg is, ga je terug naar de keuken. Als ik er niet ben om het bij te vullen, zul jij de volgende selectie moeten samenstellen, precies zoals ik het je heb voorgedaan.'

'Ik heb het wel een miljoen keer geoefend.'

'Dat weet ik.' Nell gaf haar een bemoedigend klopje op de arm. 'Betsy, ik zal proberen de lege flessen en die met een restantje bij te houden. Als ik achterloop, of jij raakt door iets heen, laat het me dan weten.'

'Akkoord. Maar alles ziet er fantastisch uit.'

'Tot zover lijkt alles in orde.' En ze was vast van plan dat het alleen maar beter zou worden. 'Carl Junior zorgt voor de muziek, dus daar zal ik me maar geen zorgen om maken. Laat de show maar beginnen. Peg, rauwe groente met dipsaus, buffet één.'

Voor Nell was het meer dan zomaar een feest – het was een nieuw begin. Terwijl ze de laatste kaarsen aanstak, dacht ze aan haar moeder en de eerste officiële catering die ze samen hadden verzorgd.

'Ik heb de kring gesloten, mam,' mompelde ze. 'En ik zal er een succes van maken.' Met haar moeder in gedachten legde Nell die gelofte af op het moment dat ze het vlammetje tegen de kaarsenpit hield.

Ze keek om en straalde toen Gladys Macey uit de ouderlijke slaapkamer kwam. 'Je ziet er prachtig uit.'

'Ik ben zo zenuwachtig als een bruid.' Ze duwde haar haar iets op. 'Ik ben gisteren naar Boston gegaan om dit te kopen. Ik zie er toch niet te opgedirkt uit, hè?'

Het cocktailpakje was zacht mintgroen, met glinsterende kraaltjes op de revers en de manchetten.

'Het ziet er schitterend uit, en jij ook. En je hoeft je nergens zenuwachtig over te maken. Het enige wat jij moet doen is plezier hebben.'

'Weet je zeker dat er genoeg garnalencocktails zijn?'

'Absoluut.'

'Ik weet niet wat ze van die kip in pindasaus zullen zeggen.'

'Ze zullen het heerlijk vinden.'

'En hoe zit het…'

'Gladys, val dat meisje nu toch niet langer lastig.' Carl, die met een boze blik aan de knoop van zijn stropdas trok, kwam naar buiten. 'Laat haar haar werk nu maar doen.'

'Mr. Macey, u ziet eruit als een plaatje.' Ze kon zich niet inhouden, stapte naar hem toe en trok zelf zijn das recht.

'Ik moest een nieuw pak van haar kopen.'

'En u ziet er heel knap in uit,' stelde Nell hem gerust.

'Vanaf dat hij thuiskwam van zijn werk heeft hij niks anders gedaan dan klagen.'

Nell, die inmiddels wel aan hun gekibbel gewend was, moest lachen. 'Ik voor mij hou wel van een man die zich in een pak en een stropdas niet echt op zijn gemak voelt. Het doet heel sexy aan.'

Bij die opmerking van Nell werd Carl knalrood. 'Ik begrijp nog steeds niet waarom we niet gewoon een barbecue met een paar vaatjes bier konden hebben.'

Voordat Gladys hem kon afbekken, hield Nell het blad met hapjes omhoog. 'Ik denk dat u een heerlijke avond zult hebben, en die begint nu.'

Uit beleefdheid moest Carl wel zo'n chic uitziend zalmhapje nemen. Zodra hij het proefde, kneep hij zijn lippen op elkaar. 'Dat smaakt lang niet gek,' gaf hij toe. 'Dat zou er met een biertje goed ingaan.'

'Gaat u maar meteen naar de woonkamer, dan zal Betsy u er eentje geven. Ik geloof dat ik de eerste gasten hoor aankomen.'

'O jee! O goeie grutjes.' Gladys klopte nog eens zachtjes op haar kapsel en wierp snel een blik in het rond. 'Ik was van plan om na te gaan of alles wel in orde was…'

'Het is allemaal volmaakt in orde. Gaat u de gasten nu begroeten en laat de rest aan mij over.'

Het duurde nog geen kwartier voordat de aanvankelijk wat stroeve sfeer losser werd. De muziek denderde, de gesprekken kwamen op gang, en toen Nell haar ronde deed met de kip kebab zag ze dat ze gelijk had gehad. Iedereen vond het heerlijk.

Het was leuk om de vertrouwde eilandbewoners feestelijk uitgedost te zien. Ze stonden in groepjes met elkaar te praten of slenterden naar het terras. Ze hield haar oren wijd open om opmerkingen over het eten op te vangen en de sfeer te peilen, en iedere keer dat er een positieve opmerking kwam, voelde ze het in haar bloed kriebelen. Maar het fijnste van alles was om haar cliënten te zien stralen.

Nog geen uur later was het huis stampvol en moest ze zelf op topsnelheid werken.

'Ze eten als een uitgehongerde horde die bladen leeg,' zei Peg tegen haar toen ze de keuken binnen kwam scharrelen. 'Je zou haast denken dat ze de afgelopen week allemaal hebben gevast.'

'Het zal wel minder worden als ze gaan dansen.' Nell vulde snel een blad bij.

'Buffet… verdorie, ik kan die nummers nooit onthouden. De gehaktballetjes zijn al bijna voor de helft op. Je zei dat ik je moest waarschuwen.'

'Ik handel het wel af. Is er ook iets dat niet zo goed loopt?'

'Voorzover ik heb gezien niet.' Peg hief het blad op. 'Zoals het nu loopt zou ik zeggen dat deze meute nog de papieren servetjes zou eten als je er saus op deed.'

Geamuseerd haalde Nell de inmiddels warme miniloempia's uit de oven. Terwijl ze die keurig op een blad rangschikte, kwam Ripley binnen lopen.

'Wat een feest.'

'Fantastisch, hè?'

'Ja, chic.'

'Je ziet er zelf ook behoorlijk chic uit,' merkte Nell op.

Ripley keek omlaag naar haar simpele zwarte jurkje. Het was kort, het zat mooi strak, en had het voordeel dat ze ermee naar een feest kon gaan, of met een blazer eroverheen naar een vergadering.

'Ik heb dit ding in wit en zwart. Dat is een mooie basis wat jurken betreft, vind ik.' Ze keek om zich heen, zag dat overal orde heerste, hoorde de vaatwasser zoemen en rook iets kruidigs. 'Hoe lukt het je om alles zo op orde te houden?'

'Ik ben gewoon briljant.'

'Daar ziet het wel naar uit.' Ripley pikte een loempiaatje van het blad en stopte het in haar mond. 'Het eten is fabelachtig,' zei ze met haar mond vol. 'Ik heb het je nooit verteld, maar die picknick die je voor me hebt geregeld, was echt uitstekend.'

'O ja? Had het de goeie uitwerking?'

'Kon niet beter,' antwoordde Ripley.

Haar zelfingenomen lachje veranderde in een boze blik toen Mia binnenkwam.

'Ik wilde je een compliment geven.' Ze kreeg de loempia's in het oog. 'Aha, een nieuw aanbod.' Ze nam er een en beet erin. 'Zalig. Hallo Ripley. Ik herkende je bijna niet in je meisjeskleren. Hoe heb je voor vanavond eigenlijk je keus tussen de witte en de zwarte bepaald?'

'Krijg de zenuwen.'

'Beginnen jullie nu niet hier. Ik heb geen tijd om scheidsrechter te spelen.'

'Maak je maar geen zorgen.' Ripley pikte nog een loempia. 'Ik verspil mijn energie niet aan de godin van de onderwereld. Gladys' neef uit Boston is zonet aangekomen en hij ziet er prima uit. Ik ga kijken of ik hem kan versieren.'

'Het is zo geruststellend te weten dat sommige dingen nooit veranderen.'

'Overal afblijven,' zei Nell gebiedend en liep toen snel met het blad de keuken uit.

'Zo…' Omdat ze liever uit de buurt van al die mensen bleef maar toch wat wilde eten, tilde Ripley de afdekplaat van een blad op. 'Nell lijkt op haar gemak.'

'Waarom ook niet?'

'Doe niet of je stom bent, Mia. Dat past niet bij je kattige gezicht.' Ripley hielp zichzelf aan een paar geglazuurde, hartvormige koekjes. 'Ik heb geen kristallen bol nodig om te weten dat ze het moeilijk heeft gehad. Een vrouw als zij, die plotseling op dit eiland komt opdagen met niets dan een rugzak en een tweedehands Buick… daar is maar een reden voor. Ze is op de vlucht. Zack vermoedt dat ze door de een of andere vent is mishandeld.'

Toen Mia niets zei, liet Ripley zich tegen het aanrecht zakken en knabbelde op een koekje. 'Hoor eens, ik mag haar, en mijn broer is helemaal weg van haar. Ik wil haar absoluut niet lastigvallen, alleen maar helpen als dat nodig mocht zijn.'

'Met of zonder je insigne?'

'Met of zonder, maakt niet uit. Volgens mij wil ze zich hier voorgoed vestigen, niet alleen door voor jou te werken, maar ook door met dat cateringbedrijfje te beginnen. Ze bouwt een nieuw leven op hier op Three Sisters. En dat maakt dat ze onder mijn verantwoording valt.'

'Geef mij er ook een.' Mia stak haar hand uit en wachtte tot Ripley haar een koekje had gegeven. 'Wat wil je eigenlijk van me weten, Ripley?'

'Of Zack gelijk heeft, want als dat het geval is, zal er iemand achter haar aan komen.'

'Wat Nell me in vertrouwen heeft verteld moet worden gerespecteerd.'

Als het om Mia ging kwam trouw nooit in het geding, moest Ripley toegeven. Bij haar was het bijna een religie. 'Ik vraag je niet om haar vertrouwen te beschamen.'

Mia knabbelde aan het koekje. 'Je kunt het gewoon niet uit je mond krijgen, hè?'

'Rot toch op.' Ripley zette de afdekplaat met een klap terug op het dienblad en wilde de keuken uit stormen. Maar zoals ze Nell had gezien, met een kleurtje, en blij, en zoals ze in die wonderbaarlijk ordelijke keuken bezig was geweest, dat stak.

Ze draaide zich met een ruk om. 'Vertel me wat je hebt gezien. Ik wil haar helpen.'

'Ja, dat weet ik.' Mia at haar koekje op en veegde de kruimels van haar vingers. 'Er is een man. Hij jaagt haar op, hij achtervolgt haar. Hij is de bron van al haar angsten, twijfels en zorgen. Als hij hier komt, als hij haar vindt, zal ze ons allebei hard nodig hebben. En zij zal de moed moeten opbrengen om haar eigen kracht te erkennen en die te gebruiken.'

'Hoe heet hij?'

'Dat kan ik je niet vertellen. Dat werd me niet getoond.'

'Maar je weet het wel.'

'Wat ze mij heeft verteld kan ik niet doorvertellen. Ik kan haar vertrouwen niet beschamen.' De bezorgdheid in Mia's ogen maakte dat Ripley de kriebels in haar buik kreeg. 'Als ik dat wel kon, en deed, zou zijn naam toch niets uitmaken. Zij heeft deze weg te gaan, Ripley. We kunnen haar leiden en steunen, haar instrueren en bijstaan. Maar uiteindelijk zal het haar eigen keuze zijn. Je kent de legende net zo goed als ik.'

'Daar wil ik niets mee te maken hebben,' zei Ripley, met een scherp, afwijzend gebaar het onderwerp aan de kant schuivend. 'Ik heb het alleen over iemands veiligheid. De veiligheid van een vriendin.'

'Ik ook. Maar ik heb het ook over de lotsbestemming van een vriendin. Als je haar echt wilt helpen, zou je kunnen beginnen de verantwoordelijkheid voor jezelf op je te nemen.' En met die woorden liep Mia de keuken uit.

'Verantwoordelijkheid m'n reet.' Ripley was kwaad genoeg om het afdekblad nog een keer op te tillen om een koekje te pikken.

Ze wist precies wat haar verantwoordelijkheden waren. Ze was verplicht om de veiligheid van de bewoners en bezoekers van Three Sisters Island te garanderen. Om de orde en de wet te handhaven.

Verdere verantwoordelijkheden gingen niemand iets aan, alleen haarzelf. En het was niet verantwoordelijk om aan afgoderij te doen en je aan een stomme legende vast te klampen die nu nog net zo onzinnig was als drie eeuwen geleden.

Ze was de deputy van dit eiland, en ze maakte beslist geen deel uit van een mystiek trio verlossers. En ze was al helemaal niet voorbestemd om een vaag spiritistisch recht te gaan toepassen.

Nu had ze verdorie nergens meer trek in, ook niet om die neef van Gladys Macey te gaan versieren. Eigen schuld, had ze maar geen tijd aan Mia Devlin moeten verspillen.

Vol afkeer liep ze op hoge benen de keuken uit. Toen ze zich weer bij de feestgangers had gevoegd, was Zack de eerste die ze zag. Hij vormde het middelpunt, wat altijd leek te gebeuren wanneer er mensen waren. Ze werden naar hem toe getrokken. Maar ook al stond hij midden in een groep die tegen hem stond aan te praten, ze zag heus wel dat zijn blik en zijn gedachten ergens anders waren.

Die waren op Nell gericht.

Ze sloeg haar broer aandachtig gade terwijl hij Nell in het oog hield die met haar chique loempiaatjes rondliep. Nee, er was geen twijfel meer aan. De man was smoorverliefd.

Wanneer het om haarzelf ging kon ze Mia's geklets over bestemming en verantwoordelijkheden best afweren of negeren, maar wanneer het om een nieuwe vriendschap ging die nog in ontwikkeling was, dan was dat heel iets anders. Vooral wanneer haar broer erbij betrokken was.

Er was niets wat ze niet voor Zack zou doen, zelfs als het betekende dat zij en Mia de handen ineen moesten slaan.

Ze zou de situatie goed in de gaten moeten houden en de zaak van tijd tot tijd opnieuw moeten overdenken. Ze moest er nog eens goed over na-denken, hoe vervelend het ook was.

'Hij balanceert op het randje,' fluisterde Mia haar in. 'Dat glinsterende randje vlak voor de ademloze plons.'

'Ik heb ook ogen!'

'Weet je wat er gebeurt wanneer hij valt?'

Ripley pakte het glas wijn uit Mia's hand en dronk hem halfleeg. 'Waarom vertel jij me dat niet!'

'Dan zal hij zonder ook maar even te aarzelen zijn leven voor haar ge-ven. Hij is de bewonderenswaardigste man die ik ken.' Ze pakte het glas terug en nam een slokje. 'Daarover zijn we het tenminste volkomen eens.'

Zij wist dat ook, en daarom nam haar weerstand af. 'Ik wil een bescher-mende betovering. Ik wil dat jij dat doet.'

'Ik heb al alles gedaan wat ik maar kan. Uiteindelijk moet het een kring van drie worden.'

'Ik wil er nu nog niet over nadenken. Ik wil er nu nog niet over praten.'

'Best. Zullen we hier een tijdje blijven staan en toekijken hoe een ster-ke en bewonderenswaardige man verliefd wordt? Zulke pure ogenblikken mogen niet ongemerkt voorbijgaan.' Mia legde een hand op Ripleys schouder, een luchtig verbond. 'Ze ziet het niet. Ook al stroomt het als een ademtocht van warme lucht over haar, is ze nog niet genoeg hersteld om het te merken.'

Met een zuchtje waarin wellicht íéts van jaloezie lag verborgen, staarde Mia in haar wijn. 'Kom op, dan haal ik je wat te drinken.'

ↄↄ   ↄↄ   ↄↄ

Zack wachtte zijn kans af. Hij praatte met de andere gasten, danste met de dames, en dronk met Carl een biertje op het feest. Hij luisterde zo te zien heel belangstellend naar klachten uit het dorp en hield ondertussen een oogje op de alcoholconsumptie van iedereen met autosleutels.

Hij keek naar Nell die eten rondbracht, met de gasten babbelde, en pannen bijvulde die op waxinelichtjes warm werden gehouden. En hij zag iemand die volledig opbloeide, dacht hij.

Hij wilde vragen of hij een handje kon helpen maar besefte toen dat het ronduit belachelijk zou zijn. Niet alleen had hij geen flauw idee van wat er gedaan moest worden, het was ook nog eens zonneklaar dat ze geen enkele hulp nodig had.

Toen de menigte begon uit te dunnen, reed hij voor alle zekerheid zelf een paar feestvierders naar huis. Het was al bijna middernacht voordat hij het gevoel had dat hij zijn plicht wel had gedaan en dat hij nu naar de keuken mocht gaan om Nell op te sporen.

Op het witte marmeren aanrecht van Gladys stonden keurig netjes lege bladen opgestapeld. Schalen waren in elkaar gezet. De gootsteen zat vol zeepsop waaruit kleine sliertjes stoom opstegen, en Nell stond systematisch de vaatwasser in te ruimen.

'Wanneer heb jij voor het laatst gezeten?'

'Dat weet ik niet meer.' Ze zette de borden in het rek. 'Maar ik ben ongelooflijk blij dat mijn voeten zo'n pijn doen.'

'Hier.' Hij hield haar een glas champagne voor. 'Ik vond dat je dat wel verdiend had.'

'Dat heb ik zeker.' Ze nam snel een slokje voordat ze het opzij zette. 'Al die weken van plannen maken, en nu is het achter de rug. En ik heb vijf, hoor je het goed, víjf afspraken voor de komende week. Wist je dat Mary Harrisons dochter volgend voorjaar gaat trouwen?'

'Dat heb ik gehoord, ja. Met John Bigelow. Een neef van me.'

'De kans bestaat dat ik de catering ga doen.'

'Dan ben ik ervoor dat je die gehaktballetjes op het menu zet. Die waren echt geweldig.'

'Ik zal het opschrijven.' Het voelde heerlijk om vooruit te kunnen plannen. Niet voor een dag of een week, maar voor maanden. 'Heb je Gladys en Carl samen zien dansen?'

Ze ging rechtop staan en drukte hard tegen de pijnlijke plek onder in haar rug. 'Dertig jaar, en toen ze op het terras met elkaar dansten keken ze elkaar aan alsof het de eerste keer was. Voor mij was dat het mooiste moment van de hele avond. En weet je waarom?'

'Nou?'

Ze draaide zich naar hem toe. 'Omdat alles daarom draaide: dat ze met elkaar dansten en elkaar op die manier aankeken. Niet om de versieringen of de leuke verlichting of de garnalencocktails. Het ging om mensen die een band hadden gesmeed, en erin geloofden. In elkaar geloofden. Hoe zou het zijn gelopen als een van beiden al die jaren geleden een stapje terug had gedaan of zich had afgewend? Ze zouden die dans op het terras zijn misgelopen, en alles wat ertussen lag.'

'Ik heb nog niet met jou gedanst.' Hij stak zijn hand uit en liet zijn vingers over haar wang glijden. 'Nell…'

'Daar ben je!' Met stralende en vochtige ogen kwam Gladys binnengestoven. 'Ik was al bang dat je ervandoor was.'

'Nee, ik moet het hier eerst nog afmaken, en dan een ronde door het huis maken om zeker te weten dat alles weer op orde is.'

'Geen sprake van. Je hebt genoeg gedaan, meer dan ik had durven hopen. Ik heb nog nooit zo'n feest gehad, mijn hele leven niet. Goh, er zal jarenlang over worden gesproken.'

Ze pakte Nell bij de schouders en kuste haar op beide wangen. 'Ik was een verschrikking, dat weet ik best.' En toen knuffelde ze Nell buiten adem. 'O, het was zo'n zalig feest, en ik ga beslist geen dertig jaar meer wachten om het nog eens te doen. Maar nu wil ik dat je naar huis gaat en je voeten omhoog legt.'

Ze drukte Nell een knisperend biljet van honderd dollar in de hand. 'Dit is voor jou.'

'Het is niet de bedoeling dat u mij een fooi geeft, ms. Macey. Peg en…'

'Daar is al voor gezorgd. Je kwetst me echt als je dit niet aanneemt om iets leuks voor jezelf te kopen. Maar nu wil ik dat je verdwijnt. Wat er verder nog moet gebeuren kan wel tot morgen wachten. Sheriff, wil jij Nell helpen de dienbladen naar haar auto te brengen?'

'Doe ik.'

'Dit was mooier dan mijn trouwdag,' zei Gladys terwijl ze naar de deur liep. Ze draaide zich heel even om en knipoogde. 'Laten we nu eens gaan kijken of er nog wat aan mijn huwelijksnacht kan worden verbeterd.'

'Zo te horen staat Carl een verrassing te wachten.' Zack tilde een stapel bladen op. 'We kunnen maar beter weggaan en het jonge stel wat privacy geven.'

'Ik ben het helemaal met je eens.'

Ze moesten drie keer teruglopen en ondertussen duwde Carl Nell een fles champagne in de handen terwijl hij hen de deur uit dreef.

'Heb je soms haast?' zei Zack grinnikend terwijl hij Nells kofferbak vol laadde.

'Waar is jouw auto?'

'Hmm? O, Ripley heeft er de laatste lichtelijk aangeschoten gasten mee naar huis gereden. De meesten kwamen lopend, wat wel hielp.'

Nell gunde zichzelf een blik op hem. Hij droeg een pak, maar had de das al afgedaan. Ze zag de zak uitpuilen waarin hij die had gestopt.

Hij had zijn boord losgeknoopt zodat ze precies kon zien waar zijn bruinverbrande huid ophield.

Er lag een zwak lachje om zijn mond toen hij de lichten in huize Macey een voor een uit zag gaan. Van opzij gezien was hij niet volmaakt. Zijn haar was ook niet in model geknipt. Maar met zijn duimen in de voorzakken van zijn broek gestoken stond hij er eerder ontspannen bij dan geposeerd.

Toen het vonkje van verlangen in haar opwelde, probeerde ze het niet weg te stoppen, maar deed ze juist een stapje naar hem toe.

'Ik heb maar een half glas champagne gehad. Ik ben niet aangeschoten, ik kan helder denken, en aan mijn reflexen mankeert niets.'

Hij draaide zijn hoofd naar haar om. 'Als sheriff ben ik blij dat te horen.'

Hem nog steeds aankijkend haalde ze haar sleutels uit haar zak en liet die voor zijn neus bungelen. 'Kom met me mee naar huis. Jij rijdt.'

Het lachje in zijn ogen werd vervangen door een vlijmscherpe en intense blik. 'Ik ga niet vragen of je het zeker weet.' Hij pakte de sleutels. 'Ik ga je gewoon vertellen om in te stappen.'

Haar knieën voelden een beetje wiebelig maar ze liep naar het portier en liet zich op de zitting glijden terwijl hij achter het stuur plaatsnam.

Toen hij haar over de zitting naar zich toe trok en haar mond in vervoering bracht, vergat ze haar wiebelige knieën en deed haar uiterste best om op zijn schoot te klimmen.

'Rustig aan, even rustig aan. Jezus christus.' Hij stak de sleutels in het contact. De motor kwam pruttelend tot leven en onder protest van de auto maakte hij een scherpe u-bocht. De auto slipte even wat Nell nerveus deed giechelen.

'Als deze roestbak in elkaar zakt voordat we er zijn, zullen we moeten lopen. Zack…' Ze deed de veiligheidsriem af die ze automatisch dicht had gegespt en gleed naar hem toe om hem in zijn oor te bijten. 'Ik voel gewoon dat ik zo meteen ontplof.'

'Heb ik je ooit verteld dat ik iets heb met vrouwen die zwarte vestjes dragen?'

'Nee. Echt waar?'

'Daar ben ik vanavond achter gekomen.' Hij stak zijn hand uit, liet zijn vinger in de halsuitsnijding glijden en trok haar dicht tegen zich aan. Omdat hem dat begrijpelijkerwijs afleidde, nam hij de bocht te scherp en reed met zijn wielen tegen de stoeprand aan.

'Nog één minuutje,' zei hij hijgend. 'Nog maar één minuutje.'

Met piepende remmen en een heftige ruk aan het stuur stopte hij voor Nells cottage. Hij wist nog net de contactsleutel om te draaien voordat hij zijn handen naar haar uitstak. Hij sleurde haar over zijn schoot en wist met zijn mond weer de hare te vinden. En hij liet zijn handen alles doen wat ze maar fijn vonden.

Het verlangen schoot heet en welkom door haar hele lijf. Ze liet zich erdoor meesleuren, trok aan zijn jasje en drukte zich tegen zijn handen. En was verrukt van de eerste aanraking van eelt over haar huid.

'Naar binnen.' Hij voelde zich net zo wellustig en ongeduldig als een tiener, en net zo onhandig toen hij het portier probeerde te openen. 'We moeten naar binnen.'

Hij trok haar ruw de auto uit en hij begon hortend te ademen terwijl ze aan elkaars kleren bleven rukken. Ze struikelden en de knopen vlogen van zijn overhemd. Terwijl hij haar half dragend mee naar de cottage nam, weergalmde haar verrukte lachje in zijn hoofd.

'O! Ik ben dol op je handen! Ik wil ze overal voelen.'

'Reken daar maar op. Goddomme, wat is er toch met die deur?' Op hetzelfde moment dat hij uiting aan zijn frustratie gaf door zijn heup er hard tegenaan te stoten, vloog de deur open.

Ze belandden op de vloer, half binnen, half buiten.

'Hier. Hier.' Het klonk als een mantra terwijl haar vingers druk bezig waren met zijn riem.

'Wacht. Laat me… eerst even de deur dicht…' Hij wist zich om te rollen, zijn been uit te steken en de deur dicht te schoppen.

De kamer was vol maanlicht en schaduwen. De vloer was zo hard als beton. Ze merkten het geen van beiden toen ze elkaar rollend en trekkend de kleren van het lijf scheurden. Af en toe kreeg hij in een glimp mooie, erotische beelden van een blanke huid, zachte rondingen en sierlijke lijnen te zien.

Hij wilde kijken. Hij wilde zich erin wentelen.

Hij moest haar nemen.

Toen de manchetten van haar bloes om haar polsen bleven hangen gaf hij het op, en liet zijn mond op haar borst zakken.

Ze lag onder hem te trillen, een vulkaan die elk moment tot uitbarsting kon komen. Flitsen van witgloeiende hitte en scherp getande golven van verlangen schoten door haar lijf totdat ze helemaal rauw en klaar was.

Ze boog haar lichaam naar hem omhoog, meer een eis dan een aanbod en haar nagels drukten zich rusteloos in zijn rug. De wereld om haar heen begon te tollen, sneller en sneller, alsof ze op een krankzinnig geworden draaimolen was gesprongen en het verrukkelijke gewicht van zijn lijf nog het enige was dat haar op aarde hield.

'Nu, nu!' Ze greep zijn heupen en opende zich voor hem. 'Nu!'

Hij stootte toe, liet zijn lichaam de weg wijzen, liet zijn gedachten los. Er was niets anders meer dan het ontembare verlangen om te paren. Ze sloot zich om hem heen, een hete, natte vuist, en hij voelde hoe ze verstrakte en zich als een boog onder hem rekte, vlak voordat ze een schreeuw slaakte waarin de triomf de boventoon voerde.

Haar climax stormde als razernij door zijn lijf.

Het genot spoot door haar heen, overspoelende gevoelens waarin het verstand verdronk. Ze was vrij, ze vloog, ze wikkelde zich om hem heen en klemde zich stijf aan hem vast om hem mee te nemen.

En haar pure genot dreef hem over de rand.

12

*H*et galmde in zijn oren. Of anders was het gewoon het geluid van zijn bonzende hart dat tegen zijn ribben sloeg, een geluid als van een vuist die op pianotoetsen ramde. Hoe dan ook, hij kon niet helder denken en zijn lijf niet bewegen. Als hij genoeg energie had weten op te brengen om zich überhaupt ergens zorgen over te maken, zou hij zich bezorgd hebben afgevraagd of hij misschien aan tijdelijke verlammingsverschijnselen leed.

'Oké,' wist hij uiteindelijk uit te stoten, waarna hij diep ademhaalde. 'Goed dan.' Waarna hij de adem liet ontsnappen. 'Ik ben geloof ik even door het lint gegaan.'

'Ik ook.' Ze lag onder hem en werd platgedrukt, een perfecte positie om zijn hals te kussen.

'Heb je je ergens pijn gedaan?'

'Nee. Je hebt mijn val gebroken.' Ze liet haar tanden even langs de krachtige lijn van zijn hals schrapen. 'Als een echte held.'

'Ja, da's waar.'

'Ik heb je overrompeld. Hopelijk vind je dat niet erg.'

'Een beetje moeilijk om op dit moment te gaan klagen.' Ergens vond hij de energie om zich om te rollen en haar mee te trekken zodat ze tegen hem aan lag. 'Maar ik hoop wel dat je me de kans geeft je mijn eigen stijl en finesse te kunnen tonen.'

Ze hief het hoofd, schudde het haar naar achteren en keek alleen maar grinnikend op hem neer.

'Wat!'

'Ik dacht net dat jouw stijl me bijzonder aansprak. Iedere keer dat ik vanavond op het feest een glimp van je opving, likte ik me de lippen af. De grote, knappe sheriff Todd in een pak dat hij eigenlijk helemaal niet aan wilde, en de hele avond met een enkel biertje genoegen nam zodat hij later anderen veilig naar huis kon rijden, en die me met die geduldige groene ogen stond aan te kijken en me daarmee zo opwond dat ik uiteindelijk naar de keuken moest vluchten om weer wat tot rust te komen.'

'Is dat zo?' Hij liet zijn handen over haar armen omlaag glijden, en moest lachen toen hij de manchetten van haar bloes raakte. Hij knoopte ze voorzichtig los. 'Weet je wat ik dacht als ik naar je keek?'

'Niet echt.'

'Ik dacht dat je op een danseres leek, een en al gratie en deskundigheid. En ik probeerde er niet aan te denken wat je onder die gesteven witte bloes en dat sexy vestje aan had.'

Zodra hij haar polsen had bevrijd liet hij zijn handen weer over haar armen omhoog glijden. 'Je hebt zulke mooie, vloeiende vormen, Nell. Dat heeft me al wekenlang stapelgek gemaakt.'

'Ik weet niet hoe ik onder woorden moet brengen wat het me doet om dat te weten. Ik voel me stabiel genoeg om dat fijn te vinden.' Ze wierp haar hoofd achterover en stak haar armen op. 'O god! Ik voel me zo levend! Dat mag nooit meer ophouden.'

Ze boog zich weer voorover, kuste hem hard en krabbelde toen overeind. 'Ik wil nu wat van die champagne. Ik wil dronken worden en de hele nacht met je vrijen.'

'Dat idee spreekt me wel aan.' Hij ging rechtop zitten en zijn ogen vlogen open toen ze de deur opentrok. 'Wat ga je doen?'

'De champagne uit de auto halen.'

'Laat me even mijn broek aantrekken, dan haal ik het wel. Nell!' Verbijsterd sprong hij overeind toen ze spiernaakt naar buiten rende. 'Wel verdorie!' Hij greep zijn broek en liep ermee naar de deuropening. 'Kom binnen voordat ik je wegens naaktloperij moet arresteren.'

'Er is niemand die me kan zien.' Het voelde heerlijk en helemaal goed om naakt in de koele nachtlucht te staan, om te voelen hoe die de huid streelde die zo-even nog heet van de hartstocht was geweest. Terwijl het gras aan haar voeten kriebelde gooide ze haar armen wijd opzij en begon in het rond te dansen. 'Kom naar buiten, het is een zalige nacht, met de maan en de sterren en het geruis van de zee.'

Met het gouden haar dat door het maanlicht een zilveren gloed kreeg, met haar melkwitte, glanzende huid, en haar gezicht opgeheven naar de hemel, bood ze een onwaarschijnlijk aanlokkelijke aanblik.

En toen ving haar blik de zijne over het kleine gazon, en de kracht die eruit straalde benam hem de adem. Heel even had hij durven zweren dat hij haar van top tot teen had zien gloeien.

'Er zit hier iets in de lucht,' zei ze terwijl ze haar handen in een kommetje ophief alsof ze de ademtocht van de nacht kon vangen. 'Ik voel het vanbinnen kloppen als een hartslag. En als ik dat voel, lijkt het of ik alles kan doen wat ik maar wil.'

Met haar hand nog steeds in een kommetje stak ze haar hand naar hem uit. 'Wil je hier komen om me in de maneschijn te kussen?'

Hij kon haar niet weerstaan. Hij probeerde het niet eens maar liep naar haar toe en pakte haar uitgestoken hand vast. Onder een hemel die licht over hen heen sprenkelde liet hij zijn mond naar de hare dalen in een kus die warmte uitstraalde in plaats van brandende hitte.

De tederheid van die kus kroop in haar hart. Toen hij haar in zijn armen optilde, nestelde ze haar hoofd tegen zijn schouder en wist ze dat ze daar veilig en welkom was.

Hij droeg haar naar binnen, door de kleine cottage naar het oude bed dat onder hun gewicht zacht meegaf.

Later, zei hij in zichzelf terwijl hij zich weer in haar verloor, later zou hij erover nadenken hoe het voelde om op een heks verliefd te worden.

ↄ ↄ ↄ

Ze ontwaakte uit een van de hazenslaapjes die ze elkaar hadden gegund. Het was nog donker. Ze voelde zijn warmte en zijn gewicht. Hij voelde zo normaal dat het enerzijds troostend was en anderzijds opwindend.

In gedachten tekende ze trek voor trek zijn gezicht. Toen ze het af had, hield ze het beeld stevig vast en stapte uit bed om aan haar dag te beginnen.

Ze ging douchen en trok een korte broek en een hemdje aan. Stil pakte ze de kleren op die ze in de woonkamer van zich af hadden gegooid en vervolgens ging ze naar de keuken. Het leek bijna alsof ze zweefde.

Ze had dit verlangen, dat als een wild beest in haar opsprong en haar helemaal verslond, nog nooit eerder ervaren.

Ze hoopte het nog eens mee te maken.

En de tederheid die later was gekomen, de onlesbare dorst naar meer, het duistere, ademloze betasten. Alles, alles.

Nell Channing had een minnaar. En hij sliep in haar bed.

Hij wilde haar, en dat was nu juist zo opwindend. Hij wilde haar om wie ze was, en niet wat hij van haar kon maken. Dat was als balsem.

Verzaligd zette ze koffie en terwijl de geur de lucht bezwangerde maakte ze deeg klaar voor kaneelbroodjes, en deeg voor brood. Terwijl ze bezig was zong ze zacht in zichzelf en zag hoe de nieuwe dag rozen aan de hemel tekende.

Nadat ze de planten in de tuin water had gegeven en haar eerste kopje koffie had gedronken, schoof ze een blad met broodjes in de oven. Met haar mok in de ene hand en een potlood in de andere begon ze te bedenken welke menu's ze de komende week zou maken.

'Wat ben jij aan het doen?'

Ze sprong als een verschrikt konijntje omhoog bij het horen van de stem die nog rauw van de slaap was, en ze knoeide koffie op het papier. 'Heb ik je wakker gemaakt? Dat spijt me. Ik probeerde zo stil mogelijk te zijn.'

Hij stak zijn hand op. 'Hou daarmee op, Nell. Het maakt me woest.' Zijn stem was nog dik van de slaap maar desondanks begon haar maag te draaien toen hij naar haar toe kwam.

'Ik vraag je maar één ding.' Hij pakte haar mok en nam een slok om zijn hoofd en zijn stem weer helder te krijgen. 'Verwar hem nooit met mij. Als je me wakker had gemaakt en ik had dat vervelend gevonden, dan zou ik dat hebben gezegd. Maar ik werd gewoon wakker omdat je er niet was, en ik miste je.'

'Sommige gewoonten zijn moeilijk af te leren, ook al doe je nog zo je best.'

'Nou, blijf dan maar je best doen.' Hij zei het luchtig en liep naar het fornuis om een volle mok voor zichzelf in te schenken. 'Staat er al iets in de oven?' Hij snoof. 'Heilige Maria.' Hij snoof de lucht eerbiedig op. 'Kaneelbroodjes?'

Haar kuiltjes kwamen te voorschijn. 'En stel dat het zo is?'

'Dan ben ik voor eeuwig je slaaf.'

'Je bent een watje, sheriff.' Ze pakte een ovenwant uit de la. 'Waarom ga je er niet bij zitten? Ik zal je ontbijt klaarmaken en dan kunnen we bespreken wat ik van mijn slaaf verwacht.'

෬ ෬ ෬

Maandagochtend stormde Nell Café Boek binnen met haar armen vol dozen met gebak, riep vrolijk hallo en vloog de trap op.

Aan de kassa stopte Lulu met het optellen van de postorders die in het weekend waren binnengekomen en haar mond vertrok even toen Mia zich omdraaide en ophield met het bijvullen van de planken.

'Die heeft een goed weekend gehad,' zei Mia.

'Ga je naar boven om wat meer aan de weet te komen?'

'Wat een vraag.' Mia stak nog een boek tussen de andere en veegde daarna wat pluisjes van haar rok. 'Dansen bosnimfen in het bos?'

Lulu lachte kakelend. 'Nou, vergeet niet mij op de hoogte te brengen.'

Mia liep het café in, dwars door de huiselijke en onweerstaanbare geur van kaneelbroodjes. 'Druk geweest dit weekend,' merkte ze op terwijl ze haar blik over de ochtendaanbiedingen liet gaan.

'Dat mag je wel zeggen.'

'En zaterdagavond een fantastisch feest. Dat heb je goed gedaan, kleine zus.'

'Dank je.' Nell legde de muffins neer voordat ze het eerste kopje koffie voor Mia inschonk. 'Het gevolg is dat ik de komende week een aantal afspraken met potentiële klanten heb.'

'Gefeliciteerd. Maar…' Mia snoof even de geur van de koffie op, 'volgens mij straal je niet zo vanwege toekomstige cateringklussen. Ik wil wel zo'n broodje proeven.'

Ze liep onverschillig naar de achterkant van de toonbank terwijl Nell een broodje pakte. 'Je ziet er beslist uit als een vrouw die dit weekend nog wel wat meer heeft gedaan dan bakken.'

'Ik heb wat in de tuin gewerkt. Mijn tomatenplanten doen het goed.'

'Hmm, hmm.' Ze bracht het geurige broodje naar haar mond en nam een hapje. 'Ik kan me goed voorstellen dat sheriff Todd net zo smakelijk was als dit hier. Vertel op. We gaan om tien uur open.'

'Daar praat je toch niet over? Dat is toch onbehoorlijk, of niet soms?'

'Absoluut niet. Dat is precies wat er van je wordt geëist en verwacht. Heb een beetje medelijden, zeg. Ik ben al behoorlijk lang verstoken geweest van een beetje seks, dus heb ik wel recht op wat opwinding uit de tweede hand. Je ziet er zo verrekte gelukkig uit.'

'Dat ben ik ook. Het was verrukkelijk.' Nell maakte snel een dansje en pakte toen zelf ook een kaneelbroodje. 'Geweldig. Hij heeft zo'n… zo'n uithoudingsvermogen.'

'O. Hmm.' Mia liet haar tong langs haar lippen glijden. 'Ga door.'

'Ik geloof echt dat we een aantal records hebben gebroken.'

'Nu ben je aan het opscheppen, maar dat geeft niet. We zijn met vrienden onder elkaar.'

'En weet je wat nog het fijnste was?'

'Ik hoop dat je me dat zult vertellen, plus al het andere.'

'Hij behandelde… behandelt me niet alsof ik een zwak poppetje ben, alsof ik tekort ben gekomen, of… gekwetst. O, ik weet niet hoe ik het onder woorden moet brengen. Wanneer ik bij hem ben, voel ik me in ieder geval geen zwak poppetje, en heb ik ook niet het idee dat ik iets tekort ben gekomen, of gekwetst ben. De eerste keer wisten we maar net binnen te komen, en we belandden op de grond en rukten elkaar de kleren van het lijf. Het was zo gewóón!'

'We zouden allemaal wel af en toe zoiets gewoons kunnen gebruiken. Hij kan fantastisch kussen, hè?'

'O jongens, en toen hij…' Nell verbleekte en haar stem zakte weg.

'Ik was vijftien,' verklaarde Mia zich nader terwijl ze weer een hap van haar kaneelbroodje nam. 'Hij gaf me na een feestje een lift naar huis, en toen hebben we onze wederzijdse nieuwsgierigheid bevredigd met een paar heel lange, heel intense zuigzoenen. Ik zal je intelligentie niet beledigen door te beweren dat het net was alsof ik mijn broer kuste, maar ik moet wel zeggen dat we niet bij elkaar pasten en dat we liever vrienden bleven. Maar kussen, dat kon-ie.'

Ze likte het glazuur van haar vinger. 'Dus heb ik enig idee hoe heerlijk jouw weekend is geweest.'

'Ik ben blij dat ik dat van tevoren niet heb geweten. Misschien had ik me dan wel wat geremd gevoeld.'

'Wat ben je toch een schatje. En wat ben je nu met Zachariah Todd van plan?'

'Ik ga van hem genieten.'

'Het volmaakte antwoord.' Voorlopig. 'En hij heeft ook echt goeie handen, hè?' merkte Mia op terwijl ze naar de deur slenterde.

'Je kunt nu beter je mond houden.'

Mia liep lachend de trap af. 'Ik ga openen.'

En dat, dacht ze, is precies wat jij ook doet, kleine zus.

ജ ജ ജ

Het zou Mia niet verbaasd hebben als ze had geweten dat Zack bij de koffie en de kaneelbroodjes ook op het persoonlijke vlak werd ondervraagd.

'Ik heb je dit weekend nauwelijks te zien gekregen.'

'Ik had van alles te doen. En ik heb een cadeautje voor je meegebracht.'

Ripley zat genietend haar kaneelbroodje weg te werken. 'Hmm. Lekker,' zei ze met haar mond vol. 'Dat van alles had vast en zeker wat met de beste kok van het eiland van doen, wat ik heel slim deduceer uit het feit dat je een zak met een stuk of zes broodjes hebt meegebracht.'

'Nu nog vier.' Hij genoot van zijn eigen broodje en nam ondertussen de paperassen op zijn bureau door. 'John Macey heeft nog steeds die parkeerboetes niet betaald. Hij moet even worden opgejut.'

'Dat doe ik wel. Dus Nell en jij hebben eindelijk de matras-rumba gedaan?'

Zack wierp zijn zuster een vernietigende blik toe. 'Wat heb je toch een sentimenteel en romantisch hartje, Rip. Ik begrijp niet hoe je die zware last mee kunt slepen.'

'De vraag omzeilen betekent meestal hem positief beantwoorden. Regel 101. Hoe was het?'

'Vraag ik jou naar jouw seksleven?'

Ze zwaaide met een vinger om een pauze in het gesprek in te lassen, slikte haar hap door en zei: 'Ja.'

'Alleen omdat ik ouder en wijzer ben.'

'Ja, dat zal best.' Ze snaaide een tweede broodje onder zijn vingers weg, niet alleen omdat ze ongelooflijk lekker waren maar vooral omdat ze wist dat het hem zou ergeren. 'Als we accepteren dat jij de oudere en wijzere stier bent, dan kunnen we het er ook over eens zijn dat ik jonger ben en dus cynischer. Ga je nu wat dieper in haar achtergrond wroeten?'

'Nee.' Doelbewust trok hij een la open, liet de zak met broodjes erin vallen en schoof hem weer dicht.

'Als je het serieus met haar meent, en jou kennende is dat het geval, moet je er greep op krijgen, Zack. Ze is hier niet uit de lucht komen vallen.'

'Ze kwam met de veerboot,' zei hij koel. 'Heb je soms een hekel aan haar? Ik dacht dat je haar wel mocht.'

'Dat doe ik ook. Toevallig mag ik haar heel graag.' Ze liet haar heup tegen de punt van zijn bureau zakken. 'Maar om redenen die me vaak ontgaan mag ik jou ook erg graag. Je hebt een zacht plekje voor bedroefden en gekwetsten, Zack, en soms kunnen die bedroefden en gekwetsten zonder dat ze het kunnen helpen dwars door jouw zachte plekjes bijten.'

'Heb je ooit meegemaakt dat ik niet in staat was op mezelf te passen?'

'Je bent verliefd op haar.' Toen hij met zijn ogen knipperde en haar aanstaarde, zette ze zich tegen het bureau af en begon rusteloos door het kantoor te ijsberen. 'Dacht je soms dat ik blind en doof ben? Ik ken je al mijn hele leven, en ik ken elke beweging, elke verandering, elke uitdrukking op jouw stomme gezicht. Je bent verliefd op haar, terwijl je niet eens weet wie ze is.'

'Ze is precies wie en wat ik mijn hele leven heb gewild.'

Ripley wilde net tegen het bureau schoppen maar bleef halverwege steken, en ze keek hem ineens zacht en hulpeloos aan. 'Och verdorie, Zack. Waarom moet je dat nou zeggen?'

'Omdat het waar is. Zo gaat het met ons Todds, toch? We gaan onze gang, in ons eentje, en dan is het béng, ineens raak, en dat is dan dat. Dat is mij overkomen en dat bevalt me uitstekend.'

'Oké, even afkoelen.' Vastbesloten hem te steunen, of hij dat nou wilde of niet, sloeg ze haar handen op het bureau en boog zich naar hem toe. 'Ze zit in de problemen. Ze is erin geslaagd ervan weg te vluchten, in ieder geval voorlopig. Hij kan achter haar aan komen, Zack. Als ik me niet zo'n zorgen om jou had gemaakt, had ik er Mia nooit naar gevraagd. Dan had ik nog liever mijn tong met een roestig keukenmes afgesneden. Maar ik heb haar er wel naar gevraagd, alleen was ze niet erg duidelijk.'

'Liefje, wat je daarnet zei, dat je me zo goed kende, dat is helemaal waar. Hoe denk je nu dat ik zal reageren op wat je zojuist zei?'

Ze liet haar adem sissend ontsnappen. 'Als hij achter haar aan komt, zal hij eerst door jou heen moeten.'

'Bijna goed. Moet je trouwens geen patrouille lopen, of wou je vandaag liever de administratie doen?'

'Ik zou nog liever luizen eten.' Ze zette haar petje op en trok haar paardenstaart door de achterkant. 'Hoor eens, ik ben blij dat je iemand hebt gevonden die jou bevalt. Wat ik nog fijner vind is dat ik haar graag mag. Maar Nell Channing is niet alleen maar een aardige vrouw met een troebel verleden die als een legertje engeltjes kan bakken.'

'Je bedoelt dat ze een heks is?' zei hij luchtig. 'Ja, dat meende ik al te hebben begrepen. Daar heb ik niet echt problemen mee.' En na dat gezegd te hebben, ging hij weer achter het toetsenbord zitten en grinnikte in zichzelf toen Ripley de deur achter zich dicht knalde.

ↀ ↀ ↀ

'De godin vraagt geen offers,' zei Mia. 'Ze is een moeder. En net als een moeder vraagt ze om respect, liefde en gehoorzaamheid, en wil ze dat haar kinderen gelukkig worden.'

Het was een koele avond. Mia kon het einde van de zomer al ruiken. Binnenkort zouden haar bossen van weelderig groen in een chaos van kleuren veranderen. Ze had al dikbehaarde rupsen gezien, en een bezige eekhoorn die nootjes hamsterde. Tekenen die op een lange, koude winter wezen, dacht ze.

Maar nu bloeiden haar rozen nog, en zelfs de meest kwetsbare kruiden slingerden nog geurend tussen de stenen in haar tuin door.

'Magie komt voort uit de elementen, en uit het hart. Maar de rituelen worden het best volbracht met hulpmiddelen, zelfs zichtbare hulpmiddelen als je dat zou willen. Elke discipline is afhankelijk van bepaalde routines en hulpmiddelen.'

Ze liep door haar tuin naar de keukendeur en opende die voor Nell. 'Ik heb wat voor je.'

Het rook in de kamer net zo lekker als in de tuin. Er hingen strengen gedroogde kruiden. Potten met bloemen die Mia als gezelschap binnenshuis had uitgekozen, stonden in een rij op het lange, gladde aanrecht. Op het fornuis stond iets dat je alleen als kookpot kon betitelen, en daarin borrelde iets dat de krachtige zoete geur van heliotroop verspreidde.

'Wat ben je aan het koken?'

'O, een tovermiddeltje voor iemand die later in de week een sollicitatiegesprek moet voeren. Ze is zenuwachtig.' Mia liet een hand door de opstijgende stoom gaan. 'Heliotroop voor succes, zonnebloemen voor de carrière, wat hazelaar om de communicatie te verbeteren – en iets van dit en van dat. Ik zal wat passende kristallen versterken die ze in een zakje in haar tas mee kan nemen.'

'Krijgt ze die baan?'

'Dat is aan haar. De Leer belooft niet zomaar alles wat we wensen, en evenmin dient die als kruk waarop de zwakken kunnen steunen. Goed, jouw hulpmiddelen,' zei ze naar de tafel wijzend.

Ze had alles zorgvuldig en met het beeld van Nell in gedachten uitgekozen.

'Wanneer je weer thuis bent, zou je ze moeten schoonmaken. Niemand mag ze zonder jouw toestemming aanraken. Ze zijn op jouw energie afgestemd. De staf is van een berkentak gemaakt die tijdens de winterzonnewende van een levende berk is geknipt. Het kristal op de top betaat uit een zuivere kwarts. Het was een geschenk van degene die mij heeft opgeleid.'

Het was mooi, slank en glad, en voelde bijna zijdeachtig aan toen Nell er haar vinger over liet glijden. 'Je mag mij toch niet iets geven dat jou cadeau werd gedaan?'

'Het was de bedoeling dat het werd doorgegeven. Je zult er nog meer nodig hebben, trouwens; koper is goed. Dit is je bezem,' zei ze verder, en trok een wenkbrauw op toen Nell een lachje smoorde.

'Sorry, ik had gewoon nooit gedacht... een bezem?'

'Niet om op te vliegen. Hang hem ter bescherming aan de deur van je woning, en gebruik hem om alle negatieve energie naar buiten te vegen. Een kom – en ook hiervoor geldt dat je op een goeie dag je eigen kom zult willen kiezen, maar voorlopig kan deze wel dienstdoen. Ik heb hem bij de Island Market gekocht, op de afdeling glaswerk. Soms werkt het eenvoudige het best. Het pentagram is van een esdoornknoest gemaakt. Die moet altijd rechtop staan. Het mes wordt niet gebruikt om te snijden, maar om richting te geven aan de energie.'

Ze raakte het niet aan, maar zei Nell dat wel te doen.

'Sommigen geven de voorkeur aan een zwaard, maar ik vond het niets voor jou,' ging ze door terwijl Nell haar vinger over het bewerkte heft liet glijden. 'Het lemmet is bot, en dat is ook de bedoeling. De dolk is wel bedoeld om mee te snijden. Het handvat is gebogen om je een goede greep te geven bij het oogsten van kruiden en planten, het snijden van staven, het graveren van kaarsen en zo meer. Sommigen gebruiken het om voedsel mee te snijden. Dat zijn keukenheksen. Jij moet natuurlijk zelf je keuze maken.'

'Natuurlijk.' Nell was het volkomen met haar eens.

'Ik neem aan dat je zelf je eigen kookpot kunt kiezen en kopen. Die van gietijzer zijn het beste. In de souvenirwinkels kun je een wierookbrander vinden die je aanspreekt – korrels en stokjes zijn hier ter plaatse tegenwoordig meestal in voorraad. Wanneer je tijd hebt kun je je eigen wierookpoeder maken. Je hebt daarvoor een paar strooien manden nodig, en wat lapjes zijde. Wil je dit allemaal liever opschrijven?'

Nell blies haar adem uit. 'Dat zou misschien wel beter zijn.'

'Kaarsen,' ging Mia door nadat ze Nell pen en papier had gegeven. 'Ik leg je later wel uit wat de bedoeling is van de kleuren en de symbolen. Ik heb een paar kristallen voor je, maar je zult er meer nodig hebben en die moet je zelf uitkiezen. Een stuk of twintig weckflessen, met deksel, een vijzel met stamper, en zeezout. Ik heb nog wel een pak tarotkaarten dat je mag lenen, en een paar houten kistjes, maar die wil ik ook terug. Zo kun je in ieder geval van start gaan.'

'Er komt meer bij kijken dan ik had gedacht. Eerder – die dag in de tuin – hoefde ik er alleen maar te staan.'

'Er zijn dingen die je met je hoofd en je hart kunt doen, en andere die hulpmiddelen vereisen – om je macht te vergroten, en uit respect voor traditie. Nu je een computer hebt, zul je een lijst van betoveringen willen bijhouden.'

'Een lijst van betoveringen, op mijn computer?'

'We kunnen net zo goed praktisch en efficiënt te werk gaan. Heb je het ooit met Zack over dit alles gehad?'

'Nee.'

'Ben je bang voor zijn reactie?'

Ze raakte de staf weer aan en vroeg het zich af. 'Dat heeft er wel mee te maken, maar ik weet niet eens hoe ik het hem moet vertellen, laat staan dát ik het hem ga vertellen. Het is mij nog niet eens duidelijk.'

'Dat klinkt logisch. Wat je wel of niet vertelt is jouw zaak, en dat geldt ook voor wat je doet of laat.'

'Ik dacht dat hij er misschien net zo over zou denken als Ripley. Ik doe denk ik liever niet iets dat nu al een kink in de kabel kan brengen.'

'Dat kan niemand je kwalijk nemen. Laten we een eindje gaan wandelen.'

'Ik zou eigenlijk terug moeten. Het is al bijna donker.'

'Hij wacht wel.' Mia deed een met houtsnijwerk versierde doos open en haalde er haar staf uit. De top bestond uit een ronde kwarts, net zo rookkleurig als haar ogen. 'Neem de jouwe ook mee. Het wordt tijd dat je leert hoe je een kring tot stand moet brengen. We zullen het eenvoudig houden,' beloofde ze terwijl ze Nell door de deur schoof. 'En ik kan je bijna garanderen dat de seks sensationeel zal zijn na wat ik in gedachten heb.'

'Het draait niet alleen om seks,' begon Nell. 'Maar dat telt wel heel erg mee.'

Onderweg naar de bossen kolkte een lichte nevel over de aarde. De bomen wierpen lange schaduwen af en vormden zwarte lijnen op het bleekgrijs.

'Het weer gaat veranderen,' zei Mia. 'De laatste weken van de zomer maken me altijd melancholiek. Dat is vreemd, want ik ben dol op de herfst met zijn geuren en kleuren, en dat tikje scherpte in de lucht wanneer je 's ochtends buitenkomt.'

Je bent eenzaam. Nell had het bijna hardop gezegd maar wist zich nog net in bedwang te houden. Zo'n opmerking uit de mond van een vrouw die nog maar net een minnaar had moest wel zelfvoldaan en zelfingenomen klinken.

'Misschien een overblijfsel uit je jeugd,' opperde ze. 'Het einde van de zomer betekent weer naar school moeten.' Door de mist en de schaduwen liep ze achter Mia aan over een goed begaanbaar pad. 'Ik vond die eerste weken op school altijd afschuwelijk. Ik vond het niet zo erg als mijn vader een tweede jaar op dezelfde basis bleef, maar wel al die keren wanneer ik het nieuwe kind in de klas was en iedereen al een kliekje vrienden had.'

'Hoe heb je dat verwerkt?'

'Ik leerde met anderen te praten en vriendschap te sluiten, ook al was het maar tijdelijk. Vaak leefde ik in mijn eigen wereldje. Dat zal me wel het perfecte doelwit voor Evan hebben gemaakt. Hij beloofde mij me voor eeuwig lief te hebben, me te eren en te koesteren. Ik verlangde echt naar een band voor eeuwig, met wie dan ook.'

'En nu?'

'Nu wil ik gewoon mijn eigen plekje creëren, en daar blijven.'

'Nog iets dat we gemeen hebben. Dit is een van mijn plekjes.'

Ze kwamen op een open plek in het bos waar de nevel wit was door het rustige licht van de klimmende maan. De volle bol scheen door de bomen, speelde met het donkere zomerlover en raakte de omranding van een groepje van drie stenen. Aan de takken rondom de open plek hingen strengen kruiden. De glinsterend aaneengeregen kristallen tinkelden in het zachte windje rustig tegen elkaar.

En het geluid van de wind, de stenen en de dichtbij zijnde zee was als muziek.

Er was iets primitiefs, iets essentieels aan deze plek.

'Het is hier prachtig,' begon Nell, 'en… ik wilde spookachtig zeggen, maar zonder angstaanjagend te zijn. Je verwacht hier bijna spoken te zien, of ruiters zonder hoofd. Maar als dat zou gebeuren, zou het volkomen normaal lijken, en helemaal niet angstaanjagend.'

Ze draaide zich om waarbij haar voeten de grijze zijde van de mist aan flarden scheurde, en ving de geur van verbena, rozemarijn en salie op die vanaf de boomtakken door de wind werden meegevoerd.

Ze ving nog iets anders op – een zacht gezoem dat bijna op muziek leek.

'Hier was je de nacht van de zonnewende, voordat je op de klippen ging staan.'

'Deze grond is heilig,' zei Mia. 'Er wordt gezegd dat de zusters hier driehonderd jaar en nog langer geleden hebben gestaan en hun betoveringen hebben uitgesproken om hun toevluchtsoord te scheppen. Of dat nu waar of niet waar is, feit is dat ik hier altijd naartoe wordt getrokken. We zullen samen een kring afroepen. Het is het basisritueel.'

Mia haalde haar mes uit haar zak en begon. Gefascineerd herhaalde Nell de woorden en de gebaren, en het verbaasde haar niet toen een dunne kring van licht door de nevels begon te schijnen.

'We roepen Lucht aan, en Aarde, en Water en Vuur om onze kring te bewaken en ons onze wens toe te staan. Bescherm onze rite en wees er getuige van. Open onze geesten voor de magie van de nacht.'

Mia legde haar mes en haar staf neer en knikte naar Nell nadat die haar woorden had nagezegd. 'Wanneer je zover bent, kun je je eigen kring op je eigen manier trekken. Ik hoop dat je er geen bezwaar tegen hebt maar als het weer het toelaat werk ik liever zonder kleren.'

Daarop trok Mia haar jurk uit en vouwde die netjes op. Nell keek met open mond toe. 'O, nou ja, ik vind het echt niet...'

'Het is geen vereiste.' Ze voelde zich naakt volkomen op haar gemak en pakte haar staf weer op. 'Ik geef er meestal de voorkeur aan, vooral voor dit ritueel.'

Ze had een tatoeëring, of was het een moedervlek, vroeg Nell zich af. Het was klein, had de vorm van een pentagram, en stak af tegen de melkwitte huid van haar bovenbeen.

'Wat voor ritueel?'

'We gaan de maan omlaaghalen. Sommigen – de meesten eigenlijk – doen dit normaal gesproken wanneer er serieus iets moet worden verricht, maar soms heb ik de extra uitbarsting van energie nodig, of verlang ik er gewoon naar. Om te beginnen moet je jezelf openstellen. Je geest, je ademhaling, je hart en je lendenen. Vertrouw jezelf. Net als de zee wordt iedere vrouw door de maan geregeerd. Hou je staf in je rechterhand.'

Nell deed Mia's gebaren na, hief haar armen en pakte toen haar staf met beide handen beet.

'Op deze avond, op dit uur, roepen we Luna's macht aan. Ga in ons op, licht in licht.' Langzaam werden de staven omgedraaid en op het hart gericht. 'Vrouw en godin stralen licht uit. Macht en vreugde komen van u nedergedaald. Zoals wij willen, zo zal het zijn.'

Ze voelde een golf van energie en licht binnen in haar, een koele en krachtige stroom. Pulserend, net als die witte maanbol leek te pulseren toen die sierlijk boven de bomen uitsteeg. Ze kon ze bijna zien, de blauwgerande zilveren vlagen licht die naar beneden en in haar zakten.

Samen met de energie kwam een golf van vreugde. En terwijl Mia haar staf liet zakken, ontsnapte die bij Nell in een stokkend lachje.

'Soms is het gewoon heerlijk om een meisje te zijn, hè? We zullen de kring nu sluiten. Volgens mij, kleine zus, zul jij wel de juiste uitlaat vinden voor al die nieuw opgedane energie.'

ເ∽ ເ∽ ເ∽

Toen ze weer alleen was, legde Mia al haar eigen energie in het oproepen van een beschermende betovering. Nell had veel natuurlijke macht die nog nauwelijks was aangesproken. Ze kon en zou haar helpen die te onderzoeken, te controleren en te verfijnen. Maar er was iets anders dat haar op dit moment meer dwarszat.

In de kring in het bos had ze iets waargenomen dat Nell niet had gezien. Ze had die ene donkere wolk over het hart van de maan zien glijden.

13

De laatste weken van de zomer verstreken in een roes. De dagen werden gevuld met werken, plannen maken voor de opdrachten die ze had gekregen en voorstellen voor nog meer.

Zodra het weer omsloeg zou ze de vakantiegangers kwijtraken. Nell was dus tot de slotsom gekomen dat ze nu een bezig bijtje moest zijn dat zich zorgvuldig voorbereidde op de winter.

Er waren bestellingen voor vakantiefeestjes, voor de zondag van de Super Bowl en van vastelanders die zich op het eiland opgesloten voelden. De eilanders waren eraan gewend geraakt voor grote of kleine gebeurtenissen een beroep op haar te doen omdat het raar begon te worden om het niet te doen.

De nachten bracht ze vrijwel altijd met Zack door. Ze gebruikten de laatste warme dagen voor dineetjes buiten bij kaarslicht, zeiltochtjes in de avond waarbij de kou uit het water opsteeg en hen verkilde, en lange, wellustige vrijpartijen in het gezellige nestje van haar bed.

Eén keer had ze rode kaarsen aangestoken, voor hartstocht. Ze leken uitzonderlijk goed te werken.

Minstens twee avonden per week werkte ze met Mia aan wat ze in gedachten haar rituele lessen noemde.

En bij zonsopgang stond ze in haar keuken te bakken.

Ze stond midden in het leven dat ze altijd had gewenst. En er was meer. Ze had vanbinnen een macht die als zilver door haar heen stroomde. En een liefde die gouden warmte uitstraalde.

Soms betrapte ze hem erop dat hij haar rustig en geduldig zat gade te slaan. Een afwachtende blik. Iedere keer dat ze dat zag, voelde ze zich wat schuldig, een rimpeltje van onbehagen. En iedere keer dat ze laf reageerde en er geen acht op sloeg, stelde ze hen beiden teleur.

Ze kon het wel beredeneren. Ze was gelukkig, en ze had recht op een periode van vrede en plezier. Nog maar een jaar geleden had ze haar leven in de waagschaal gesteld, en zou ze het liever hebben verspeeld dan als een bange gevangene verder te moeten leven.

En dan waren er al die volgende maanden waarin ze eenzaam was geweest, voortdurend onderweg, en bang voor ieder geluidje. Ze was nacht na nacht wakker geworden, badend in het koude zweet uit dromen ontwakend die ze zelfs in het donker niet onder ogen kon zien.

Het was toch haar goed recht om die tijd in een doos te stoppen en de sleutel te begraven?

Het heden, dat was belangrijk, en ze gaf Zack alles wat ze nu had.

Terwijl de zomer geruisloos overging in de herfst wist ze zeker dat ze gelijk had, en dat haar vluchthaven op de Three Sisters de beste plek op aarde was.

Met de nieuwste catalogus voor keukens en een nieuw exemplaar van de *Saveur* onder de arm liep Nell van het postkantoor door High Street naar de markt. De zomergasten waren vervangen door toeristen die het hoogtepunt van de kleurenpracht van de bomen in New England met eigen ogen wilden aanschouwen.

Ze kon hen dat niet kwalijk nemen. Hele stukken van het eiland gingen schuil onder een helgekleurde lappendeken van vlammende kleuren. Iedere ochtend zag ze door haar eigen keukenraam dromerig hoe de bladeren in haar eigen stukje bos vlamvatten. Soms wandelde ze 's avonds langs het strand om de mist te zien binnenrollen, het water opslikken, de boeien omhullen en hun lang aanhoudende monotone dreun smoren.

's Ochtends lag er soms een dun laagje rijp op de grond dat schitterde alsof het van glas was en wegsmolt onder de toenemende kracht van de zon, waardoor het gras onder de druppels kwam te zitten die als tranen aan de grassprieten hingen.

Er kwamen regenbuien die het strand en de klippen ranselden en daarna weer wegwaaiden en haar het idee gaven dat de hele wereld als onder een glazen koepel lag te fonkelen.

Zij bevond zich nu ook onder die koepel, dacht Nell. Veilig en zeker en weg van de wereld die achter de zee en de inham verder woedde.

De straffe wind trok aan haar sweater en ze wuifde naar bekende gezichten, bleef even bij het zebrapad staan om naar het verkeer te kijken, en liep toen op een holletje de supermarkt in om varkenskarbonade te kopen die ze voor het avondeten wilde klaarmaken.

Pamela Stevens, die samen met haar man Donald plotseling had besloten een bezoekje aan het eiland te brengen, slaakte een verbaasde kreet en draaide het raam van hun gehuurde bmw sedan naar beneden.

'Al zijn die winkeltjes nog zo typisch, ik stop pas als ik een goeie parkeerplaats heb gevonden, Pamela.'

'Ik geloof dat ik zojuist een geest heb gezien.' Pamela liet zich met de hand op haar hart tegen de rugleuning vallen.

'Er zijn hier heksen, Pamela, geen geesten.'

'Nee, nee, Donald. Helen Remington, de vrouw van Evan Remington. Ik zweer dat ik zojuist haar geest heb gezien.'

'Ik zou bij god niet weten waarom ze helemaal hiernaartoe zou komen om te gaan spoken. Ik kan hier verdorie niet eens een parkeerplaats vinden.'

'Ik maak geen grapje. Die vrouw kon haar dubbelgangster zijn, afgezien dan van het haar en de kleren. Helen zou nog niet dood willen worden gezien in die afschuwelijke trui.' Ze rekte haar hals uit om de supermarkt in de gaten te kunnen houden. 'Stop nu even, Donald. Ik moet gewoon terug om haar beter te kunnen bekijken.'

'Zodra ik een parkeerplaats heb gevonden.'

'Ze was het precies,' zei Pamela nog eens. 'Heel vreemd, ik schrok me echt een ongeluk. Die arme Helen. Ik was een van de laatsten die haar voor dat afschuwelijke ongeluk nog hadden gesproken.'

'En nadat ze van die klip is gereden, heb je dat zes maanden lang wel honderden keren verteld.'

'Zoiets blijft je bij.' Pamela ging nijdig rechtop zitten en stak haar neus in de lucht. 'Ik was echt dol op haar. Zij en Evan waren zo'n knap stel. Ze was zo jong en mooi, en ze had alles wat ze zich maar kon wensen. Wanneer er zoiets tragisch gebeurt, word je ineens weer voorgehouden dat je leven in een oogwenk kan omslaan.'

ري ري ري

Toen Pamela haar echtgenoot eindelijk mee naar de supermarkt had kunnen sleuren, was Nell al bezig de zak met boodschappen uit te pakken, en ondertussen moest ze kiezen tussen couscous of een kruidige nieuwe saus die ze op rode aardappelschijfjes wilde uitproberen.

Ze besloot tot het laatste, zette de draagbare stereo aan die Zack in haar cottage had laten staan, en ging bij Alanis Morisette met de *Saveur* aan tafel zitten.

Ze pakte een appel uit de fruitschaal, ging lekker zitten knagen en trok haar blocnote naar zich toe om wat ideeën op te schrijven die door een artikel over artisjokken bij haar opkwamen.

Daarna las ze een artikel over Australische wijnen en noteerde welke volgens de schrijver het beste waren.

Ze schrok niet langer als ze voetstappen hoorde, het gaf haar juist een warm gevoel toen ze opkeek en Zack binnen zag komen.

'Is het voor een man die de orde moet handhaven niet een beetje vroeg om er nu al mee op te houden?'

'Ik heb een paar uur met Ripley geruild.'

'Wat zit er in die doos?'

'Een cadeautje.'

'Voor mij?' Ze schoof de blocnote opzij, stond op en liep snel naar het aanrecht. Haar mond viel open. Liefde en wellust streden om voorrang.

'Een keukenmachine. Een professionele, de beste die er is.' Eerbiedig liet ze haar handen over de doos glijden. Andere vrouwen zouden op dezelfde manier iets van nerts hebben gestreeld. 'O goeie genade.'

'Volgens mijn moeder kan een man die een vrouw iets cadeau doet dat je in een stopcontact moet steken, maar beter zorgen dat hij zijn levensverzekering betaald heeft. Maar ik dacht dat die regel hier niet gold.'

'Het is de beste die er te koop is. Ik heb hem al ik weet niet hoe lang willen hebben.'

'Ik heb je een paar keer met verlangende ogen in de catalogus zien kijken.' Hij ving haar op toen ze zich in zijn armen stortte en zijn gezicht met kussen bedekte. 'Zo te zien zal ik die levensverzekering niet nodig hebben.'

'Ik vind het prachtig, ik vind het prachtig, ik vind het práchtig.' Ze eindigde met een harde klapzoen en sprong toen op de doos af. 'Maar hij is zo verschrikkelijk duur. Ik zou het niet goed moeten vinden dat je me zomaar zo'n verschrikkelijk duur cadeau geeft. Maar ik zeg toch geen nee, want ik moet er niet aan denken dat hij niet van mij is.'

'Het is ongemanierd om een geschenk te weigeren, en het is ook niet zomaar. Een dag te vroeg, maar ik dacht niet dat het iets zou uitmaken. Gefeliciteerd met je verjaardag.'

'Ik ben pas in april jarig, maar je zult mij niet horen klagen, want...'

Ze stopte midden in haar zin. Ze voelde het bloed zwaar en heet in haar slapen kloppen. Helen Remington was in april jarig. Op alle identiteitspapieren van Nell Channing stond duidelijk dat ze op negentien september jarig was.

'Ik weet niet waar ik met mijn gedachten zat. Ik was het compleet vergeten.' Omdat haar handpalmen nat werden, veegde ze die haastig aan haar spijkerbroek af. 'Ik ben zo druk geweest dat ik mijn verjaardag glad was vergeten.'

Alle plezier van het geven van het cadeau bolde zich in zijn maag tot een bittere bal samen. 'Niet doen. Dat je bepaalde dingen voor jezelf wilt houden, is tot daaraantoe, maar glashard tegen me liegen is heel iets anders.'

'Het spijt me.' Ze beet hard op haar lip en proefde de schaamte.

'Mij ook.' Omdat hij wilde dat ze hem aankeek nam hij haar kin in zijn hand en tilde die op.

'Ik blijf maar wachten tot je de volgende stap zet, Nell, maar die komt niet. Je vrijt met me, en in dat opzicht hou je niets achter. Je praat met me over wat je morgen hoopt te gaan doen, en je luistert wanneer ik tegen je praat. Maar over gisteren geen woord.'

Hij had geprobeerd er niet bij stil te staan. Hij had geprobeerd zichzelf voor te houden dat het niet belangrijk was, precies wat hij ook tegen Ripley had gezegd. Maar nu hij er rechtstreeks mee werd geconfronteerd, kon hij niet langer de schijn ophouden. 'Vanaf de dag dat je voet op dit eiland zette, heb je me in je leven toegelaten.'

Dat was waar, dat was absoluut waar. Het had ook geen zin om het te ontkennen. 'Voor mij is mijn leven hier begonnen. Wat daarvoor was, doet er absoluut niet meer toe.'

'Als dat waar zou zijn, zou je niet tegen me hoeven te liegen.'

Ze dreigde door paniek te worden overvallen. Om dat tegen te gaan, werd ze kwaad. 'Wat maakt het nu uit of ik morgen jarig ben, of over een maand, of zes maanden geleden? Waarom is dat nu ineens zo belangrijk!'

'Voor mij is belangrijk dat je mij niet vertrouwt. Dat komt hard aan, Nell, omdat ik van je hou.'

'O, Zack, je kunt toch niet…'

'Ik hou van je,' herhaalde hij en nam haar in zijn armen om haar rustig te houden. 'Dat weet je best.'

En dat was natuurlijk ook waar. 'Maar ik weet niet wat ik ermee aan moet. Ik weet niet wat ik aan moet met wat ik voor je voel. Dit vertrouwen, jou vertrouwen, zo eenvoudig ligt dat niet. Niet voor mij.'

'Je wilt dat ik dat accepteer, maar je wilt me niet vertellen waarom het niet zo eenvoudig ligt. Je moet wel eerlijk spel spelen, Nell.'

'Dat kan ik niet.' Er ontsnapte een traan die over haar wang gleed. 'Het spijt me.'

'Als de zaken zo liggen, dan houden we onszelf voor de gek.'

Hij liet haar los en liep weg.

❧ ❧ ❧

Bij Zack aankloppen was een van de moeilijkste dingen die Nell ooit had gedaan. Ze was veel te lang teruggedeinsd voor boosheid. Dit keer zou ze het onder ogen moeten zien. En met weinig verweer. Zij had deze ellende veroorzaakt, en alleen zij kon die oplossen.

Ze liep naar de voorkant van het huis omdat het officiëler zou zijn dan over het strand naar de trap aan de achterkant te gaan. Voordat ze aanklopte, wreef ze met haar vingers over de turkoois die ze in haar zak had gestopt om de verbale communicatie te bevorderen.

Hoewel ze er niet van overtuigd was dat zulke dingen werkten, leek het haar in ieder geval geen kwaad te kunnen.

Ze hief haar hand en vervloekte zichzelf toen ze die weer liet zakken. Er stond een oude schommelstoel op de veranda aan de voorkant, en een pot met geraniums die door de vorst waren aangetast en een treurige aanblik boden. Ze wilde maar dat ze ze had gezien voordat het weer was omgeslagen zodat ze er bij Zack op had kunnen aandringen ze binnen te zetten.

Ze probeerde tijd te rekken.

Ze rechtte haar schouders en klopte aan.

En werd verscheurd door opluchting en wanhoop toen niemand opendeed.

Net toen ze het wilde opgeven en zich al had omgedraaid, werd de deur wijd opengetrokken.

Ripley, met leggings die tot net onder haar knie waren opgestroopt, en een t-shirt met een v-vormige zweetplek tussen haar borsten. Ze wierp Nell een lange, koele blik toe en liet zich toen tegen de deurpost zakken.

'Ik wist niet zeker of ik hoorde kloppen. Ik was aan het gewichtheffen en had de muziek aan.'

'Ik wilde eigenlijk graag met Zack praten.'

'Ja, dat dacht ik al. Je hebt hem goed nijdig gemaakt. Daar is nogal wat voor nodig. Kijk, ik heb jarenlang ervaring, maar jij moet er een aangeboren talent voor hebben.'

Nell stak heimelijk haar hand in haar zak en betastte de steen. Ze zou door dit schild moeten komen om het doel te bereiken. 'Ik weet dat hij kwaad op me is, en daar heeft hij alle recht op. Maar heb ik dan niet het recht om mijn verontschuldigingen aan te bieden?'

'Tuurlijk, maar als je van plan bent dat bevend en met verstikte snikjes te doen, dan maak je míj nijdig. En ik ben een stuk gemener dan Zack.'

'Ik ben niet van plan om te gaan huilen of te gaan beven.' Nells eigen woede kwam bovendrijven terwijl ze een stapje naar voren deed. 'En ik denk niet dat Zack blij zal zijn dat je je hiermee bemoeit. Ik in elk geval niet.'

'Gelijk heb je.' Tevredengesteld deed Ripley een stapje opzij om Nell binnen te laten. 'Hij zit op de achterveranda nors door zijn telescoop te kijken en een biertje te drinken. Maar voordat je naar hem toe gaat en zegt wat je op je hart hebt, wil ik je eerst iets vertellen. Hij had gemakkelijk je achtergrond kunnen naspeuren om alles aan de weet te komen. Ik zou dat hebben gedaan, maar hij heeft bepaalde normen, zijn eigen normen, en dus heeft hij dat niet gedaan.'

Het schuldgevoel dat al op haar schouders had gedrukt vanaf het moment dat hij bij haar thuis de deur uit was gelopen, leek nu nog zwaarder te wegen. 'Hij zou dat onfatsoenlijk hebben gevonden.'

'Dat klopt. Ik persoonlijk vind het helemaal niet erg om onfatsoenlijk te zijn. Je hebt dus de keus: je maakt het goed met hem of anders krijg je met mij te doen.'

'Begrepen.'

'Ik mag je, en ik heb respect voor iemand die zijn zaken weet te behartigen. Maar wanneer je een Todd in de narigheden brengt, kom je er niet zomaar van af. Je bent dus gewaarschuwd.'

Ripley liep naar de trap die naar de tweede verdieping ging. 'Pak maar een biertje wanneer je door de keuken komt. Ik moet mijn oefeningen afmaken.'

Nell sloeg het biertje over hoewel ze dolgraag een glas ijswater had gehad om haar brandende keel te verzachten. Ze liep door de gezellig aandoende rommelige woonkamer, door de net zo rommelige keuken en liep de buitentrap naar de veranda op.

Hij zat in een grote stoel die grijs verweerd was en met een flesje Sam Adams tussen zijn bovenbenen geklemd achter zijn telescoop die omhoog wees.

Hij wist dat ze er was maar deed net alsof hij haar niet had opgemerkt. Ze rook naar perziken en zenuwen.

'Je bent kwaad op me, en dat verdien ik. Maar je bent eerlijk genoeg om te willen luisteren.'

'Morgen ben ik misschien weer zover dat ik eerlijk wil zijn. Je had er verstandiger aan gedaan om te wachten.'

'Dat riskeer ik dan maar.' Ze vroeg zich af of hij wist hoeveel het betekende – hoeveel hij voor haar betekende – dat ze dat durfde riskeren. 'Ik heb gelogen. Ik heb vaak gelogen en goed ook, en ik zou het zo weer doen. Het was kiezen tussen eerlijk zijn en overleven. Dat geldt nog steeds voor mij, dus ga ik je niet alles vertellen wat je eigenlijk hoort te weten. Alles wat je verdient te weten. Dat spijt me.'

'Als twee mensen elkaar niet vertrouwen, hebben ze niets bij elkaar te zoeken.'

'Dat kun jij gemakkelijk zeggen, Zack.'

Toen hij zijn blik van de sterren naar haar wendde, en de hitte erin haar bijna verschroeide, kwam ze wat dichter naar hem toe. Haar hart bonsde haar in de keel. Ze was niet bang dat hij haar zou slaan. Maar ze was wel bang dat hij haar nooit meer zou willen aanraken.

'Verdorie, dat kun jij echt gemakkelijk zeggen. Jij hebt hier je eigen plekje. Dat heb je altijd gehad, en je hoefde er nooit aan te twijfelen of ervoor te vechten.'

'Als ik hier al mijn plekje heb,' zei hij op zorgvuldig afgemeten toon, 'dan heb ik dat moeten verdienen. Net als ieder ander.'

'Dat is wat anders, want jij had een stevige ondergrond, en daarop heb jij verder gebouwd. Deze afgelopen maanden heb ik hard gewerkt om hier mijn eigen plekje te krijgen. Ik heb het verdiend. Maar dat is anders.'

'Goed, misschien is dat waar. Maar wat wij bezig waren op te bouwen, deden we vanaf dezelfde plek, Nell.'

Bezig waren, dacht ze. Niet bezig zijn. Als hij daar de grens had getrokken, kon ze blijven waar ze was, aan haar eigen kant, of ze kon de eerste stap doen.

Ze kwam tot de slotsom dat het niet moeilijker was dan over de rand van een klip te rijden.

'Ik heb drie jaar met een man samengewoond. Met een man die me pijn heeft gedaan. Niet alleen door te slaan en te stompen. Dat soort kneuzingen verdwijnen vanzelf weer. Maar er zijn er die blijven.'

Ze moest even wat adem laten ontsnappen om de druk op haar borst te doen afnemen. 'Hij heeft systematisch mijn zelfvertrouwen, mijn zelfrespect, mijn moed en mijn keuzen ondermijnd, en hij deed dat zo vakkundig dat ze weg waren voordat ik in de gaten had wat er gebeurde. Het is niet eenvoudig om dat alles weer terug te krijgen, en ik ben er dan ook nog steeds mee bezig. Hiernaartoe komen, gewoon vanavond hiernaartoe lopen, vergde alles van me wat ik weer had herwonnen. Ik had me niet met je moeten inlaten, en dat was ik ook niet van plan. Maar hier zijn, bij jou, geeft me het gevoel weer normaal te zijn.'

'Dat is het begin van een mooie toespraak. Waarom ga je er niet bij zitten om gewoon wat met me te praten?'

'Ik heb gedaan wat ik moest om van hem weg te komen. Ik ga me daarvoor niet verontschuldigen.'

'Dat vraag ik ook niet.'

'Ik ga me niet in details verdiepen.' Ze wendde zich af, leunde op de balustrade en staarde naar de nachtzwarte zee. 'Ik zal je vertellen hoe het was om in een gat te leven dat steeds dieper en steeds kouder werd. En iedere keer dat ik probeerde eruit te klauteren, was hij er om me tegen te houden.'

'Maar je hebt er een oplossing voor gevonden.'

'Ik ga nooit terug. Wat ik ook moet doen, waar ik ook naartoe moet vluchten, ik ga nooit meer terug. Dus heb ik gelogen en bedrogen. Ik heb de wet overtreden. En ik heb jou gekwetst.' Ze draaide zich weer om. 'Het enige waar ik spijt van heb is dat laatste.'

Ze stond met haar rug tegen de balustrade en haar handen tot stijve vuisten gebald terwijl ze hem die woorden op verdedigende, bijna boze toon toevoegde.

Doodsangst en moed die elkaar bij haar vanbinnen te lijf gingen, dacht hij.

'Zack.' Ze hief haar handen en liet ze weer vallen. 'Ik begrijp het zelf nog steeds niet. Toen ik hem leerde kennen, was ik geen voetveeg, ik was geen slachtoffertype dat erop wachtte te worden misbruikt. Ik kwam uit een solide, hecht gezin dat zo goed was als je maar van een gezin mag verwachten. Ik had een goede opleiding gehad, ik was onafhankelijk, en hielp mee een zaak te leiden. Er waren eerder al mannen in mijn leven geweest, geen echt serieuze relaties, maar normale, gezonde relaties. En toch liet ik me manipuleren en misbruiken. En ik liet me in de val lokken.'

O meisje, dacht hij, net als toen ze in de keuken van het café compleet in was gestort. 'Waarom neem je het jezelf nog steeds kwalijk?'

Die vraag brak het ritme. Heel even kon ze hem alleen maar stomverbaasd aankijken. 'Dat weet ik niet.' Ze liep naar hem toe en ging in de stoel naast hem zitten.

'Het zou mooi zijn wanneer je daar allereerst eens mee ophield.' Hij zei het luchtig en nam daarna een slok bier. Hij was nog steeds kwaad, en deels op Nell. Maar er was een nieuwe bron aangeboord, en die was voor de man – die man zonder gezicht en zonder naam – die haar zo had verwond.

Hij dacht dat hij die woede wel een beetje kwijt zou kunnen raken door later Ripleys boksbal tot moes te slaan.

'Vertel me eens over je familie,' stelde hij voor en bood haar zijn biertje aan. 'Je weet dat mijn moeder absoluut niet kan komen en dat mijn vader het leuk vindt om foto's met zijn nieuwe speeltje te nemen. Je weet dat ze hier op dit eiland opgroeiden, trouwden, en een paar kinderen kregen. En je hebt mijn zuster in levenden lijve leren kennen.'

'Mijn vader zat in het leger. Hij was luitenant-kolonel.'

'Ah, een soldatenkind.' Omdat ze nee schudde tegen het bier, nam hij zelf nog een slok. 'Je hebt dus wat van de wereld gezien, hè?'

'Ja, we zijn heel vaak verhuisd. Hij vond het altijd fijn om nieuwe orders te krijgen. Weer iets nieuws te doen te krijgen, denk ik. Hij was een goed mens, heel rustig ook, en hij had zo'n warme lach. Hij hield van de films van de Marx Brothers en van pindabrokjes. O god.'

Haar stem werd verstikt door verdriet en opende rauwe wonden in haar maag.

'Hij is er al zo lang niet meer en toch lijkt het net of het gisteren was. Ik begrijp dat niet.'

'Wanneer je van iemand houdt, blijft dat gevoel je bij. Ik moet nog steeds af en toe aan mijn grootmoeder denken.' Hij pakte Nells hand en hield die losjes vast. 'En wanneer dat gebeurt, kan ik haar nog steeds ruiken. Het lavendelwater en de pepermuntjes. Ze stierf toen ik veertien was.'

Hoe bestond het dat hij precies begreep hoe het voelde. Dat was wat hem zo magisch maakte, dacht ze. 'Mijn vader sneuvelde in de Golfoorlog. Ik dacht dat hij onoverwinnelijk was. Dat had hij altijd geleken. Iedereen zei dat hij een goed soldaat was, maar ik herinner me hem als een goede vader. Hij had altijd tijd om naar me te luisteren als ik hem iets wilde vertellen. Hij was eerlijk en rechtdoorzee, en had zijn eigen erecode die meer inhield dan alleen regels en voorschriften. Hij… god.' Ze draaide haar hoofd om en keek vol aandacht naar Zacks gezicht. 'Het dringt net tot me door hoeveel jij wel op hem lijkt. Hij zou je hebben gemogen, sheriff Todd.'

'Het spijt me dat ik nooit de kans heb gehad hem te leren kennen.' Hij draaide de telescoop naar haar toe. 'Neem eens een kijkje om te zien wat je allemaal ontdekt.'

Ze liet haar hoofd naar de lens zakken en keek naar de sterren. 'Je hebt me vergeven.'

'Laten we zeggen dat er wat vooruitgang is geboekt.'

'Gelukkig voor mij. Anders had Ripley me een schop onder mijn achterste gegeven.'

'En daar is ze heel goed in.'

'Ze houdt van je. Ik heb altijd een broer of een zus gewild. Mijn moeder en ik hadden een hechte band, en die werd denk ik nog hechter nadat we mijn vader hadden verloren. Ze was taai en slim en ze had altijd zoveel pret. Nadat ze weduwe was geworden heeft ze haar eigen bedrijf van de grond af opgebouwd. En ze heeft er een succes van gemaakt.'

'Ze lijkt op iemand die ik ken.'

Haar lippen krulden zich om. 'Mijn vader zei altijd dat ik op haar leek. Ik ben nu zoals ik vroeger was, Zack. De drie tussenliggende jaren weken daarvan af. De persoon die in die verloren jaren ben geweest, had je nooit herkend. Zelfs ik herken haar nauwelijks.'

'Misschien moest je die fase meemaken om de persoon te worden die je nu bent.'

'Misschien wel.' Het licht dat door de telescoop viel vormde een stralenkrans toen haar ogen vochtig werden. 'Het voelt net alsof ik altijd al hiernaartoe onderweg ben geweest. Bij al die verhuizingen in mijn jeugd keek ik steeds weer om me heen en dacht: Nee, dit is het niet. Nog niet. Maar die dag dat ik met de veerboot overstak en het eiland op het water zag drijven, wist ik het. Hier hoor ik thuis.'

Hij hief hun ineengeslagen handen op en drukte een kus op de rug van de hare. 'De dag dat ik je achter de toonbank in het café zag, wist ik het ook.'

Ze voelde de opwinding door haar arm omhoogschieten, recht in haar hart. 'Ik heb een last mee te dragen, Zack. Er zijn complicaties. Meer dan ik je kan zeggen. Jij betekent veel meer voor me dan ik ooit voor mogelijk had gehouden. Ik wil jouw leven niet met mijn narigheden verstoren.'

'Zoals de zaken er nu voorstaan is het veel te laat om je daar zorgen over te maken, Nell. Ik hou van je.'

Opnieuw voelde ze die opwinding door zich heen golven. 'Er is zoveel dat je nog niet weet, en elk onderdeel ervan zou je van mening kunnen doen veranderen.'

'Je hebt geen hoge dunk van waartoe ik in staat ben.'

'O jawel, dat heb ik wel. Goed.' Ze trok haar hand weg en stond op. Een crisis kon ze beter staande onder ogen zien. 'Er is nog iets wat ik je kan vertellen, maar ik verwacht niet dat je het zult begrijpen of accepteren.'

'Je bent een kleptomaan.'

'Nee.'

'Lid van een verboden splintergroepering.'

Ze wist een lachje op te brengen. 'Nee. Zack…'

'Wacht even, ik weet er nog een. Je bent een *Star Trek*-fanaat die alle dialogen van iedere aflevering uit je hoofd kent.'

'Nee, alleen die van de eerste episode van de originele afleveringen.'

'Nou, dat is dan niet zo erg. Goed, ik geef het op.'

'Ik ben een heks.'

'O, nou ja, dat wist ik al.'

'Ik gebruik dat niet als een eufemisme voor humeurigheid,' zei ze ongeduldig, 'ik bedoel het letterlijk. Betoveringen en amuletten en dat soort dingen. Zo'n heks.'

'Ja, dat had ik al begrepen na die nacht waarin je naakt op je eigen gazon danste en gloeide als een kaars. Ik heb mijn hele leven op de Three Sisters gewoond, Nell. Verwacht je nu echt dat ik verbijsterd ben, of dat ik mijn vingers zal kruisen om het kwaad af te weren?'

Ze wist niet zeker of ze nu opgelucht of teleurgesteld was om zijn reactie en keek hem fronsend aan. 'Ik had wel enige reactie verwacht.'

'Ik schrok er wel even van,' bekende hij. 'Maar ik maak Rip al mijn hele leven mee, waardoor het niet zo hard aankomt. Ze heeft natuurlijk al jarenlang niets meer van dat soort dingen willen weten. Als je me had verteld dat je een of andere liefdesbetovering over me had afgeroepen, had ik dat misschien wel een beetje vervelend gevonden.'

'Dat heb ik natuurlijk niet gedaan. Ik zou niet eens weten hoe dat moest. Ik ben nog steeds… aan het leren.'

'Een leerlingheks, dus.' Hij moest om hen beiden lachen en stond op. 'Ik neem aan dat het niet te lang zal duren voordat Mia je in model heeft gekregen.'

Was er dan niets dat die man kon verbazen. 'Een paar avonden geleden heb ik de maan naar beneden gehaald.'

'Wel verdorie, wat bedoel je daar nu mee? Nee, laat maar, ik ben niet zo goed in metafysische zaken. Ik ben een eenvoudig mens, Nell.' Hij liet zijn handen op en neer over haar armen glijden waarmee hij haar altijd weer wist op te winden en tegelijkertijd te troosten.

'O nee, dat ben je niet.'

'Eenvoudig genoeg om te weten dat ik hier bij een mooie vrouw sta zonder gebruik te maken van de maneschijn.' Hij liet zijn mond naar de hare dalen en trok haar omhoog om haar uitgebreid te kussen.

Toen haar hoofd in overgave achterover zakte en haar armen zich om zijn hals wikkelden, draaide hij haar om naar de glazen deur.

'Ik wil met je naar bed. Mijn bed. Ik wil de liefde met je bedrijven – met het soldatenkind dat op haar moeder lijkt.' Hij schoof de deur opzij en trok haar mee naar binnen. 'Ik hou echt van je.'

Hier, dacht ze, toen ze zich op het bed lieten zakken, hier ligt de waarheid. En medeleven. En die zou hij haar allebei geven, samen met het verlangen en met de behoefte. Iedere keer dat hij haar aanraakte, en die opwindende scheutjes, die zachte, golvende kwellinkjes, die waren zó welkom.

Het vurige verlangen dat ze thuis had gevoeld, werd bevredigd.

Langzaam en innig bewoog ze met hem mee. Ze stelde haar hart en haar lichaam voor hem open.

Haar huid leek onder de aanraking van zijn vingers te zingen. Het trage trekken in haar buik deed haar zuchten. Toen haar mond de zijne weer vond, legde ze alles wat ze had in de kus. Wat ze hem niet in woorden kon geven, kon ze hem hier schenken. Met haar hart, en met haar lichaam.

Hij liet zijn lippen over haar schouder gaan, volgde de lijnen, en verbaasde zich over de stevige spieren en de tere botten. Haar te proeven maakte hem dronken, het was een smaak die hij net zo nodig had als zijn volgende ademtocht.

Hij vond haar borsten en verwende ze met zijn lippen en tanden en tong totdat haar hart als de eindeloze golfslag van de zee onder zijn mond begon te bonzen. En toen haar hart sneller begon te slaan rees ze met een enkele ademloze zucht onder hem op.

Hij bewoog zich ongehaast omlaag, hier een zachte streling met zijn vingers, daar een lichte aanraking met zijn mond. Hij voelde haar onder zich trillen terwijl zijn eigen bloed hard en fel klopte. Hij had haar nodig.

Haar handen grepen het laken beet toen hij haar heupen optilde en zijn mond naar beneden bracht. Met meedogenloos geduld bracht hij haar tot een climax waarbij ze het uitschreeuwde.

Haar adem kwam in snikjes, haar huid was glad en vochtig toen ze met hem over de verwarde lakens rolde. De hitte steeg ten top en leek in de lucht en onder haar huid te kloppen totdat haar lichaam als een oververhitte kachel aanvoelde.

'Zack…'

'Nog niet. Nog niet.'

Hij snakte naar haar, naar de smaak van haar huid, en haar dringende handen. In het vale licht van de maan dat door de ruiten naar binnen viel zag haar lichaam er onaards uit, wit marmer dat erotisch heet aanvoelde onder zijn aanraking, en dat glom van het gezonde zweet van de wellust.

Toen hij zijn tanden in haar hals zette, voelde het alsof hij werd gevoed. Haar mond bewoog zich wild, haar lichaam ging als een razende tekeer. En toen zijn vingers haar meedogenloos over de rand dreven, schreeuwde ze het door de schok van genot weer uit.

Ze bewoog zich bliksemsnel, totaal onbeheerst en met haar verstand op nul, en ging schrijlings op hem zitten. Ze had durven zweren dat het bed in korte, heftige kringetjes ronddraaide. Hijgend nam ze hem in zich op, bereed hem en dreef hem naar de climax zoals hij eerder met haar had gedaan. Ze boog zich naar hem toe, kuste hem hartstochtelijk en wierp zich toen met de armen achter haar hoofd gebogen naar achteren. Door de kracht die door haar lijf schoot, leek ze te vliegen.

Hij stak zijn handen naar haar uit maar zijn vingers gleden hulpeloos van haar heftig bewegende heupen. Zijn bloed kookte, zijn hoofd tolde. Heel even kon hij alleen haar ogen zien, vlammend blauw en fonkelend als juwelen.

Hij kwam omhoog, perste zijn mond op haar hart, en de hele wereld versplinterde.

14

ipley zette de patrouillewagen langs de kant en keek naar Nell die haar auto uitpakte. De zon was al onder en vanwege de kou die met een gemene noordooster over het eiland was gevallen zaten de toeristen die er nog waren lekker in hun hotel iets warms te drinken.

De meeste inboorlingen zouden nu heel verstandig voor de tv zitten of aan het avondeten. Zelf had ze daar eigenlijk ook wel zin in.

Maar na die avond dat Nell aan de deur was gekomen, had ze nog geen gesprek onder vier ogen met haar gehad.

'Je begint veel te laat of juist erg vroeg,' riep Ripley naar haar.

Nell tilde de doos op en dook diep weg in het met fleece gevoerde jack dat ze bij een postorderbedrijf op het vasteland had besteld. 'Ik begin voor de tweede keer. De boekenclub van Mia is terug van het zomerreces. Vanavond hebben ze de eerste bijeenkomst.'

'O ja.' Ripley stapte uit. Ze droeg een oud, geliefd vliegeniersjack en hoge schoenen. Haar zomerhonkbalpetje was vervangen door een zwarte wollen muts. 'Moet ik je een handje helpen?'

'Dat sla ik niet af.' Blij dat er niets meer van animositeit was te bespeuren, wees Nell met haar elleboog naar de tweede doos. 'Hapjes voor de bijeenkomst. Ga jij ook?'

'Geen sprake van.'

'Hou je niet van lezen?'

'Jawel, ik hou wel van lezen, maar niet van groepen. Groepen bestaan meestal uit leden,' verklaarde ze zich nader. 'En leden zijn meestal mensen. Zo zit dat.'

'Het zijn mensen die je kennen,' wees Nell haar terecht.

'Wat mijn mening alleen maar verstevigt. Deze groep bestaat uit een stelletje hennen die net zoveel bezig zullen zijn met pikken aan de laatste roddels als aan het bespreken van het boek dat ze dit keer hebben uitgekozen als excuus om een avondje de deur uit te kunnen.'

'Hoe weet je dat als je geen lid bent van die club?'

'Laten we maar zeggen dat ik een zesde zintuig voor dat soort dingen heb.'

'Jij je zin.' Nell legde haar doos iets rechter terwijl ze naar de achteringang liepen. Ondanks het weer stond Mia's salvia er nog net zo rood en fleurig bij als in juli. 'Wil je daarom niets van de Leer weten? Omdat het net is alsof je bij een clubje hoort?'

'Dat zou al reden genoeg zijn. Daar komt nog eens bij dat het me niet bevalt dat ik de regels zou moeten volgen van wat driehonderd jaar voor mijn geboorte is begonnen.'

Een windvlaag blies haar paardenstaart als een dikke zweep naar achteren. Ze negeerde het, net als de kille vingers die onder haar jack probeerden te glippen. 'Ik vind dat je alles moet en kunt afhandelen zonder gekakel boven een kookpot, en het staat me ook niet aan dat men zich gaat afvragen of ik misschien met mijn zwarte puntmuts op op mijn bezemsteel kom langsvliegen.'

'Met die eerste twee ben ik het wel eens, maar die laatste twee slaan nergens op. Ik heb Mia nog nooit boven een kookpot of waar dan ook horen kakelen, en ik heb nog nooit iemand naar haar zien kijken alsof ze verwachten dat ze elk moment op haar bezemsteel kan springen.'

'Het zou me niks verbazen als ze dat wel deed.' Ripley liep met grote stappen de winkel in en knikte naar Lulu. 'Lu.'

'Rip.' Lulu ging gewoon door met het klaarzetten van de klapstoelen. 'Kom je er vanavond ook bij?'

'Treedt Holiday On Ice in de hel op?'

'Niet dat ik weet.' Ze snoof de lucht op. 'Ruik ik gemberbrood?'

'In één keer goed,' zei Nell tegen haar. 'Moeten de hapjes op een bepaalde manier worden klaargezet?'

'Jij bent de expert. Mia is nog boven. Als jouw manier haar niet bevalt, zal zij het je wel zeggen.'

Nell droeg de doos naar de tafel die al klaarstond. Ze had wat gaatjes in Lulu's omhulsel weten te prikken, maar ze moest er nog steeds helemaal doorheen zien te komen. Het was zo onderhand een persoonlijke uitdaging geworden, moest ze toegeven.

'Denk je dat ik een deel van de discussie kan bijwonen?'

Lulu keek haar met toegeknepen ogen over de rand van haar bril aan. 'Heb je het boek gelezen?'

Verdorie. Nell haalde het bord met gemberbrood het eerst uit de doos in de hoop dat de geur ervan haar kansen zouden vergroten. 'Nou nee. Ik heb pas vorige week van de club gehoord, en…'

'Iedereen kan wel een uur per dag aan lezen besteden, hoe druk je ook bent.'

'Hou op met zo krengerig te doen, Lulu.'

Bij Ripleys opmerking viel Nells mond open, maar ze waagde een zijdelingse blik en zag dat Lulu er met een vrolijke grijns op reageerde.

'Dat kan ik niet. Dat zit in mijn botten.' En met haar duim naar Ripley wijzend: 'Als die daar blijft, kun jij ook blijven.'

'Ik voel er niks voor om met een stelletje vrouwen over een boek te kletsen en wie met wie slaapt en dat niet zou moeten doen. Bovendien heb ik nog niet gegeten.'

'Het café is nog tien minuten open,' hield Lulu haar voor. 'Lekkere erwtensoep met ham vandaag, en het zal je goeddoen om eens wat tijd met vrouwen door te brengen. Kun je je eigen vrouwzijn eens nader onderzoeken.'

Ripley snoof luidruchtig. Maar de soep trok haar enorm aan – of feitelijk elk eten dat ze niet zelf hoefde klaar te maken. 'Mijn innerlijke vrouw hoeft niet te worden onderzocht. Ze is door en door gemeen. Maar ik zal die soep eens gaan proberen.'

Ze slenterde naar de trap. 'Misschien blijf ik wel een minuutje of twintig,' riep ze over haar schouder. 'Maar in dat geval wil ik als eerste een snee van dat gemberbrood.'

'Lulu?' Nell legde stervormige koekjes op een glazen bord.

'Wat?'

'Ik wil jou best krengerig noemen als dat ons als mensen die hun innerlijke vrouwzijn naspeuren, nader tot elkaar brengt.'

Lulu snoof op haar beurt luidruchtig. 'Je bent niet op je mondje gevallen als je dat zo uitkomt. Je doet je werk en je houdt je woord. Daarmee kom je bij mij een heel eind.'

'En bovendien bak ik heerlijk gemberbrood.'

Lulu liep naar haar toe en nam een snee. 'Dat zal ik wel beoordelen. Zorg jij maar dat je voor de volgende bespreking het boek voor oktober leest.'

Nells kuiltjes kwamen te voorschijn. 'Dat zal ik zeker doen.'

Boven zat Ripley Peg dwars door vlak voor sluitingstijd om een kop soep te vragen.

'Ik heb een afspraakje, dus als je het niet op hebt voordat ik weg mag, zul je zelf de kom moeten afwassen.'

'Ik kan hem in de gootsteen smijten, want dat zou jij ook doen, en dan kan Nell hem morgenochtend afwassen. Geef me er maar een warme chocolademelk bij. Ga je met Mick Burmingham op stap?'

'Dat klopt. We blijven gezellig thuis met ons eigen video-festival. We gaan *Scream I, II en III* kijken.'

'Wat sexy. Als je weg wilt, zal ik het niet aan Mia verraden.'

Peg aarzelde geen seconde. 'Bedankt.' Ze deed haar schort af. 'Ik ga ervandoor.'

Dankbaar dat ze het café voor zichzelf had, ging Ripley zitten om in gezegende stilte van haar soep te genieten. Haar blijdschap verdween nog geen minuut later toen ze Mia's hoge hakken op de vloer hoorde klikken.

'Waar is Peg?'

'Ik heb haar weggestuurd. Ze had een heftig afspraakje.'

'Het staat me niet aan dat jij mijn personeel toestemming geeft om vroeger weg te gaan. Het café sluit pas over vier minuten, en in haar taakomschrijving staat dat ze na afloop van haar werktijd de uitstalkast, de toonbank en de keuken schoonmaakt.'

'Nou, ik heb haar weggestuurd, dus moet je mij maar op m'n donder geven in plaats van haar.' Ze bleef geïntrigeerd naar Mia kijken terwijl ze ondertussen haar soep opat.

Het gebeurde maar zelden dat ze de koele ms. Devlin zo verhit en opgejaagd te zien kreeg. Ze stond de halsketting van de amulet in elkaar te draaien en bleef eraan plukken toen ze naar de uitstalkast liep en van kwaadheid begon te sissen.

'Er zijn overheidsvoorschriften ten aanzien van het schoonhouden van de ruimten waar voedsel wordt geserveerd. Aangezien jij zo'n royaal gebaar naar Peg hebt gemaakt, kun je dit hier verdomme zelf gaan schoonboenen.'

'Ammehoela,' mompelde Ripley maar het vleugje schuld dreigde wel haar trek om zeep te helpen. 'Wat zit jou dwars?'

'Ik heb een zaak waarvoor meer is vereist dan met grote passen door het dorp te lopen en er verwaand uit te zien, wat jouw specialiteit is.'

'Naai jij jezelf maar, Mia. Misschien krijg je dan een wat beter humeur.'

Mia had meteen een weerwoord. 'In tegenstelling tot sommigen hier is naaien voor mij niet de oplossing voor alles wat me maar even dwarszit.'

'Als jij de ijskoningin wilt spelen omdat Sam Logan jou heeft gedumpt, is dat jouw…' Ripleys stem stierf weg en ze walgde van zichzelf toen ze zag dat Mia vuurrood werd. 'Sorry. Dat had ik niet mogen zeggen. Foutje.'

'Laat maar.'

'Wanneer ik iemand verrot sla, dan bied ik mijn excuses aan. Ook al kwam je hier binnen met een gezicht alsof je ruzie zocht. Ik ga zelfs niet eens alleen mijn excuses aanbieden, ik ga je ook nog vragen wat er mis is.'

'Alsof jou dat iets kan verdommen.'

'Normaal gesproken niet, nee. Maar normaal gesproken zie ik jou ook niet zo van streek. Wat is er nu aan de hand?'

Ze waren ooit vriendinnen geweest, dikke vriendinnen zelfs. Als zusjes. Daarom viel het Mia moeilijker om te gaan zitten en haar hart te luchten dan wanneer Ripley een vreemde was geweest.

Maar het woog zwaarder dan ruzie en wrok. Ze ging tegenover Ripley zitten en liet haar ogen zakken. 'Er zit bloed op de maan.'

'Om hemels…'

Voordat Ripley haar zin kon afmaken, schoot Mia's hand uit en greep haar bij de pols. 'Er komt narigheid, grote narigheid. Een duistere macht. Je kent me goed genoeg om te weten dat ik dat niet zou zeggen, dat ik het al helemaal niet tegen jou zou zeggen als ik er niet absoluut zeker van was.'

'En jij kent me goed genoeg om te weten hoe ik over voortekenen denk.' Maar ondertussen kroop een koude rilling over haar rug.

'Het komt als de bladeren zijn afgestorven, maar voor de eerste sneeuw. Dat weet ik ook heel zeker, maar ik kan niet zien wat het is of waar het vandaan komt. Er is iets dat me het uitzicht ontneemt.'

Het verontrustte Ripley dat Mia's ogen zo donker werden. Dan leek het alsof ze duizend jaar oud waren. 'Als er narigheid op het eiland komt, zullen Zack en ik er wel mee afrekenen.'

'Daar zal meer voor nodig zijn, Ripley. Zack houdt van Nell en jij houdt van hem. Zij vormen het middelpunt. Dat voel ik. Als jij je niet wilt buigen, zal er iets breken. Iets dat geen van ons meer recht zal kunnen zetten. Ik kan niet in mijn eentje doen wat er gedaan moet worden, en Nell is nog niet zover.'

'Ik kan je daar niet bij helpen.'

'Je wilt niet.'

'Kan niet of wil niet, het komt op hetzelfde neer.'

'Ja, dat klopt,' zei Mia waarna ze opstond. Er was geen boosheid in haar ogen te bespeuren; daartegen zou ze het gemakkelijk hebben kunnen opnemen. Nee, er was vermoeidheid in te zien. 'Als je ontkent wat je bent, dan verlies je wat je bent. Ik hoop van harte dat je er geen spijt van krijgt.'

Mia liep de trap af om de boekenclub te begroeten en met het dagelijkse leven verder te gaan.

Ripley, alleen gebleven, liet haar kin op haar gebalde hand rusten. Ze voelde zich schuldig, dat was alles. Wanneer Mia geen venijnige pijltjes op haar afvuurde, legde ze dikke, kleverige plakken schuld op haar schouders. Daar trapte Ripley niet in. Als er echt een waas over de maan lag, had het iets met atmosferische storingen van doen en niets met haar.

Ze zou de voortekenen maar aan Mia overlaten, die genoot van dat soort dingen.

Ze had vanavond niet binnen moeten komen, ze had zichzelf niet in de positie moeten brengen waarin Mia had kunnen proberen haar vast te nagelen. Het enige wat ze deden was elkaar ergeren. Zo ging het al tien jaar lang.

Maar niet altijd.

Ze waren vriendinnen geweest, vrijwel onafscheidelijk, totdat ze bijna volwassen waren. Ripley herinnerde zich dat haar moeder hen hartstweelingen had genoemd. Ze hadden alles met elkaar gedeeld, en dat was misschien wel het hele probleem geweest.

Het was een natuurlijke gang van zaken dat bij het ouder worden de interesses meer en meer uit elkaar kwamen te liggen, en het was net zo gewoon dat jeugdvriendinnen uit elkaar dreven. Niet dat zij en Mia uit elkaar waren gedreven, moest ze toegeven. Het was meer een zwaardslag dwars door hun vriendschap geweest. Abrupt en heftig.

Maar het was haar goed recht haar eigen weg te gaan. Ze had groot gelijk gehad haar eigen weg te gaan. En ze was niet van plan om nog op haar schreden terug te keren, alleen maar omdat Mia zich over een stomme atmosferische storing zenuwachtig maakte.

Zelfs als Mia gelijk had en er inderdaad narigheid op til was, zou dat met de regels en de verplichtingen van de wet worden afgehandeld, en niet met betoveringen.

Ze had de spullen van haar jeugd weggestopt, die speeltjes en hulpmiddelen waarvoor ze geen enkele belangstelling meer had. Dat was verstandig geweest, volwassen. Wanneer de mensen nu naar haar keken, zagen ze Ripley Todd, deputy, een vrouw met verantwoordelijkheidsgevoel, iemand op wie je kon rekenen, een vrouw die haar werk deed; ze zagen niet een of andere vage eilandpriesteres die een drankje voor ze zou brouwen om hun seksleven wat op te peppen.

Geërgerd omdat zelfs haar gedachten verdedigend en hatelijk klonken pakte ze de spullen van tafel en bracht ze naar de keuken. Ze voelde zich nog net schuldig genoeg om alles af te spoelen en in de vaatwasser te doen en om de gootsteen uit te boenen.

Daarmee had ze haar schuld betaald, vond ze.

Beneden hoorde ze stemmen, allemaal van vrouwen, vanuit de voorkant van de winkel komen waar de boekenclub zich had verzameld. Ze kon de wierook ruiken die Mia had aangestoken, een geur die bescherming moest geven. Ripley glipte de achterdeur uit. Zelfs geen horde stoomwalsen had haar op dit moment naar die bende vrouwen kunnen drijven.

Vlak buiten de achterdeur zag ze de dikke zwarte kaars branden, een betovering om boosaardigheid af te weren. Ze wilde er al snerend naar kijken, maar haar blik werd omhooggetrokken.

De afnemende maan was in een dunne, bloederige nevel gehuld.

Omdat ze geen snerende blik meer kon opbrengen, stak ze haar handen in de zak van haar jack en bleef naar haar schoenen kijken toen ze naar haar auto liep.

ↄ ↄ ↄ

Toen de laatste clubleden de deur uit waren, deed Mia die op slot. Nell was de borden en servetten al aan het afruimen en Lulu sloot de kassa af.

'Dat was leuk!' Het aardewerk maakte vrolijke tinkelende geluidjes toen Nell de koffiekopjes opstapelde. 'En heel interessant. Ik heb nog nooit op die manier een boek besproken. Iedere keer als ik lees, dan denk ik alleen dat ik het leuk vond, of juist niet, maar ik heb nog nooit met een ander over de reden gesproken. En ik beloof je dat ik het boek voor de volgende maand zal lezen zodat ik ook iets kan bijdragen.'

'Ik zorg wel voor de vaat, Nell. Je zult wel moe zijn.'

'Nee, echt niet.' Nell tilde een volgeladen blad op. 'Er was hier vanavond zoveel energie. Het lijkt net alsof ik die heb opgeslurpt.'

'Wacht Zack niet op je?'

'Nee, vanavond niet. Ik zei dat ik vanavond wilde proberen onuitgenodigd aan de bespreking deel te nemen.'

Lulu wachtte tot Nell boven was. 'Wat is er aan de hand?' vroeg ze Mia.

'Dat weet ik niet precies.' Mia begon de klapstoelen op te ruimen om maar iets om handen te hebben. 'Dat baart me nog de meeste zorgen. Er is iets op komst, maar ik weet niet wat. Vanavond is er nog niets aan de hand.' Ze keek even naar boven toen ze de stoelen naar de opslagruimte bracht.

'Het draait om haar.' Lulu zette ook een stel stoelen weg. 'Dat heb ik denk ik al die tijd al geweten, ook al heb ik haar eigenlijk nooit met rust gelaten. Maar het is een feit dat het een lieve meid is en dat ze hard werkt. Wil iemand haar iets aandoen?'

'Dat is al gebeurd, en ik ben niet van plan het nog eens te laten gebeuren. Ik zal een voorspelling proberen, maar daarop moet ik me voorbereiden. Ik moet mijn gedachten klaren. We hebben nog tijd. Ik weet niet hoeveel, maar het moet genoeg zijn.'

'Ga je het haar vertellen?'

'Nu nog niet. Ze zal haar eigen voorbereidingen moeten maken, en haar eigen reinigingen uitvoeren. Ze is verliefd, en dat geeft haar kracht. Die zal ze ook nodig hebben.'

'Wat maakt jou dan zo sterk, Mia?'

'Het doel. Liefde heeft voor mij nooit gewerkt.'

'Ik heb gehoord dat hij in New York zit.'

Mia haalde haar schouders op. Ze wist over wie Lulu het had, en het ergerde haar dat Sam Logan haar twee keer op een avond voor de voeten was geworpen. 'Het is een grote stad,' zei ze vlak. 'Hij zal meer dan genoeg gezelschap hebben. Ik wil dit afmaken en naar huis gaan. Ik moet slapen.'

'Achterlijke vent,' mopperde Lulu binnensmonds. Volgens haar waren er veel te veel achterlijke kerels op aarde. En de meesten liepen uiteindelijk tegen een koppige vrouw op.

ᙦ ᙦ ᙦ

Eigenlijk, vond Nell, waren betoveringen net een soort recepten. En dat was vertrouwd terrein voor haar. Om van een recept een succes te maken, had je tijd, zorgvuldigheid en eersteklas ingrediënten nodig, en alles in de juiste verhouding.

Tussen haar werkzaamheden en de administratie nam ze wat tijd vrij om in het boek met betoveringen te lezen dat Mia haar had geleend. Ze dacht dat Mia het wel grappig zou vinden dat ze het als een soort metafysisch kookboek beschouwde. Ze dacht niet dat ze het beledigend zou vinden.

Dan moest ze ook nog tijd zien te vinden om te mediteren en te visualiseren, en om haar eigen hulpmiddelen te verzamelen of te maken opdat haar provisiekast van heksenwerktuigen, zoals ze die graag noemde, goed gevuld zou zijn.

Maar nu was ze van plan zichzelf te belonen met haar eerste solo oefeningssessie.

'Liefdesbetoveringen, verbanningsbetoveringen, beschermingsbetoveringen,' reciteerde ze terwijl ze door het boek bladerde. 'Bindende betoveringen, geldbetoveringen, helende betoveringen.'

Voor elk wat wils, dacht ze en herinnerde zich Mia's waarschuwing dat ze voorzichtig moest zijn met haar wensen. Een onzorgvuldige of zelfzuchtige wens kon op onaangename of in ieder geval onverwachte wijze als een boemerang naar je terugkeren.

Ze zou het eenvoudig houden en iets kiezen dat op niemand betrekking had en niet per ongeluk pijn of narigheid kon veroorzaken.

Eerst pakte ze haar bezem om er de negatieve energie mee de deur uit te vegen. Daarna zette ze hem naast de keukendeur om te voorkomen dat er weer wat van naar binnen zou glippen. Terwijl Diego tussen haar benen door slalomde, koos ze de kaarsen uit en graveerde er de passende symbolen in. Ze kwam tot de slotsom dat ze alle hulp die maar voorhanden was zou kunnen gebruiken, en koos daarom wat kristallen uit om de energie nog wat te versterken. Ze legde ze neer bij de pot met door de vorst aangetaste geraniums die ze bij Zacks voordeur had weggenomen.

Ze blies haar adem uit en ademde frisse lucht in.

Ze richtte zich op de helende betovering die Mia in Oost-Indische inkt op perkament had geschreven, deed haar ogen dicht, en paste in gedachten de woorden aan om haar doel te bereiken.

'Daar gaan we dan,' fluisterde ze.

'Deze beschadigde plant probeer ik te helen zodat zijn verwelkte bladeren weer nieuwe schoonheid zullen krijgen. Eh… zijn bloeitijd was te snel afgelopen, want zijn kleur brengt vreugde aan allen en doet niemand kwaad. Maak de bloem daarbinnen vrij. Zoals ik wil, zo zal het zijn.'

Ze beet op haar lip en ging staan wachten. De geranium bleef koppig en zielig in zijn pot staan. Nell boog zich eroverheen in de hoop iets van groen te bespeuren.

Daarna ging ze weer rechtop staan. 'Verdikkeme, ik ben kennelijk nog niet zover dat ik het alleen kan.'

Maar misschien zou ze het nog eens moeten proberen. Ze moest het voor zich zien, ze moest de plant weelderig en vol en bloeiend voor haar ogen zien. Ze moest de bladeren en bloemblaadjes ruiken en er haar energie in gieten. Of was het nu de energie van de plant? Hoe dan ook, ze zou een heks van niks zijn als ze het al na een poging opgaf. Ze deed haar ogen dicht en begon opnieuw, maar ze slaakte een kreetje van schrik toen er hard op de achterdeur werd geklopt. Ze draaide zich zo snel om dat ze Diego halverwege de kleine kamer schopte, waarna hij met een plof neerkwam en zichzelf begon te wassen alsof dat aldoor al de bedoeling was geweest.

Grinnikend deed Nell de deur open en zag Ripley staan.

'Ik reed langs en zag het kaarslicht. Problemen met de elektriciteit?' Tegelijkertijd keek ze langs Nell heen de kamer in en zag de rituele kaarsen op tafel staan. 'O.'

'Ik was aan het oefenen en op het resultaat afgaand moet ik dat nog heel wat keren doen. Kom binnen.'

'Ik wil je niet storen.' Vanaf de avond van de bijeenkomst van de boekenclub had ze er een gewoonte van gemaakt om iedere avond even bij haar langs te gaan of ten minste langs te rijden. 'Is dat niet die dode plant van onze voorveranda?'

'Hij is nog niet dood, maar het scheelt niet veel. Ik heb Zack gevraagd of ik mocht proberen hem weer tot leven te wekken.'

'Probeer je dode geraniums te betoveren? Meid, je slaat me echt met stomheid.'

'Ik dacht dat als ik me ergens mee vergiste, het tenminste niemand kwaad zou kunnen doen. Wil je thee? Ik heb net een pot gezet.'

'Ach ja. Zack zei dat ik je moest zeggen dat hij langs zou komen als hij klaar was. Er was een dronkaard die rotzooi trapte,' zei ze verder. 'Minderjarige knul. Hij heeft het hele six-pack uitgekotst dat hij uit de koelkast van zijn ouders had gejat. Zack brengt hem naar huis.'

'Ken ik hem?'

'De oudste van de Stubens. Zijn vriendin heeft het gisteren met hem uitgemaakt dus besloot hij zijn verdriet in het bier van pappa te verdrinken. Aangezien hij als gevolg daarvan zo ziek als een hond werd, denk ik dat hij de volgende keer wel iets anders zal zoeken om er zijn gebroken hart mee te helen. Wat ruik ik?'

'Ik ben een lendenstuk van het varken aan het braden. Je mag best blijven eten.'

'Ik ga liever niet toekijken hoe jullie tweeën elkaar met kalverogen zitten aan te staren. Maar ik zou het niet erg vinden als je Zack wat mee naar huis gaf.'

'Met alle plezier.' Ze gaf Ripley een kop thee. 'Maar we zitten elkaar heus niet met kalverogen aan te kijken.'

'Wel waar.'

Nell haalde een bord met kleine hapjes uit de koelkast.

'Goeie genade, eten jullie elke avond zulk soort dingen?' vroeg Ripley.

'Ik oefen op Zack.'

'Die mazzelaar.' Ripley hielp zichzelf aan een stukje bruschetta. 'Alles wat hij niet lust mag je naar mij sturen. Dan laat ik je wel weten of het goed is.'

'Heel aardig van je. Probeer eens zo'n gevulde paddestoel. Zack wil er zijn vingers niet aan vuil maken.'

'Hij weet niet wat hij mist,' verkondigde Ripley na een hapje. 'Dat catering-gedoe loopt aardig, hè?'

'Inderdaad.' Maar Nell droomde van een convectie-oven en een vriezer die onder de achttien graden kwam. Die zou absoluut niet in haar kleine cottagekeuken passen en heel onpraktisch zijn, hield ze zichzelf voor. En op dit moment ook buiten het bereik van de financiën van Sisters Catering. 'Voor een doop op zondag ga ik sandwiches en cake maken.'

'Voor de nieuwe baby van de Burminghams zeker.'

'Ja. En Lulu's zuster komt volgende week met haar gezin uit Baltimore over. Lulu wil ze groots onthalen. Er is wat onenigheid tussen de zusters.' Nell wees met haar duim naar de oven. 'Ik ga die varkenslende voor haar bereiden, vandaar dat ik het eerst wilde uitproberen.'

'Lulu pakt wel uit. Normaal knijpt ze een penny zo uit dat Lincoln begint te janken.'

'We hebben iets geregeld, een ruil. Zij gaat een paar truien voor me breien. Die kan ik de komende winter goed gebruiken.'

'Er is warmer weer voorspeld. Voor de winter krijgen we nog een mooie nazomer.'

'Hopelijk heb je gelijk.'

'En…' zei Ripley die zich bukte en Diego oppakte. 'Hoe gaat het tegenwoordig met Mia?'

'Prima. Ze lijkt de laatste tijd een beetje afwezig.' Nell trok haar wenkbrauwen op. 'Waarom vraag je dat eigenlijk?'

'Zomaar. Ze is zeker al plannen aan het maken voor Halloween. Daar leeft ze zich altijd helemaal in uit.'

'In de week voor de eerste gaan we de winkel versieren. Ze hebben me gewaarschuwd dat alle kinderen Café Boek aandoen voor de traktaties.'

'Geen mens kan toch zeker snoepjes van een heks aan zijn neus voorbij laten gaan.' Ze krieuwelde Diego even snel tussen de oren voordat ze hem weer op de grond zette. 'Zack zal zo wel komen. Ik wil die pot wel buiten zetten als je…' Haar stem zakte weg toen ze opzij keek.

Een weelde aan vuurrode bloemblaadjes zat aan gezond uitziende groene takken. 'Krijg nou wat!'

'Het is me gelukt! Het werkte! O! O!' In een sprong was Nell bij de tafel en begroef naar neus in de bloemen. 'Ik kan het niet geloven. Ik wilde het natuurlijk graag geloven, maar ik had nooit gedacht dat het me zou lukken. Niet in mijn eentje. Zijn ze niet prachtig?'

'Ja, lang niet gek.'

Ze wist precies hoe het voelde, die stortvloed van macht, die gigantische opwinding. Het plezier, hoe klein of hoe groot ook. Ripley voelde een echo uit het verleden toen Nell de pot hoog boven haar hoofd hief en een rondedansje maakte.

'Het zijn niet allemaal bloemen en manestralen, Nell.'

'Wat is er gebeurd?' Nell liet de pot zakken en wiegde die alsof het een baby was. 'Wat is er gebeurd dat je zo'n afkeer hebt van wat jij bezit?'

'Ik heb er geen afkeer van. Ik wil het gewoon niet.'

'Ik ben machteloos geweest. Dit is een stuk beter.'

'Niet het tot leven brengen van dode bloemen maakt wat uit. Jezelf in bescherming nemen, dat maakt wat uit. Je had geen boek vol betoveringen nodig om erachter te komen hoe je dat moest doen.'

'Het een hoeft het ander niet uit te sluiten.'

'Misschien niet. Maar het leven is een verdomd stuk gemakkelijker wanneer dat wel het geval is.' Ze liep naar de deur en deed die open. 'En verlies je kaarsen niet uit het oog.'

&cz; &cz; &cz;

Tegen de tijd dat Zack kwam, had Nell de tafel afgeruimd en gedekt. De hele keuken rook naar gebraden vlees en de lucht van de kaarsen.

Ze vond het heerlijk hem met die grote stappen door de keukendeur binnen te horen komen. En zoals hij bleef staan om zijn voeten op de mat te vegen. De vleug koude lucht die hij binnenliet wanneer hij de deur opendeed. En het ongedwongen lachje waarmee hij haar aankeek terwijl hij op haar afkwam en door bleef lopen tot zijn mond de hare bedekte.

'Het werd later dan ik had gedacht.'

'Het geeft niet. Ripley kwam langs en vertelde dat je later zou komen.'

'Dan heb ik deze zeker niet nodig.' Hij haalde een bos anjers achter zijn rug vandaan.

'Jij niet, maar ik wel.' Ze pakte ze aan. 'Dank je. Ik vond dat we die Australische wijn eens moesten proberen waarover ik heb gelezen. Wil jij hem openmaken?'

'Prima.' Hij draaide zich om, deed zijn jack uit en hing het aan de kapstok in de keuken. Zijn blik viel op de pot geraniums die ze in de vensterbank voor het keukenraam had gezet. 'Dat heb je zeker niet met mest voor elkaar gekregen?'

'Nee.' Ze vlocht haar vingers om de stelen van de anjers in elkaar. 'Nee. Vind je dat vervelend?'

'Maakt me niet uit. Maar erover praten of weten dat het er is, dat is heel iets anders dan het zien.' Hij kende de weg in haar keuken en trok een la open om er een kurkentrekker uit te halen. 'Maar dat wil nog niet zeggen dat je elk rimpeltje voor me moet gladstrijken.'

'Ik hou van je, Zack.'

Met de kurkentrekker in de ene hand en een fles wijn in de andere bleef hij stokstijf staan. Door emoties overmand kon hij zich ineens niet meer bewegen.

'Het is heel moeilijk geweest om te wachten tot je dat tegen me zou zeggen.'

'Ik kon het niet eerder zeggen.'

'Waarom nu wel?'

'Omdat jij anjers voor me hebt meegebracht. Omdat ik niet elk rimpeltje voor je glad hoef te strijken. Omdat er zoveel in me opwelt en zucht wanneer ik je door mijn deur binnen hoor komen. En omdat liefde de belangrijkste magie is. Ik wil de mijne aan jou schenken.'

Hij zette de wijn en de kurkentrekker zorgvuldig weg en liep naar haar toe. Zijn handen streelden zachtjes haar wangen en gleden toen in haar haar. 'Ik heb mijn hele leven op jou gewacht.' Teder kuste hij haar voorhoofd en wangen. 'Ik wil de rest van mijn leven met jou doorbrengen.'

Ze negeerde het samenballen in haar buik en concentreerde zich op de vreugde. 'Laten we elkaar het nu geven. Iedere minuut is kostbaar.' Ze legde haar hoofd op zijn schouder. 'Iedere minuut telt.'

15

*E*van Remington dwaalde door de smaakvolle kamers van zijn huis in Monterey. Verveeld en rusteloos bekeek hij zijn bezittingen. Ze waren stuk voor stuk met zorg uitgekozen, door hem persoonlijk of door een binnenhuisarchitect die zijn instructies volgde.

Hij had altijd precies geweten waar zijn voorkeur naar uitging, en precies geweten wat hij wilde. Hij had er altijd voor gezorgd dat hem dat ook gelukt was. Wat het ook kostte, hoeveel inspanning het ook vergde.

Alles om hem heen weerspiegelde zijn smaak, een smaak die werd bewonderd door collega's, vrienden en iedereen wiens doel het was om in een van de beide categorieën te vallen.

En alles stond hem tegen.

Hij overwoog of een veiling misschien een idee was. Hij kon altijd wel een liefdadigheidsdoel vinden dat op dit moment in de mode was en een paar aardige stukken cadeau doen en af te komen van alles wat hij niet langer wilde. Hij kon laten uitlekken dat hij die dingen van de hand wilde doen omdat er te veel pijnlijke herinneringen aan zijn overleden vrouw aan kleefden.

De mooie Helen die hij kwijt was geraakt.

Hij overwoog zelfs of hij het huis zou verkopen. Feit was dat het hem inderdaad aan haar herinnerde. Dat probleem had hij niet in Los Angeles. Ze was niet in Los Angeles gestorven.

Na haar ongeluk was hij nog maar zelden naar Monterey gegaan. Het was bij uitzondering dat hij er langer dan een paar dagen verbleef, en hij kwam er altijd alleen naartoe. De bedienden rekende hij niet mee. Wat hem betrof vielen die in dezelfde categorie als het meubilair. Noodzakelijk en efficiënt.

De eerste keer dat hij terug was gekomen, was hij kapot van verdriet geweest. Dwars over het bed liggend waarin hij voor het laatst met haar had geslapen had hij als een gek liggen huilen met de nachtpon die ze had gedragen in zijn armen geklemd. En hij had haar geur ingeademd.

Zijn liefde was alles verterend geweest, en zijn pijn dreigde hem nu te verteren.

Ze was van hém geweest.

Toen de huilbui voorbij was, had hij als een geest door het huis gedwaald en alles aangeraakt wat zij had aangeraakt. Hij had de echo van haar stem in zijn oren gehoord, en overal een snufje van haar geur opgevangen. Alsof het binnen in hem zat.

Hij had een uur in haar garderobekast doorgebracht en haar kleding gestreeld. En vergeten dat hij haar op een nacht in die kast had opgesloten omdat ze wat te laat was thuisgekomen.

Hij wentelde zich in haar en toen hij het niet langer kon verdragen in het huis opgesloten te zitten, was hij naar de plek gereden waar ze om het leven was gekomen. Hij had daar staan kijken, een eenzame gestalte die op de klippen stond te huilen.

Zijn dokter had hem medicijnen voorgeschreven, en rust. Zijn vrienden hadden hem met hun medeleven omringd.

Hij begon ervan te genieten.

Nog geen maand later was hij vergeten dat hij erop had gestaan dat Helen die dag naar Big Sur zou rijden. Hij wist gewoon zeker dat hij haar dringend had verzocht niet te gaan maar thuis te blijven totdat ze zich weer goed voelde.

Natuurlijk had ze niet geluisterd. Ze had nooit willen luisteren.

Het verdriet ging over in woede, een stortvloed van boosheid die hij in eenzaamheid in drank had verdronken. Ze had hem weer bedrogen, ze was tegen zijn wens in toch gegaan, en had erop gestaan om een onbenullige party bij te wonen in plaats van de wensen van haar echtgenoot te respecteren.

Het was onvergeeflijk dat ze hem had verlaten.

Maar zelfs boosheid gaat voorbij. De leegte die ze vanbinnen bij hem had achtergelaten, vulde hij met fantasieën van haar, van hun huwelijk, en zelfs van hemzelf. Hij hoorde anderen zeggen dat ze het volmaakte stel waren dat door een tragedie wreed van elkaar was gescheiden.

Hij las het, hij dacht het, en hij geloofde het.

Hij droeg een van haar oorringen aan een ketting vlak bij zijn hart en liet zijn genegenheid naar een geschikte mediabron uitlekken. Er werd beweerd dat Gable hetzelfde had gedaan toen hij Lombard had verloren.

Hij liet haar kleren in haar garderobekasten hangen, haar boeken op de planken staan, en haar parfums in de flessen zitten. Op het kerkhof waar haar lichaam niet lag begraven, had hij een witmarmeren engel laten plaatsen. Iedere week werd een dozijn rode rozen aan haar voeten gelegd.

Om zijn verstand niet te verliezen wierp hij zich op zijn werk. Hij begon weer te slapen zonder die overweldigende hoeveelheid dromen waarin Helen naar hem toe kwam. Op aandrang van zijn vrienden begon hij geleidelijk aan weer uit te gaan.

Maar hij was totaal niet geïnteresseerd in de vrouwen die de weduwnaar dolgraag wilden troosten. Hij ging alleen met ze uit om zijn naam in de krant te houden. Met een paar van die vrouwen ging hij naar bed, omdat er anders niet al te vleiende praatjes zouden komen.

Seks had hem nooit zo geïnteresseerd. Bij hem ging het om controle.

Hij had geen enkel verlangen om ooit nog te trouwen. Er zou nooit een andere Helen zijn. Ze waren voor elkaar bestemd. Zij was voor hem bestemd geweest, om door hem te worden gemodelleerd en gevormd – nou ja, discipline maakte daar ook deel van uit. Hij had haar moeten onderrichten.

In de laatste weken van hun samenzijn had hij eindelijk geloofd dat ze had bijgeleerd. Ze had nog maar zelden een fout gemaakt, niet in het openbaar noch privé. Ze had zich aan hem onderworpen zoals een echtgenote aan haar echtgenoot onderworpen hoorde te zijn, en had erop gelet dat hij tevreden over haar was.

Hij herinnerde zich – hij wist zich er in ieder geval van te overtuigen dat hij het zich herinnerde – dat hij haar met een reisje naar Antigua had willen belonen. De zee had zijn Helen altijd al geboeid. En in de eerste onstuimige weken van liefde en ontdekking had ze hem verteld hoe vaak ze ervan droomde op een eiland te wonen.

Uiteindelijk had de zee haar genomen.

Omdat hij de depressie weer als een dichte mist voelde aankomen, schonk hij een glas mineraalwater in en nam een pil in.

Nee, hij zou het huis niet verkopen, besloot hij na weer eens een bliksemsnelle stemmingsomslag. Hij zou het openstellen. Hij zou een verkwistend, eersteklas feest geven, zoals hij en Helen vaak en met zoveel succes hadden gegeven.

Het zou hem het gevoel geven dat ze naast hem stond, zoals het hoorde.

Toen de telefoon ging negeerde hij het gerinkel en bleef gewoon staan terwijl hij dwars door het mooie linnen overhemd zachtjes over de gouden oorring wreef.

'Meneer? Ms. Reece is aan de telefoon. Als het u uitkomt zou ze graag even met u willen praten.'

Zonder iets te zeggen stak Evan zijn hand naar de mobiele telefoon uit. Hij gunde de dienstbode in uniform die hem die overhandigde geen enkele blik maar schoof de terrasdeur open en liep naar buiten om in het weldadig aandoende briesje met zijn zuster te praten.

'Ja, Barbara?'

'Ik ben blij dat je thuis bent, Evan. Deke en ik hoopten dat je vanmiddag mee naar de club wilde gaan. We kunnen gaan tennissen en bij het zwembad lunchen. Tegenwoordig zie ik mijn broertje veel te weinig.'

Hij wilde al weigeren. De kring van countryclubleden waarin zijn zuster verkeerde, interesseerde hem niet in het minst. Maar hij veranderde al snel van gedachten omdat hij wist hoe goed Barbara was in het organiseren van een feest. En hoe prettig het zou zijn om alle vervelende details aan Barbara over te laten, wat ze maar al te graag zou willen.

'Dat lijkt me wel wat. Ik wil je trouwens toch nog spreken.' Hij wierp een blik op zijn Rolex. 'Zullen we om half twaalf afspreken?'

'Perfect. Bereid je maar voor. Ik heb hard aan mijn backhand gewerkt.'

ᘒ ᘒ ᘒ

De tenniswedstrijd verliep beroerd. Barbara had zijn opslag weer gebroken en liep in haar designer tennisrokje als een idioot te pronken. Zíj had natuurlijk alle tijd om elke klotedag van de week met een tennisprof met van die vlugge vingertjes te verklungelen terwijl haar man, die zak, bezig was zijn golfspel te verbeteren.

Hijzelf was altijd druk aan het werk met zijn veeleisende bedrijf en vooraanstaande cliënten die als baby's begonnen te jammeren als hij hen niet zijn volle aandacht schonk.

Hij had geen tijd voor klotespelletjes.

Hij knalde een bal over het net en knarsetandde hoorbaar toen Barbara kans zag hem terug te slaan. Zijn voorhoofd was drijfnat en het zweet liep hem over de rug. En zijn mond vertrok tot een grauw toen hij over de baan rende.

Helen zou die blik meteen hebben herkend. En gevreesd.

Barbara herkende hem net zo goed en verknalde instinctief de terugslag. 'Je maakt me nog af,' riep ze hoofdschuddend terwijl ze alle tijd nam om weer klaar te gaan staan.

Evan was altijd al humeurig geweest, dacht ze. Hij vond het vreselijk om te verliezen, niet zijn zin te krijgen. Het was nooit anders geweest. Als kind had hij dat altijd op een van twee manieren vergolden. Met ijzige stilte die gaten in ijzer kon boren. Of met woest geweld.

Jij bent de oudste, had haar moeder altijd gezegd. *Wees nu lief en gedraag je als een goede zus. Laat de baby maar winnen.*

Het was zo'n diepgewortelde gewoonte geworden dat het nauwelijks tot haar doordrong dat ze de volgende slag ook bewust zou verknoeien. Maar uiteindelijk zou de middag heel wat plezieriger verlopen als hij de wedstrijd won. Waarom zou je nu vervelend gaan doen om een spelletje tennis?

Dus begroef ze haar eigen wedijver en verspeelde haar kansen.

De uitdrukking op zijn gezicht veranderde op slag.

'Goeie game, Evan. Ik kon al nooit tegen je op.'

Ze wierp hem een toegeeflijk lachje toe terwijl ze zich voor de volgende game posteerden. Jongens vonden het vreselijk om van meisjes te verliezen, dacht ze. Dat was nog zo'n keukenwijsheid van haar moeder geweest.

En mannen waren gewoon grote jongens.

Toen het over was en hij de wedstrijd had gewonnen, was hij in een prima stemming. Hij voelde zich vrij en onbekommerd en vol genegenheid. Hij sloeg een arm om Barbara's schouders en streek haar even over de wang. 'Er mag nog wel iets aan je backhand gedaan worden.'

Heel even welde er ergernis in haar op maar dat slikte ze automatisch weg. 'Die van jou is dodelijk.' Ze pakte haar tas. 'En omdat jij me hebt vernederd, mag jij de lunch betalen. Ik zie je wel op het terras voor de lounge. Over een half uur.'

Ze liet hem wachten wat hij altijd nogal irritant vond. Maar het deed hem goed om te zien hoe aantrekkelijk ze was en hoe goed ze zich kleedde. Hij haatte een slordige geklede vrouw met ongekamde haren, maar Barbara stelde hem nooit teleur.

Ze was vier jaar ouder dan hij maar had gemakkelijk voor vijfendertig kunnen doorgaan. Haar huid was goed verzorgd en zat strak, het sluike haar glansde en ze had een slank figuur.

Ze ging in de schaduw van een parasol bij hem zitten en ze rook subtiel naar haar favoriete White Diamonds.

'Ik ga mezelf met een champagnecocktail troosten.' Ze sloeg haar benen over elkaar die in ruwe zijde gehuld waren. 'Dat zou mijn humeur meteen moeten opfleuren, zeker nu ik me in gezelschap van de knapste man in de club bevind.'

'En ik dacht net wat voor mooie zus ik toch heb.'

Haar gezicht fleurde op. 'Je zegt altijd van die lieve dingen.'

Het was waar, dacht ze. Dat deed hij echt. Wanneer hij had gewonnen. Ze was er des te dankbaarder om dat ze hem de overwinning had gegund.

'Laten we maar niet op Deke wachten,' zei ze nog steeds stralend tegen hem. 'Joost mag weten wanneer hij met zijn rondje klaar is.'

Ze bestelde haar cocktail en een salade en kreunde dramatisch toen Evan een garnalengerecht bestelde. 'Ik haat jouw stofwisseling. Je komt nooit een onsje aan. Ik neem een hapje van jou mee en zal je morgen vervloeken wanneer mijn masseur me gaat mishandelen.'

'Een beetje meer discipline, Barbara, dan kun je je figuur behouden zonder dat je iemand hoeft te betalen die jou laat zweten.'

'Geloof me, ze is iedere cent waard. Die sadiste.' Met een tevreden zuchtje leunde ze achterover, waarbij ze zorgvuldig haar gezicht uit de zon hield. 'Vertel eens, schat, waarover wilde je met me praten?'

'Ik wil in het huis in Monterey een party geven. Het wordt tijd om…'

'Ja.' Ze boog zich weer voorover, legde haar hand op de zijne en gaf hem een kneepje. 'Ja, het wordt inderdaad tijd. Ik ben zo blij dat je er weer goed uitziet, Evan, en om te horen dat je weer plannen maakt. Je hebt zo'n verschrikkelijke tijd achter de rug.'

De tranen welden op en ze hield zoveel van hem dat ze die niet snel wegknipperde uit bezorgdheid om haar mascara, maar om rekening te houden met wat bij hem erg gevoelig lag.

Hij had een gruwelijke hekel aan een openbare vertoning.

'Je bent er de laatste paar maanden op vooruitgegaan. Dat is heel gezond. Helen zou dat ook hebben gewild.'

'Je hebt natuurlijk gelijk.' Hij trok voorzichtig zijn hand terug toen de drankjes werden gebracht.

Hij vond het niet prettig om te worden aangeraakt. Een luchtige aanraking was natuurlijk wat anders. In de zakenwereld dienden omarmingen en kussen altijd een bepaald doel. Maar hij vond het afschuwelijk om intiem te worden aangeraakt.

'Vanaf dat het is gebeurd heb ik nooit meer echt gasten ontvangen. Zakelijk wel natuurlijk, maar… Helen en ik maakten altijd tot in detail plannen voor onze party's. Ze deed zoveel – de uitnodigingen, het menu – alles afhankelijk van mijn goedkeuring natuurlijk. Ik hoopte dat je mij kon helpen.'

'Natuurlijk wil ik dat. Vertel me maar wat je in gedachten hebt, en voor wanneer. Ik ben vorige week nog op een heel overdadig en leuk feest geweest. Ik zal er wat ideeën van stelen. Het was bij Pamela en Donald. Pamela is vaak onuitstaanbaar maar ze weet wel hoe ze een feest moet geven. Nu ik het toch over haar heb, moet ik je eigenlijk iets vertellen, alleen hoop ik niet dat je erdoor van streek raakt. Maar ik ben bang dat je het anders van anderen te horen krijgt.'

'Wat dan?'

'Pamela is aan het roddelen. Je weet hoe ze is.'

Evan kon zich de vrouw nauwelijks voor de geest halen. 'Over wat dan?'

'Zij en Donald zijn een paar weken geleden op vakantie aan de oostkust geweest. Voornamelijk in Cape Cod, maar ze wist hem zover te krijgen dat ze ook wat rond gingen rijden en als een stelletje nomaden in een paar pensions overnachtten. Ze beweert dat ze, toen ze een of ander dorpje bezichtigden, een vrouw heeft gezien die precies op Helen leek.'

Evans hand hield het glas ineens stijf vast. 'Hoe bedoel je?'

'Ze wist me op haar party in een hoekje te drijven en bleef er maar over door zaniken. Ze beweerde dat ze bij de eerste blik echt dacht een geest te hebben gezien. Ze hield maar vol dat deze… verschijning de dubbelgangster van die arme Helen kon zijn geweest, en ze vroeg me of Helen een zuster had. Ik zei van nee, natuurlijk. Ik neem aan dat ze een glimp van een fijngebouwde blondine van ongeveer Helens leeftijd heeft gezien en er in haar hoofd een heel bijzonder iets van heeft gemaakt. Ze blijft er maar over doorzeuren en ik wilde niet dat je een gerucht zou opvangen dat je pijn zou doen.'

'Dat mens is stapelgek.'

'Nou, het ontbreekt haar niet aan fantasie,' zei Barbara. 'Zo, nu dit uit de weg is geruimd, kun je me vertellen hoeveel mensen je wilt uitnodigen.'

'Tweehonderd, tweehonderdvijftig,' zei hij afwezig. 'Waar zou Pamela die geest van Helen hebben gezien?'

'O, op een eilandje voor de oostkust. Ik weet niet eens precies hoe het heet aangezien ik druk bezig was haar van onderwerp te doen veranderen. Iets met zusters. Formeel of informeel?'

'Wat?'

'De party, lieverd. Formeel of informeel?'

'Formeel,' mompelde hij en liet de stem van zijn zuster als bijen in zijn hoofd verder zoemen.

ɔ ɔ ɔ

Lulu woonde twee blokken van High Street verwijderd in een *saltbox,* een huis met twee verdiepingen aan de voorkant en eentje achter, waar het schuine dak bijna tot aan de grond reikte. Door de knalrode luiken en veranda onderscheidde het zich van de wat conservatievere huizen van de buren. Op de rode veranda stond een schommelbank die in een regenboog van kleuren was geschilderd. Het krankzinnige patroon kon zo met een schilderij van Jackson Pollock concurreren.

Midden op het smalle reepje gras stond een paarse spiegelbol die een waterspuwer overschaduwde die voor eeuwig zijn tong uitstak naar iedereen die langs kwam lopen.

Een glimmend groene gevleugelde draak stond op het dak en diende samen met een windzak in woeste strepen als windwijzer. Op de korte oprit stond een zeer recent model van een deftige, zwarte personenwagen, en Lulu's Volkswagen die in lichtgevend oranje was gespoten en ongeveer uit 1971 stamde.

Hippiekraaltjes uit ongeveer dezelfde periode hingen aan de achteruitkijkspiegel.

Nell die de instructies opvolgde, zette haar auto op straat voor het huis van de buren, en droeg vervolgens de bestelling naar de achterdeur. Lulu zwaaide die al open voordat Nell had kunnen aankloppen.

'Ik moet je nageven dat je mooi op tijd bent.' Tegelijkertijd greep Lulu Nells arm vlak boven de elleboog beet en trok haar naar binnen. 'Ik heb het hele stel weggestuurd om een eindje te gaan wandelen en neem aan dat ze nog wel een minuut of twintig wegblijven. Als ik een beetje geluk heb, nog wat langer zelfs. Syl is al vanaf haar geboorte een enorme lastpak geweest.'

'Ze is je zuster.'

'Mijn ouders houden dat vol, maar ik heb zo mijn twijfels.' Lulu stak haar hoofd in de doos zodra Nell die op het kookeiland had gezet. 'Ik krijg de zenuwen van het idee dat ik hetzelfde bloed heb als die pompeuze, bekrompen, krengerige rotmeid. Ik ben anderhalf jaar ouder dan zij, dus we hebben de jaren zestig op ongeveer dezelfde leeftijd meegemaakt. Het verschil is dat zij het zich herinnert, en dat zegt meer dan genoeg.'

'Ah.' Nell probeerde zich Lulu als een vrijheidslievende hippie voor te stellen die zich nergens druk over maakte, en merkte dat het helemaal niet zo moeilijk was. Voor het familiediner had ze een sweatshirt aangetrokken dat verkondigde dat ze geen greintje oestrogeen meer bezat maar wel een pistool.

Nell kwam tot de slotsom dat het een eerlijke waarschuwing was.

'Hmm. Toch is het leuk dat jullie af en toe bij elkaar komen.'

'Ze komt hier alleen maar een keer per jaar om de baas over me te spelen. Volgens het evangelie van Sylvia is een vrouw pas een vrouw als ze een echtgenoot en kinderen heeft, in een paar onbenullige comités zitting heeft, en weet hoe je in noodgevallen een tafelstuk van draadjes, spuug en een leeg tonijnblikje kunt maken.'

'Dit wordt heel wat beter.' Nell ging aan de gang. Ze schoof het braadstuk in de oven en zette die aan om het op te warmen. 'Ik heb het in jus laten liggen zodat je die er alleen overheen hoeft te gieten wanneer je het met de andere gerechten opdient. Je begint met de herfstsalade. En maak hen duidelijk dat ze ruimte moeten overlaten voor de pompoenkwarktaart.'

'Dat zal haar pas echt verbazen.' Lulu schonk nog een glas wijn in die ze opdronk terwijl ze met haar verhaal verderging. 'Ik had ook eens een man.'

Ze zei het zo fel, zo kwaadaardig dat Nell zich omdraaide en haar aanstaarde. 'O ja?'

'Ik begrijp nog niet waarom ik dat boterbriefje wilde. Ik was niet eens zwanger. Stom. Ik denk dat ik het deed om te bewijzen dat ik nog steeds in opstand kon komen. Hij deugde niet. Hij was net zo knap als nutteloos. Algauw bleek dat hij het huwelijk zag als een plek waar hij naartoe kon nadat hij de een of andere slet had genaaid op wie hij die avond was gevallen.'

'Dat spijt me.'

'Da's nergens voor nodig. Leven en leren. Ik heb hem in negentienvijfentachtig de deur uit geschopt. Het zit me alleen maar dwars wanneer Syl over haar man loopt te pochen die weinig meer doet dan paperassen van de ene plek naar de andere schuiven en bovendien een pens heeft waar je "u" tegen zegt.. En over haar kinderen met hun gympen van tweehonderd dollar, en de vreugde van haar leven in de villawijk. Ik zou nog liever worden doodgeschoten dan in zo'n doorsneehuis ergens buitenaf te moeten wonen.'

Omdat de wijn of anders de aanwezigheid van Sylvia Lulu loslippig maakte, deed Nell er haar voordeel mee. 'Je bent hier dus niet opgegroeid?'

'Welnee. We zijn in Baltimore opgegroeid. Ik ging er op mijn zeventiende vandoor, regelrecht naar Haight-Ashbury. Ik heb een tijdje in een commune in Colorado gewoond, wat gereisd, en wat geëxperimenteerd. Ik was nog niet eens twintig toen ik hier kwam. Ik ben hier nu tweeëndertig jaar. God.'

Die gedachte deed haar de wijn in een klap achteroverslaan en er nog een inschenken.

'Mia's grootmoeder nam me aan om klusjes voor haar te doen, en toen Mia kwam, nam haar moeder me in dienst om wanneer nodig op haar te passen. Carly Devlin is best een aardige vrouw maar eigenlijk had ze bar weinig interesse in het grootbrengen van een kind.'

'Dus deed jij dat. Dat heb ik me nooit gerealiseerd.' Geen wonder dat ze zich zo beschermend tegenover Mia gedroeg, dacht Nell. 'Als het erop aankomt heb jij dus wel een dochter, wat je zuster ook mag zeggen.'

'Verdomd, je hebt gelijk.' Ze knikte kort en zette toen haar glas neer. 'Je gaat hier je gang maar. Ik ben zo terug.' Ze wilde de deur uit lopen en draaide zich toen toch weer om. 'Als Syl de Pil eerder dan ik terugkomt, zeg dan maar dat je in de boekwinkel werkt en even langskwam om me iets over het werk te vragen.'

'Prima.' Met een oogje op de tijd regelde Nell de hele maaltijd, zette de salade en de dressing in de koelkast, en voegde de in de schil gekookte aardappelen en de gekruide groene bonen bij het vlees in de oven.

Ze nam even een kijkje in de eetkamer, zag dat de tafel nog moest worden gedekt, en ging op jacht naar borden en tafellinnen.

'De eerste helft van mijn betaling,' kondigde Lulu aan toen ze met een verkreukelde plastic tas binnenkwam.

'Bedankt. Hoor eens, ik wist niet welk servies je wilde gebruiken, maar dit vond ik heel goed. Het is je familie, dus moet het vrolijk en niet al te deftig zijn.'

'Mooi, want iets anders heb ik niet.'

Lulu wachtte terwijl Nell haar hand in de plastic tas liet zakken en glimlachte vervolgens zelfingenomen bij de kreet van vreugde. 'O, Lulu!'

Het was een simpel ontwerp, een coltrui die bij alles kon en zou worden gedragen. De kleur was diep en vol blauw en het materiaal was zo zacht als een wolk.

'Dit had ik nooit verwacht.' Nell hield hem al voor zich en wreef haar wang tegen haar schouder. 'Hij is echt fantastisch.'

'Je draagt veel te veel neutrale dingen.' Lulu kon het niet laten om hier en daar wat recht te trekken of op te duwen, en zette toen een stapje naar achteren om het effect te bewonderen. 'Die maken je bleek. Deze brengt de kleur weer in je gezicht, en hij past bij je ogen. Ik ben al aan de tweede begonnen, een lange, in warm rood.'

'Ik weet niet hoe ik je moet bedanken. Ik kan niet wachten om hem te passen en…'

'Ze zijn weer terug,' siste Lulu en begon Nell meteen naar de deur te duwen. 'Wegwezen! Verdwijn!'

'Je moet de salade even omschudden vlak voor je…'

'Ja, ja. Ga nu maar!'

Nell greep haar nieuwe trui stevig beet toen Lulu de deur achter haar dichtsloeg.

'… hem opdient,' maakte ze haar zin af, en bleef grinniken toen ze naar de auto terugliep.

Zodra ze thuis was trok ze haar sweatshirt uit en liet de schitterende trui over haar hoofd zakken. Omdat ze zich niet helemaal van onder tot boven kon bekijken, sleepte ze een stoel naar de spiegel en klom erop.

Er was een tijd geweest waarin ze tientallen truien had gehad – van kasjmier, zijde, het zachtste katoen en de fijnste wol. Maar geen ervan had haar zoveel vreugde bezorgd als deze ene die door een vriendin was gebreid.

Of bijna een vriendin mocht je toch wel zeggen, dacht ze. Als betaling voor een goed uitgevoerde opdracht.

Ze trok hem weer uit, vouwde hem vol liefde op en legde hem in een la. Ze zou hem maandag naar het werk aantrekken. Op dit moment was het sweatshirt even praktischer. Ze moest een vies klusje opknappen.

Haar drie pompoenen stonden op een bedje van kranten op de keukentafel op haar te wachten. Ze had al een deel van de grootste voor Lulu's dessert gebruikt. Hij wachtte er nu alleen nog op om volgens het geijkte ontwerp te worden uitgesneden.

Ze zou ook pompoenbrood bakken, bedacht ze terwijl ze aan de tweede begon. En een taart, en koekjes. De omhulsels zouden als versiering op de veranda aan de voorkant komen te staan. Grote, dikke en angstaanjagende pompoenen ter vermaak van buren en kinderen.

Ze zat tot aan haar ellebogen in het vruchtvlees van de pompoenen toen Zack binnen kwam wandelen. 'Ik wil de derde doen.' Hij kwam achter haar staan, sloeg zijn armen stijf om haar heen en wreef met zijn neus in haar nek. 'Ik ben een meester in het uitsnijden van pompoenen.'

'Zo leer je nog eens wat over anderen.'

'Zal ik die troep voor je weggooien?'

'Weggooien? Waarvan moet ik dan een taart bakken!'

'Met spul uit blik.' Hij fronste zijn voorhoofd toen hij haar schijven pompoen in een grote kom zag gooien. 'Bedoel je dat je dat spul echt gebruikt?'

'Natuurlijk. Waar dacht je dat het ingeblikte spul vandaan komt?'

'Daar heb ik nooit over nagedacht. Uit een pompoenenfabriek.' Hij pakte het mes om aan de derde te beginnen en Nell ging haar handen wassen.

'Je hebt kennelijk een heel beschermd leven geleid, sheriff Todd.'

'Als dat zo is, zou ik niemand anders weten door wie ik me graag op het slechte pad laat brengen. Wat dacht je, zullen we als we dit klaar hebben, een ritje naar de bovenwindse kant van het eiland maken en in mijn patrouillewagen een paar wetten overtreden?'

'Dat zou ik heerlijk vinden.' Ze had een viltstift gepakt en begon op de eerste pompoen een afschuwelijk gezicht te tekenen. 'Alles rustig in het dorp?'

'Dat is zondags om deze tijd van het jaar meestal zo. Heb je alles voor Lulu klaargezet?'

'Ja. Ik wist niet dat ze ooit getrouwd is geweest.'

'Dat was heel lang geleden. Een niksnut die een tijdje in de haven heeft gewerkt, heb ik gehoord. Ik geloof dat het nog geen half jaar stand heeft gehouden. Dat zal haar wel tegen mannen hebben ingenomen, want volgens mij heeft ze na die tijd nooit meer iets aan de hand gehad.'

'Ze werkte voor Mia's grootmoeder, en daarna voor haar moeder.'

'Dat klopt. Voorzover ik me kan herinneren, heeft Lulu wat Mia betreft altijd de touwtjes in handen gehad. En nu ik er nog eens goed over nadenk, is Lulu de enige geweest die van Mia heel lang de touwtjes in handen heeft mogen houden. Mia had iets met Sam Logan – zijn familie bezit het hotel. Het werd niks en hij vertrok van het eiland. Jezus, dat is al minstens tien jaar geleden.'

'O, juist ja.' Sam Logan, dacht Nell. De man van wie Mia ooit had gehouden.

'Toen we jonger waren, trokken Sam en ik nogal veel met elkaar op,' ging Zack onder het uithollen van de pompoen door. 'We hebben geen contact meer. Maar ik herinner me nog goed dat toen Sam en Mia met elkaar gingen, Lulu hem als een havik in de gaten hield.'

Hij grinnikte bij de herinneringen en sneed toen met zijn mes een hart uit in de pompoen.

Nell zag het in de plafondlamp glinsteren, ze zag het druppelen. En terwijl een harde wind haar hoofd vulde, zag ze het bloed op zijn over-

hemd en zijn handen dat als een rode rivier een plas aan zijn voeten vormde.

Zonder een kik te geven gleed ze als een lappenpop van de stoel.

ღ ღ ღ

'Hé, Nell. Kom op. Word wakker.'

Zijn stem klonk gedempt alsof ze allebei onder water waren. Er gleed
iets koels over haar gezicht. Ze leek heel langzaam van heel diep weg naar
de oppervlakte te stijgen. Ze zag een witte mist laagje voor laagje wegrol-
len totdat ze zijn gezicht kon zien.

'Zack!' Doodsbang greep ze hem vast en rukte aan zijn overhemd om
te kijken of hij gewond was. Haar vingers voelden lomp en onhandig aan.

'Rustig even.' Hij had willen lachen om de manier waarop ze aan zijn
knopen trok maar haar gezicht was lijkwit. 'Ga even liggen en probeer
weer op adem te komen.'

'Bloed. Zoveel bloed.'

'Ssst.' Toen ze flauwviel was hij eerst in paniek geraakt en dat had hij op
de vertrouwde manier bestreden door te doen wat het allereerst nodig
was. Hij had haar opgepakt, naar de bank gedragen en haar weer bijge-
bracht. Maar de heftige angst die van haar afstraalde, bezorgde hem pijn
in de buik.

'Ik durf te wedden dat je vandaag niet eens genoeg hebt gegeten om er
een vogeltje mee in leven te houden. Iemand die zoveel kookt zou eens
moeten leren om regelmatig te eten. Ik ga een glas water voor je halen, en
iets te eten. Als je je dan nog niet goed voelt, haal ik de dokter erbij.'

'Ik ben niet misselijk en ik heb nergens pijn. Jij bloedde.' Haar handen
beefden toen ze die over hem heen liet glijden. 'Je overhemd en je handen
en de vloer zaten onder het bloed. Het mes. Ik zag…'

'Ik bloed niet, liefje. Helemaal nergens.' Om het haar te bewijzen hief
hij zijn handen op en draaide ze om. 'Het was vast en zeker een speling
van het licht.'

'Dat was het niet.' Ze knelde haar armen om hem heen en hield hem
woest vast. 'Ik heb het gezien. Raak dat mes niet meer aan. Raak het niet
aan.'

'Best.' Hij kuste haar boven op haar hoofd en streelde haar haren. 'Dan
doe ik dat niet. Alles weer goed, Nell?'

Ze sloot haar hand om het medaillon terwijl ze in gedachten een beschermende betovering uitsprak. 'Ik wil dat je dit draagt.' Wat rustiger nu

week ze iets terug en trok de ketting over haar hoofd. 'Altijd. Doe hem nooit af.'

Hij keek naar het ingegraveerde hartje dat aan de ketting hing en reageerde op een typisch mannelijke manier. 'Ik vind het heel lief, Nell, echt waar. Maar dat is iets voor meiden.'

'Draag het dan onder je overhemd,' zei ze ongeduldig. 'Geen mens hoeft het te zien. Ik wil dat je het dag en nacht draagt.' Ook al trok hij een lelijk gezicht, ze deed toch de ketting over zijn hoofd. 'Ik wil dat je me dat belooft.'

Omdat ze verwachtte dat hij opnieuw zou gaan protesteren, sloeg ze haar handen om zijn gezicht. 'Het is van mijn moeder geweest. Het is het enige dat ik nog van haar heb. Het enige dat ik heb meegenomen. Doe dit alsjeblieft voor mij, Zack. Beloof me dat je het nooit af zult doen, om wat voor reden dan ook.'

'Goed dan. Ik zal dat beloven als jij belooft dat je iets gaat eten.'

'We hebben pompoensoep. Dat zul je lekker vinden.'

Die nacht, toen ze sliep, rende ze als een gek door het bos maar kon in het duister van de maan de weg niet vinden.

De geur van bloed en dood achtervolgde haar.

16

Nell zette alles uit het hoofd, of probeerde dat in ieder geval, en ging naar haar werk. Ze serveerde muffins en koffie en maakte grapjes met de vaste klanten. Ze droeg haar nieuwe blauwe trui en roerde in de pompoensoep die voor de lunch stond te pruttelen.

Ze vulde het stapeltje visitekaartjes aan dat ze op Mia's voorstel naast de kassa van het café had gelegd.

Alles was weer normaal, bijna vrolijk. Behalve dat ze die ochtend wel tien keer naar haar medaillon greep dat er niet langer was. Iedere keer dat ze dat deed, kwam haar het beeld weer voor ogen van Zack die onder het bloed zat.

Hij moest die ochtend naar het vasteland, en de gedachte dat hij van het eiland af was, bezorgde haar nog meer angst. Hij kon op straat worden overvallen en beroofd, achtergelaten terwijl hij doodbloedde.

Aan het einde van haar dienst was ze tot de slotsom gekomen dat ze niet genoeg had gedaan en hulp nodig had.

Mia hielp een klant met het uitzoeken van een paar kinderboeken. Ze bleef wachten tot er een keuze was gedaan en de klant naar de kassa liep. Ondertussen stond ze inwendig in haar handen te wringen.

'Ik weet dat je het druk hebt, maar ik moet met je praten.'

'Goed. Ik zal mijn jack even halen, dan gaan we een eindje lopen.'

Ze kwam vrijwel meteen terug met een suède jack over haar korte jurk. Ze hadden allebei de kleur van walnoot waartegen haar haar vurig afstak.

Ze wuifde naar Lulu toen ze naar de voordeur liep. 'Ik neem even lunchpauze. Schitterende trui,' zei ze nog voordat ze de deur uit gingen. 'Lulu's werk zeker?'

'Ja.'

'Je hebt een horde weten te nemen. Ze zou nooit zo'n mooie voor je hebben gebreid als ze niet had besloten je te accepteren. Gefeliciteerd.'

'Dank je. Ik… wilde je echt ergens gaan lunchen?'

'Nee.' Mia schudde het haar naar achteren en haalde diep adem. Het gebeurde zelden, maar soms had ze het gevoel dat ze in de boekwinkel zat opgesloten. Dat ze wat ruimte nodig had. 'Ik wil een eindje lopen.'

Ripley had gelijk gekregen over de mooie nazomer. De koudegolf had plaatsgemaakt voor milde, warme dagen en vochtige briesjes die de geur van zee en bos aandroegen. Het was bewolkt en tegen de loodgrijze lucht staken de bomen als brandende bakens af. De lucht werd in de zee weerspiegeld en de nukkige korte golfslag gaf aan dat er onweer op komst was.

'Binnen het uur krijgen we regen,' voorspelde Mia. 'Kijk maar.' Ze wees naar de zee. En vlak daarop, alsof ze het had besteld, brak een lichte bliksemschicht dwars door de stalen spiegel van de hemel. 'Er komt onweer. Ik ben dol op heftig onweer. De lucht wordt elektrisch en je voelt de energie door je bloed pompen. Ik word er wel rusteloos van. Als het onweert wil ik op mijn klippen zijn.'

Mia deed haar mooie schoenen uit, liet ze aan haar vingers bungelen en stapte blootsvoets het zand op. 'Het strand is bijna verlaten,' wees ze. 'Het is een fijne plek om te wandelen, en jij kunt me daar vertellen wat je dwarszit.'

'Ik had een… ik weet niet of het een visioen was. Ik weet niet wat het was. Het jaagt me angst aan.'

Mia liet haar vrije arm door die van Nell glijden terwijl ze rustig door bleef lopen. 'Vertel het me maar.'

Terwijl ze alles vertelde bleef Mia doorlopen. 'Waarom heb je hem je medaillon gegeven?'

'Het was het enige dat ik kon bedenken. Ik deed het impulsief. Het was denk ik omdat het het belangrijkst was dat ik bezit.'

'Je droeg het toen je doodging. Je bracht het mee naar je nieuwe leven. Dit staat als symbool voor waar je vandaan bent gekomen. En het staat met je moeder in verband. Je talisman. Krachtige magie. Hij zal het dragen omdat je het hem hebt gevraagd, en dat zal het nog krachtiger maken.'

'Het is een medaillon, Mia. Dat mijn vader een keer voor kerst voor mijn moeder heeft gekocht. Het is niet erg kostbaar.'

'Je weet wel beter. De waarde ligt in het feit dat het voor jou iets betekent, en in je liefde voor je ouders en de liefde die je Zack hebt gegeven.'

'Is het genoeg? Ik zie niet hoe het genoeg zou kunnen zijn. Ik weet wat het betekende, Mia.' En dat was de doodsangst die zich als een beest in haar lijf had genesteld. 'In het visioen zag hij grauw, en het bloed – er was zoveel bloed. In het visioen was hij dood.' Ze dwong zich het nog eens te zeggen. 'Hij was dood. Kun jij er niets aan doen?'

Ze had al alles gedaan wat ze maar had kunnen bedenken, alles wat in haar macht lag. 'Wat dacht jij wat ik kan doen dat jij niet kunt?'

'Dat weet ik niet. Veel en veel meer. Was het een waarschuwing?'

'Denk je dat?'

'Ja. Ja.' Zelfs eraan denken benam haar de adem. 'Ik zag het zo duidelijk. Hij zal doodgaan, alleen weet ik niet hoe.'

'Wij krijgen mogelijkheden te zien, Nell. Er staat niets van vast. Niets, of het nu goed of slecht is, gebeurt zoals we het zien. Jij hebt een visioen gekregen en jij reageerde met een bescherming.'

'Kunnen we de persoon die hem iets wil aandoen niet tegenhouden? Met een betovering?'

'Betoveringen kunnen niet te pas en te onpas worden aangewend, en dat mag ook niet. Maar denk eraan, wat je doet uitgaan kan in drievoud naar jou of de jouwen terugkomen. Ga je iets te lijf, dan maak je tegelijk iets los.'

Ze zei niet wat haar door het hoofd speelde. Als je het mes tegenhoudt, dacht ze grimmig, zou er weleens een geladen revolver voor in de plaats kunnen komen.

'Het gaat onweren,' zei ze nog eens. 'En vanmiddag zal er meer dan alleen de bliksem door de lucht klieven.'

'Je weet iets.'

'Ik vóél iets. Ik kan het niet duidelijk zien. Misschien is het niet de bedoeling dat ik het zie.' Die barrière, dat was het frustrerende. En de wetenschap dat zij, die zo lang een solitaire heks was geweest, niet kon doen wat alleen moest worden gedaan. 'Ik zal je helpen zoveel ik kan, dat kan ik wel beloven.'

Op hetzelfde moment dat ze vreesde dat het niet genoeg zou zijn, zag ze Ripley op de boulevard staan. 'Roep Ripley naar beneden. Ze zal wel naar jou toe willen komen. Vertel haar wat je mij hebt verteld.'

Nell hoefde niet te roepen. Ze hoefde zich alleen om te draaien en naar haar te kijken. Ripley kwam in een gemakkelijke wijde katoenen broek en net zulke gemakkelijke schoenen met grote stappen naar hen toe. 'Als jullie hier nog wat langer blijven, zullen jullie nat worden.'

'Donderslagen,' zei Mia en een dof gerommel rolde in de verte boven de zee. 'En wat bliksem.' Die meteen als een muur van vuur in het westen losbarstte. 'Maar de eerste dertig minuten nog geen regen.'

'Voorspel je tegenwoordig ook het weer, Mia Kroll?' zei Ripley op aangename toon. 'Je moet zien dat je een baantje bij de tv krijgt.'

'Niet doen. Nu even niet.' Nell verwachtte dat de hemel zich elk moment kon openen, maar dat kon haar niet schelen.

'Ik maak me zorgen om Zack.'

'O ja? Nou, ik ook. Ik moet me wel zorgen maken wanneer mijn broer meidensieraden gaat dragen. Maar ik dank je uit de grond van mijn hart dat je me de gelegenheid hebt gegeven lekker ruzie met hem te maken.'

'Heeft hij je ook verteld waarom hij het draagt?'

'Nee. En in dit beschaafde gezelschap aarzel ik om te herhalen wat hij wel tegen me zei. In ieder geval begon onze dag uitstekend.'

'Ik had een visioen,' begon Nell.

'O prachtig.' Ripley wilde zich al walgend omdraaien maar bleef staan toen Nell haar bij de arm pakte. 'Ik mag je graag, Nell, maar nu maak je me kwaad.'

'Laat haar maar gaan, Nell. Ze is te bang om te luisteren.'

'Ik ben nergens bang voor.' En het zat haar goed dwars dat Mia precies wist hoe ze haar moest aanpakken. 'Nou, ga je gang, vertel maar wat je in de kristallen bol zag.'

'Ik zat niet in een kristallen bol te kijken. Ik keek naar Zack,' zei Nell, en ze vertelde haar vervolgens alles.

Hoe hard ze het ook probeerde te ontkennen, hoe onverschillig ze ook haar schouders ophaalde, ze was tot in het diepst van haar ziel geschokt. 'Zack kan wel voor zichzelf zorgen!' Ze liep weg en kwam toen weer terug. 'Hoor eens, hij is een zeer bekwame, hoog opgeleide politieman, voor het geval je het nog niet had opgemerkt. Hij draagt een wapen en weet hoe hij dat moet gebruiken wanneer dat nodig mocht zijn. Hij mag dan doen of zijn baan een fluitje van een cent is, maar dat komt omdat hij er zo goed mee weet om te gaan. Ik zou hem mijn leven toevertrouwen.'

'Ik denk dat Nell vraagt of ze jou zijn leven kan toevertrouwen.'

'Ik heb een insigne, ik heb een wapen, en een goeie rechtse hoek. Op die manier handel ik mijn zaken af,' zei Ripley woest. 'Als iemand Zack wil pakken, reken er dan maar op dat ze eerst met mij te maken krijgen.'

'Eenmaal drie, Ripley.' Opzettelijk legde Mia haar hand op haar arm. 'Uiteindelijk zal dat nodig blijken te zijn.'

'Dat doe ik nooit.'

Mia knikte. Ze stonden in een kring onder de boze hemel. 'Je doet het nu al.'

Instinctief zette Ripley een stap naar achteren om de band te verbreken. 'Kijk me niet aan,' zei ze. 'Niet zo.' Ze draaide hen de rug toe en wendde zich naar de aanwakkerende wind, schopte in het zand en liep terug naar het dorp.

'Ze zal erover nadenken en ermee worstelen. Aangezien ze een bord voor haar hoofd heeft, zal het langer duren dan ik prettig vind. Maar voor het eerst in jaren wankelt ze.' Mia gaf Nell troostend een klopje op de schouder. 'Met Zack durft ze geen risico te nemen.'

Ze liepen terug naar de boekwinkel en ze waren nog niet binnen of de regen viel met bakken uit de hemel.

❧ ❧ ❧

Nell stak de kaarsen van haar drie pompoenen aan, niet alleen voor de sier maar ook voor waar ze oorspronkelijk voor bedoeld waren. Ze zette ze op de veranda om het kwaad te verjagen.

Met behulp van de kennis die ze uit de boeken had gehaald die Mia haar had geleend, en afgaande op haar eigen intuïtie begon ze haar cottage zo veilig mogelijk te maken.

Ze veegde alle negatieve energie naar buiten, en stak kaarsen voor kalmte en bescherming aan. Ze legde rode jaspis op de vensterbanken en zette er potjes met salie op, en onder de kussens op haar bed legde ze maanstenen en takjes rozemarijn.

Ze maakte een pan kippensoep. Die stond te pruttelen terwijl de regen tegen de ruiten striemde, en het maakte van haar kleine cottage een gezellige cocon.

Maar ze kon zich er niet in ontspannen. Ze liep van raam naar raam en van deur naar deur te ijsberen. Ze zocht iets te doen om de tijd te doden maar ze kon niets vinden. Ze dwong zichzelf in haar kantoortje te gaan zitten om een offerte te maken. Maar na tien minuten stond ze alweer op. Haar concentratie lag net zo aan flarden als de hemel die door de bliksem werd doorkliefd.

Ze gaf het op en belde het politiebureau. Zack moest toch onderhand van het vasteland terug zijn gekomen. Ze zou met hem praten en zijn stem horen. Dan zou ze zich beter voelen.

Maar het was Ripley die de telefoon opnam en haar koel vertelde dat Zack nog niet terug was, dat hij terug zou zijn als hij terug was.

Ze werd dubbel zo bang. In haar ogen nam de storm de omvang van een orkaan aan. Het huilen van de wind klonk niet langer als muziek in haar oren maar leek vol verscheurende tanden en dreigingen te zitten. De regen was een verstikkend gordijn en de bliksem een weggeworpen wapen.

De duisternis perste zich tegen de ramen alsof die de ruiten wilde verbrijzelen om naar binnen te kunnen stormen. De macht die ze had leren te accepteren en zelfs welkom te heten, begon als een kaarsvlam onder een hete ademtocht te flakkeren.

Er vlogen wel duizend scenario's door haar hoofd, de ene nog vreselijker dan de andere. Uiteindelijk kon ze het niet meer uithouden en greep haar jack. Ze zou naar de haven gaan en op de veerboot wachten. Hem dwingen met haar mee te komen.

Bij een geweldige bliksemschicht rukte ze de deur open. In de verblindende duisternis die daarop volgde zag ze een schaduw naar haar toe komen. Ze deed haar mond open om te schreeuwen, maar dwars door de geur van regen en natte aarde en ozon ving ze de geur van haar minnaar op.

'Zack!' Ze sprong op hem af waardoor ze bijna alle twee op de stoep belandden, maar hij wist haar te grijpen en hen op de been te houden. 'Ik heb me zo'n zorgen gemaakt.'

'En nu ben je nat.' Hij droeg haar naar binnen. 'Ik heb echt een rotdag uitgezocht om van het eiland te gaan. De terugvaart met de veerpont was klote.' Hij zette haar op haar voeten en trok toen zijn drijfnatte jack uit. 'Ik zou wel hebben gebeld maar ik kreeg met mijn mobieltje geen verbinding. Met dit weer zal het wel de laatste veerpont zijn die vanavond nog binnenkomt.'

Hij trok een hand door zijn haar waardoor de regendruppels eraf spatten.

'Je bent nat tot op het bot.' En door zijn natte overhemd, zag ze opgelucht de vage contouren van het medaillon vlak boven zijn hart. 'En koud,' zei ze nog terwijl ze hem bij de hand pakte.

'Ik moet toegeven dat ik het laatste halfuur over een hete douche heb staan dromen.'

En die zou hij ook hebben gehad als Ripley hem niet bij de voordeur had opgevangen, hem even aan een aantal vragen had onderworpen en vervolgens had gezegd dat Nell in paniek had opgebeld.

'Ga dat nu maar doen. En dan krijg je een kop hete soep.'

'Dat is beslist het beste aanbod van de hele dag.' Hij nam haar gezicht in zijn handen. 'Het spijt me dat je je zo'n zorgen hebt gemaakt. Dat had je niet moeten doen.'

'Dat doe ik nu ook niet meer. Ga nou maar voordat je nog kouvat.'

'Eilanders zijn wel tegen dit soort dingen bestand.' Maar hij kuste haar zacht op haar voorhoofd en ging toen regelrecht naar de douche.

Hij liet zijn kleren in een drijfnatte hoop op de vloer van de badkamer liggen, zette de kraan op heet en slaakte een dankbare zucht toen hij onder de douche stapte.

Het kamertje met de badkuip erin was niet ontworpen voor een man van een meter vijfentachtig. De douchekop stond recht op zijn keel en als hij niet uitkeek zou hij iedere keer dat hij zijn armen bewoog, zijn ellebogen aan de muur stoten.

Maar in de tijd dat hij bij Nell had geslapen had hij een bepaalde routine ontwikkeld.

Hij zette zijn handen tegen de muur en boog voorover zodat het water over zijn hoofd en rug stroomde. Omdat zij meestal zacht geurende vrouwenzeepjes en shampoo gebruikte, had hij onopvallend zijn eigen spullen meegenomen en op de badrand gelegd.

Ze hadden er geen van beiden iets over gezegd – en ook niets over de extra kleren die hij op een plank in haar kast had gelegd.

Ze praatten niet over het feit dat ze zelden een nacht zonder elkaar doorbrachten. Anderen deden dat wel, wist hij. Hij zag de knipoogjes, en was eraan gewend geraakt haar naam en de zijne uit de mond van anderen te horen komen alsof ze één woord vormden.

Maar ze hadden er nooit over gepraat. Misschien, dacht hij, was het een kwestie van bijgeloof om niet hardop te praten over wat je het meest vreesde te verliezen.

Of misschien was het gewoon een kwestie van lafheid.

Hij wist eigenlijk niet of het er iets toe deed, maar hij wist wel dat het tijd werd om de volgende stap te zetten.

Vanmiddag, op het vasteland, had hij zelf die stap gedaan, de grootste stap die hij ooit had durven zetten.

Hij moest toegeven dat het goed voelde. Hij was een beetje nerveus geweest maar dat was snel genoeg overgegaan. Zelfs de afschuwelijke terugtocht van het vasteland had zijn stemming niet weten te bederven.

De geluiden aan de andere kant van het douchegordijn overvielen hem en hij kwam meteen in actie. Te snel. De knal waarmee zijn elleboog tegen de muur kwam weergalmde door het kamertje en werd door een stroom boze vloeken gevolgd.

'Gaat het?' Niet goed wetend of ze moest lachen of medelijden met hem moest hebben, perste Nell haar lippen stijf op elkaar terwijl ze zijn natte kleren tegen haar borst klemde.

Hij draaide de kraan dicht en trok het douchegordijn met een ruk open. 'Dit is levensgevaarlijk. Ik ben echt van plan om het wetboek er eens op na te slaan en... wat ben je daarmee van plan?'

'Nou, ik...' Ze hield verstomd op toen hij naakt uit de badkuip sprong en ze van haar afpakte. 'Ik wilde ze even in de droger stoppen.'

'Dat doe ik later zelf wel. Ik heb hier schone kleren hangen.' Hij gooide ze weer op de grond en deed alsof hij niet zag dat haar gezicht vertrok toen ze met een plof achter haar op de grond vielen.

'Hang ze dan in ieder geval op. Er komt schimmel op als je ze zo op een hoop laat liggen.'

'Al goed, al goed.' Hij pakte een handdoek en wreef er ruw mee over zijn hoofd. 'Kwam je alleen binnen om de troep achter me op te ruimen?'

'Eigenlijk wel, ja.' Haar blik zakte langzaam naar beneden, van zijn natte borstkas waar haar medaillon lag te glimmen, naar de platte buik en de smalle heupen waar hij de handdoek omheen had geslagen. 'Maar nu kan ik even niet zo netjes denken.'

'Is dat zo?' Een blik van haar deed meer om zijn bloed te verwarmen dan een zee van heet water. 'Waaraan denk je dan?'

'Ik denk dat je een man die net een stortbui over zich heen heeft gehad het beste meteen in bed kunt stoppen. Kom maar mee.'

Hij liet haar zijn hand pakken en hem mee naar de slaapkamer nemen. 'Gaan we doktertje spelen? Want als het de moeite waard is, zou ik best erg ziek kunnen worden.'

Ze grinnikte en sloeg toen de quilt terug. 'Erin.'

'Jawel, dokter.'

Voordat hij de handdoek kon afdoen had zij het al gedaan. Maar toen hij haar probeerde te pakken wist ze dat te voorkomen en gaf hem een duwtje zodat hij op bed viel.

'Je weet misschien,' begon ze terwijl ze lucifers pakte en de kamer rond liep om alle kaarsen aan te steken, 'dat volgens de geschiedenis en de legenden heksen vaak als heelmeesters optraden.'

Het kaarslicht flikkerde en glansde. 'Ik begin me al echt gezond te voelen.'

'Dat zal ik wel beoordelen.'

'Daar reken ik dan ook op.'

Ze draaide zich naar hem om. 'Weet je wat ik nog nooit voor iemand heb gedaan?'

'Nee, maar ik ben een en al aandacht.'

Ze tilde langzaam de zoom van haar trui op. Ze herinnerde zich de dag nog dat ze op deze manier aan het zonnige uiteinde van zijn inhammetje had gestaan.

'Ik wil dat je goed oplet.' Centimeter voor centimeter trok ze de trui omhoog. 'En dat je naar me verlangt.'

Al was hij ziende blind geworden, dan nog zou hij haar hebben gezien, want haar huid glansde in het zachte licht.

Ze trok onder een soort sierlijk dansje haar schoenen uit. Haar eenvoudige witte beha was diep uitgesneden en volgde de zachte welvingen van haar borsten. Ze hief een hand op naar de middenvoorsluiting, zag dat zijn ogen haar hand volgden, liet hem opzettelijk dicht en gleed met haar vingers naar haar middel om haar broek los te gespen.

Zijn bloed begon te bonzen toen de stof over haar heupen en langs haar benen omlaaggleed. Toen die aan haar voeten lag, stapte ze er met hetzelfde soepele gemak uit.

'Laat mij de rest doen.'

Haar lippen krulden zich toen ze dichter naar hem toe kwam, maar net niet dicht genoeg. Ze had nog nooit eerder een man proberen te verleiden en ze wilde de macht die het haar gaf nog niet uit handen geven.

Ze stelde zich voor dat zijn handen over haar heen gleden toen ze dat bij zichzelf deed, en hoorde zijn adem stotend uit zijn longen komen.

Met die lichte, alleswetende glimlach op haar gezicht klikte ze haar beha open en liet die opzij zakken. Haar borsten waren al gezwollen en gevoelig. Ze trok haar broekje over haar heupen en stapte eruit. Ze was al helemaal vochtig.

'Ik wil jou,' fluisterde ze. 'Langzaam. Ik wil dat jij mij neemt.' Ze kroop op handen en knieën op het bed en ging schrijlings op hem zitten. 'Langzaam.' Ze leek om hem heen te smelten. 'Alsof er nooit een eind aan zal komen.'

Haar lippen lagen warm en zacht op de zijne. Tastend. Zijn smaak gleed als een verdovend middel door haar bloed. Toen hij omrolde om nog meer te nemen, om het te verdiepen, liet ze zich meenemen. Maar niet in overgave.

Ze liet haar vingers lichtjes over zijn rug op en neer glijden en genoot van de stevige spieren en de rilling die erdoor ging omdat ze hem opwond.

Ze liet zichzelf drijven op het gevoel dat hij haar gaf en van haar nam, en hij begon langzaam weg te zakken, want dat was wat ze van hem wilde. De kaarsvlammen flakkerden en stonden ineens zo strak als een speer. Ze vulden de lucht met hun geuren.

Ze rezen samen op en dansten op die geurende lucht. Ze knielden midden op het bed, lijf tegen lijf en mond op mond.

Als het een betovering was, zou hij zonder vragen en zonder zich te verzetten voor eeuwig met haar verbonden zijn gebleven. Wat ze ook was, heks of vrouw, of een mengeling van beiden, ze was van hem.

Hij zag hoe zijn hand tegen haar huid afstak, donker tegen licht, ruw tegen teer, en hoe haar borsten in zijn handen pasten, en hoe de tepels verstrakten onder de aanraking van zijn duimen.

Ze raakten elkaar aan, ze proefden elkaar. Heel even een aanraking, een nipje, een langzame streling, een lange, trage dronk.

Toen hij eindelijk in haar gleed, was het zachte bewegen als golven van zijde. De glanzende magie toen ze elkaar aankeken en er op dat moment voor hen beiden niemand anders bestond. In de maat, met een intimiteit die verderging dan paren, die vroegere behoeften overtrof en boven hartstocht uitsteeg.

Het borrelde op in haar hart en leek als puur goud over te koken.

Haar lippen krulden weer toen hij zijn mond op de hare liet zakken. Hun handen grepen in elkaar en hun vingers vervlochten op het moment dat ze samen van de wereld gleden.

ೋ ೋ ೋ

Toen ze tegen zijn zij lag gekruld met haar hand op zijn gestaag kloppende hart, leek alsof niets hen kwaad kon doen. Haar vluchthaven was veilig, dacht ze, en zij zaten er veilig in opgesloten.

Al haar angsten en zorgen, die naderbij sluipende ontzetting, ze leken nu allemaal even dwaas.

Ze waren gewoon een man en een vrouw die verliefd waren, in een warm bed lagen en naar het staartje van de storm luisterden dat nu overtrok.

'Ik vraag me af of ik ooit zal leren om voorwerpen te manipuleren.'

'Geloof me, liefje, je manipuleert al prima,' zei hij grinnikend.

'Nee.' Ze gaf hem een speels klapje. 'Ik bedoel dingen van het ene punt naar het andere verplaatsen. Als ik dat kon, zou ik de juiste toverformule opzeggen zodat we kippensoep op bed zouden hebben.'

'Zo werkt het niet. Of wel?' vroeg hij.

'Ik durf te wedden dat Mia het wel kan. Als ze het maar genoeg wil. Maar voor laaggeplaatste leerlingen als ik betekent het dat ik moet opstaan, naar de keuken moet gaan en het allemaal op de ouderwetse manier moet doen.'

Ze draaide haar hoofd om, drukte snel even een kus op zijn schouder, en rolde zich toen van hem af.

'Als jij nou eens lekker bleef liggen terwijl ik de soep ging halen?'

Ze wierp een blik over haar schouder toen ze naar de kast liep om de peignoir te halen die ze eindelijk had gekocht. 'Slim van je om dat te zeggen als ik al uit bed ben.'

'Dat vond ik ook. Maar nu je me hebt betrapt, zal ik ook maar wat aantrekken en je een handje helpen.'

'Prima. Breng die natte berg kleren dan gelijk mee uit de badkamer.'

Natte berg? Het duurde even voor hij het zich herinnerde, en ze was de kamer al uit toen hij met een sprong uit bed kwam en zijn drijfnatte broek van de vloer pakte. Hij stak zijn hand in de zak en liet zijn adem ontsnappen toen zijn vingers zich om een klein doosje sloten.

Toen hij binnenkwam had ze al een rond brood op de broodplank gelegd en schepte ze soep in wijde kommen. Ze zag er zo mooi uit, zo op haar gemak in haar zachtroze peignoir, op haar blote voeten en het haar een beetje in de war.

'Zullen we dat een minuutje de tijd geven om af te koelen, Nell?'

'Dat zal wel moeten. Wil je wijn?'

'Zo meteen.' Gek, hij had gedacht dat hij zenuwachtig zou zijn, een beetje in ieder geval. Maar hij was doodkalm. Hij legde zijn handen op haar schouders, draaide haar om en liet ze toen naar haar ellebogen glijden. 'Ik hou van je, Nell.'

'Ik...'

Verder kwam ze niet want met zijn mond legde hij haar het zwijgen op.

'Ik heb allerlei manieren bedacht om dit te doen. Je op een avond een eindje mee uit rijden nemen, of bij de volgende volle maan langs het strand wandelen. Of een chic diner in het hotel. Maar voor ons is dit de juiste manier, de juiste plek, en het juiste moment.'

De kramp in haar maag was een waarschuwing, maar ze kon niet eens een stapje naar achteren doen. Ze kon zich helemaal niet meer bewegen.

'Ik heb een aantal manieren bedacht om het je te vragen, welke woorden het meest geschikt zouden zijn, en hoe ik die zou uitspreken. Maar het enige dat op dit moment bij me opkomt is dat ik van je hou, Nell. Trouw met me.'

De adem die ze al die tijd had ingehouden ontsnapte terwijl vreugde en verdriet binnen in haar een hopeloze strijd streden. 'We zijn nog maar zo kort samen, Zack.'

'Als je dat liever wilt, kunnen we nog wel een tijdje wachten met trouwen, hoewel ik er het nut niet van inzie.'

'We kunnen toch ook alles bij het oude laten?'

Hij had allerlei reacties verwacht, maar dat vleugje angst in haar stem was er niet bij geweest. 'Omdat we ons eigen huis moeten hebben waar we ons eigen leven kunnen leiden, niet opgesplitst tussen jouw huis en het mijne.'

'Trouwen doe je tegenwoordig alleen nog als je per se dat papiertje wilt hebben.' Ze wendde zich van hem af en stak blindelings haar hand in de kast om glazen te pakken.

'Voor sommigen geldt dat wel, ja,' zei hij rustig. 'Maar niet voor jou en mij. Wij hebben onze principes. En wanneer zulke mensen verliefd worden, en het menen, gaan ze trouwen en willen ze een gezin stichten. Ik wil mijn leven met jou delen, kinderen bij je verwekken, en oud met je worden.'

De tranen dreigden te komen. Alles wat hij zei was wat zij ook wilde, zo diep in haar hart dat het in haar ziel zat gegrift. 'Je gaat te snel.'

'Dat geloof ik niet.' Hij haalde het doosje uit zijn zak. 'Ik heb dit vandaag gekocht omdat we al aan een leven samen zijn begonnen, Nell. Het wordt tijd voor de volgende stap.'

Terwijl ze naar beneden keek, krulden haar vingers zich in haar handpalmen. Hij had een saffier voor haar gekocht, een prachtige, warme steen die in een eenvoudige gouden ring was gezet. Hij had begrepen dat ze van warmte en eenvoud hield.

Evan had een diamant gekozen, een vierkante briljant in platina die als een brok ijs aan haar vinger had gevoeld.

'Het spijt me, Zack. Het spijt me vreselijk, maar ik kan niet met je trouwen.'

Het voelde alsof hij recht in zijn hart werd gestoken, maar hij vertrok geen spier toen hij haar aankeek. 'Hou je van me, Nell?'

'Ja.'

'Dan heb ik het recht te weten waarom je mij je woord niet wilt geven, en het mijne niet accepteert.'

'Je hebt gelijk.' Ze had moeite om zich rustig te houden. 'Ik kan niet met je trouwen omdat ik nog steeds getrouwd ben, Zack.'

Hij was compleet overdonderd. 'Getrouwd? Ben je getróúwd? Nell, in 's hemelsnaam, we zijn al maanden bij elkaar!'

'Dat weet ik.' Hij zag er niet langer alleen geschokt uit, en ook niet alleen kwaad. Hij keek haar aan alsof ze een vreemde was. 'Weet je, ik ben bij hem weggegaan. Al meer dan een jaar geleden.'

Het kostte hem de grootste moeite om over die eerste horde te komen, om te verwerken dat ze getrouwd was geweest en hem er niets over had gezegd. Maar het lukte hem niet de tweede horde te nemen: dat ze nog steeds getrouwd was.

'Je bent bij hem weggegaan maar je bent niet van hem gescheiden.'

'Nee, dat kon ik niet. Ik…'

'En toch liet je toe dat ik je aanraakte, je vree met me, je liet toe dat ik verliefd op je werd, terwijl je wist dat je niet vrij was.'

'Ja.' Het was ineens zo koud, zo vreselijk koud in haar keukentje, dat het tot in het merg doordrong. 'Ik heb er geen excuus voor.'

'Ik zal je niet vragen of je van plan was het me te vertellen, want dat was kennelijk niet zo.' Hij klikte het doosje hard dicht. 'Ik slaap niet met andermans vrouwen, Nell. Eén woordje, Nell, je had godverdorie maar één woordje hoeven te zeggen, dan zouden we nooit op dit punt zijn beland.'

'Ik weet het. Het is mijn schuld.' Terwijl zijn boosheid toenam en zijn gezicht steeds strakker kwam te staan, voelde ze de kracht die ze had weten op te bouwen tegelijk met de kleur uit haar gezicht wegsijpelen.

'Denk je dat je het daarmee goedpraat?' zei hij heftig terwijl binnen in hem de woede en de ellende om voorrang streden. 'Denk je dat alles weer koek en ei is als je maar de schuld op je neemt?'

'Nee.'

'Godverdomme.' Hij draaide zich met een ruk van haar af en zag nog net dat ze door die abrupte beweging in elkaar kromp. 'Als ik wil schreeuwen, dan schreeuw ik tegen je, maar je maakt me steeds kwader door daar te staan alsof je verwacht dat ik je een stomp zal verkopen. Ik ga je niet slaan. Nu niet en nooit niet. En ik vind het beledigend dat je je staat af te vragen of ik het toch zal doen.'

'Je weet niet hoe het in elkaar zit.'

'Nee, dat weet ik inderdaad niet. En hoe komt dat? Omdat jij het me niet wilt vertellen.' Hij probeerde zich zoveel mogelijk in te tomen hoewel hij nog steeds vuur leek te spuwen. 'Of je vertelt me net genoeg om het op gang te houden tot er weer iets gebeurt.'

'Dat mag waar zijn, maar ik heb je gezegd dat ik je niet alles kon vertellen. Dat ik niet in details kon treden.'

'Dit kun je toch geen detail noemen, verdomme. Je bent nog steeds getrouwd met die vent die jou dit heeft aangedaan.'

'Ja.'

'Ben je van plan dat huwelijk te beëindigen?'

'Nee.'

'Nou, dat is dan duidelijk.' Hij pakte zijn schoenen en zijn jas.

'Hij mag niet ontdekken waar ik ben. Hij mag me niet vinden.'

Hij wilde de deur al openrukken maar bleef even met de hand op de knop staan. 'Is het dan nooit bij je opgekomen dat ik alles voor je had willen doen? Dat zou ik zelfs voor een vreemde hebben gedaan, Nell, omdat het mijn werk is. Hoe bestaat het dat je niet wist dat ik het ook voor jou zou hebben gedaan?'

Ze wist dat natuurlijk wel, dacht ze toen hij van haar wegliep. Dat was maar een van de dingen die haar angst aanjoegen. Ze kon niet huilen en zat diep ellendig in het huis dat ze veilig en leeg had gemaakt.

17

'Ik ben hem kwijt. Ik heb het allemaal kapotgemaakt.'
Nell zat in Mia's grote, zalig grote zitkamer voor een open vuur waar je een os op kon roosteren en nam kleine slokjes van een kopje heilzame kaneelthee. Isis lag met haar slanke lijf als een lekkere deken languit over haar schoot.

Het wist haar absoluut niet op te beuren.

'Hooguit beschadigd,' zei Mia. 'Maar wat je bent kwijtgeraakt, kunt je weer terugkrijgen.'

'Ik kan dit niet goedmaken, Mia. Alles wat hij zei was waar. Ik wilde er niet over nadenken, ik wilde het niet zien, maar het is waar. Ik had het recht niet om het zo serieus te laten worden.'

'Ik heb helaas geen boetekleed bij de hand, maar daar kunnen we denk ik wel iets op verzinnen.' Toen Nell haar geschokt aankeek, trok Mia elegant een schouder op. 'Niet dat ik niet met jullie meeleef, want dat doe ik echt wel. Maar feit is, Nell, dat jullie allebei verliefd zijn geworden. En jullie hebben er beiden op een manier op gereageerd die jullie het beste uitkwam. Je hebt elkaar iets kunnen geven dat lang niet iedereen overkomt. En over zoiets hoef je geen spijt te hebben.'

'Het spijt me niet dat ik van hem hou, of dat hij van mij houdt. Ik heb over heel wat dingen spijt, maar daarover niet.'

'Goed dan. Jij zult dus de volgende stap moeten zetten.'

'Er is geen volgende stap. Ik kan niet met Zack trouwen omdat ik nog met iemand anders ben getrouwd. En zelfs als Evan besluit in absentia of wat dan ook van me te scheiden, dan nog zou ik niet met Zack kunnen trouwen. Want ik bezit een valse identiteit.'

'Dat zijn details.'

'Voor hem niet.'

'Tja, je hebt gelijk.' Terwijl ze nadacht tikte ze met haar mooie vinger-nagels tegen het kopje. 'Omdat Zack nu eenmaal Zack is, ziet hij sommi-ge dingen alleen zwart-wit. Het spijt me dat ik dat niet eerder heb be-dacht, dan had ik je kunnen waarschuwen. Ik ken hem,' ging Mia door terwijl ze opstond en zich uitrekte. 'Ik had niet verwacht dat hij zich al zo snel officieel zou willen binden. Als het om liefde gaat, denk ik niet zo helder.'

Ze schonk nog eens thee in en terwijl ze door de kamer liep en af en toe een slokje nam, bleef ze nadenken.

Er stonden twee banken, allebei donker jagersgroen, die je smeekten er je lichaam diep in weg te laten zakken. Ze waren met zachte, felgekleurde kussens bezaaid. Om een gevoel van weelde te krijgen, was de kwaliteit van de stof heel belangrijk. En wanneer Mia zich ontspande, wilde ze dat gevoel van weelde.

De kamer stond vol antiek omdat ze liever oud dan nieuw had, tenzij het om kantoorapparatuur ging. De tapijten op de kastanjehouten vloer van brede planken waren mooi verschoten. Er stonden overal bloemen in kristallen vazen van onschatbare waarde, of in vrolijk gekleurde flessen die geen enkele waarde hadden.

Een paar van de vele kaarsen waarmee ze zich had omringd, waren aan-gestoken. De witte, voor vrede.

'Je hebt hem op twee punten gekwetst, Nell. Ten eerste door je niet dolgelukkig in zijn armen te storten toen hij je ten huwelijk vroeg.' Ze hield even op en trok een wenkbrauw op. 'Ik zei al dat ik niet zo helder meer kan denken als het om liefde gaat, maar toch, wanneer een man een vrouw ten huwelijk vraagt, zal hij niet echt blij zijn als ze zegt: "Nee, dank je."'

'Ik ben niet helemaal gek, Mia.'

'Nee, schat. Sorry.' Berouwvol maar tegelijk ook een beetje geamuseerd door de scherpe toon bleef Mia achter de bank staan en streek ze haar hand over Nells haar. 'Natuurlijk ben je dat niet. En ik had moeten zeggen op drie punten. Het tweede punt betreft zijn eergevoel. Hij heeft net ontdekt dat hij op andermans terrein aan het stropen was, want zo zal hij het zien.'

'Maak het nou. Ik ben verdorie geen konijn!'

'Zack zou vinden dat hij een bepaalde grens had overschreden. En het derde punt is dat hij toch die grens zou hebben overschreden, ook al had hij het geweten, vooropgesteld dat je hem op de hoogte had gebracht. Hij zou best zijn grenzen kunnen verleggen omdat hij van je houdt en naar je verlangt, en omdat hij opgelucht zou zijn geweest dat je uit zo'n afschuwelijke situatie had weten te ontsnappen. Maar het feit dat je het hem niet vertelde, dat je hem niet hebt tegengehouden, dat je hem blindelings verliefd op je liet worden, zal hij moeilijk kunnen verkroppen.'

'Waarom kan hij niet begrijpen dat het niets voor me betekent dat ik nog met Evan getrouwd ben? Ik ben niet langer Helen Remington.'

'Wil je gelijk krijgen of de waarheid horen?' vroeg Mia vlak.

'Nou, allebei zal wel niet kunnen, dus vertel me dan maar de waarheid.'

'Je hebt tegen hem gelogen, en daardoor heb je hem in een onmogelijke positie gebracht. En wat nog erger is, je hebt hem gezegd dat je niet van plan was een eind aan je huwelijk te maken.'

'Ik kan niet…'

'Stil. Je wilt er geen eind aan maken, en daardoor kun je geen nieuw begin maken. Het is zuiver en alleen jouw keus, Nell, dat mag niemand van je afpakken. Maar je hebt het Zack onmogelijk gemaakt om voor je op te komen. Om naast je te staan of, wat hij nog liever zou willen, voor je te staan om jou voor jouw duivel af te schermen.'

Ze ging weer zitten en pakte Nells handen. 'Dacht je dat hij voor de lol die penning draagt, of voor het armzalige loontje, of voor de macht?'

'Nee. Maar hij begrijpt niet wat Evan allemaal kan doen, waartoe hij in staat is. Er schuilt iets van krankzinnigheid in hem, Mia. Een soort koelbloedige, doelbewuste krankzinnigheid, en ik kan dat met de beste wil van de wereld niet uitleggen.'

'De meeste mensen zijn geneigd het woord "boosaardigheid" te dramatisch te vinden,' zei Mia, 'terwijl het in feite een uitermate simpel woord is.'

'Ja.' Een paar van de knoopjes kwamen wat losser te zitten. Ze had toch zo onderhand wel kunnen weten dat het niet nodig was alles aan Mia uit te leggen. 'Maar hij begrijpt niet dat ik het idee om Evan nog eens te moeten zien of zijn stem nog eens te moeten horen gewoon niet kan verdragen. Ik denk dat ik er onderdoor zou gaan. Dat het me kapot zou maken.'

'Je bent sterk genoeg.'

Nell schudde het hoofd. 'Hij… doet me ineenkrimpen. Ik weet niet of je kunt begrijpen wat ik daarmee bedoel.'

'Jawel, dat begrijp ik wel. Wil je een betovering of iets anders om je sterker te maken? Om je tegen de ene man te weren zodat je de ander kunt krijgen?' Mia stak haar hand uit en liet die strelend over de gladde vacht van Isis glijden. De kat hief haar kop, wisselde een zo op het oog veelbetekenende blik met haar baasje en krulde zich toen weer op.

'Er kan het een en ander worden gedaan,' zei Mia kortaf. 'Om je te beschermen, om je te concentreren, om je eigen energie te vergroten. En vooral de kracht die in je zit, Nell. Op dit moment...'

Ze trok de zilveren ketting met de zilveren schijf over haar hoofd. 'Jij hebt Zack je talisman gegeven, daarom geef ik jou de mijne. Die was van mijn overgrootmoeder.'

'Die kan ik niet aannemen.'

'Je hebt hem te leen,' zei Mia terwijl ze hem over Nells hoofd liet zakken. 'Mijn overgrootmoeder was een heel sluwe heks. Ze sloot een goed huwelijk. Heeft een grote slag geslagen op de effectenbeurs. En heeft het weten te behouden, waarvoor ik haar nog steeds dankbaar ben. Ze trad hier op het eiland als dokter op voordat er een kwam die wel een medische graad had behaald. Ze behandelde onder andere wratten, hielp kinderen ter wereld, hechtte wonden en verpleegde de helft van de bevolking tijdens een gevaarlijke griepepidemie.'

'Hij is prachtig. Wat staat er in gegraveerd?'

'Het is een oude taal, dezelfde die in de oudheid op de Keltische stenen in Ierland werd gebruikt. Het betekent moed. En nu je mijn moed draagt, zal ik je mijn advies geven. Ga slapen. Laat hem met zijn gevoelens worstelen terwijl jij de jouwe aan een onderzoek onderwerpt. Wanneer je naar hem toe gaat – want hij zal niet naar jou komen, hoeveel hij ook van je houdt – zorg dan dat je precies weet wat je wilt en wat je bereid bent te doen om dat te bereiken.'

ᔢ ᔢ ᔢ

'Je bent een klootzak, Zack.'

'Best. En wil je er dan nu over ophouden?'

Ripley vond dat een zus het recht had nooit haar mond te houden. 'Hoor eens, ik weet dat ze het heeft verpest. Maar wil je niet weten waarom ze dat heeft gedaan?' Ze liet haar beide handen met een klap op het bureau neerkomen en boog zich voorover zodat ze hem goed in zijn gezicht kon kijken. 'Wil je dan niet net zo lang wroeten en porren totdat ze je vertelt waarom ze nog steeds getrouwd is?'

'Als ze het me had willen vertellen, heeft ze er meer dan genoeg tijd voor gehad.' Zack richtte zijn aandacht weer op zijn computer. Hij was niet alleen naar het vasteland geweest om een ring te kopen. Hij had ook in een rechtszaak moeten getuigen. Nu dat was afgehandeld, kon hij zijn gegevens updaten.

Ripley maakte een geluidje tussen grommen en schreeuwen. 'Je maakt me stapelgek. Ik begrijp niet dat je jezelf niet stapelgek maakt. Je houdt van een getrouwde vrouw.'

Hij wierp haar een vernietigende blik toe. 'Daarvan ben ik me heel goed bewust. Ga je ronde doen.'

'Hoor eens, het is toch duidelijk dat ze die andere vent niet wil. Ze heeft hem gedumpt. Het is ook duidelijk dat ze helemaal weg van je is, net zoals jij van haar. Nell is hier nu... laat eens kijken... vijf maanden? En alles wijst erop dat ze zich hier voorgoed heeft gevestigd. Alles van vroeger heeft ze achter zich gelaten.'

'Ze is nog steeds officieel getrouwd. Dat telt voor mij het meest.'

'Ja ja, meneertje Fatsoen.' Ook al bewonderde ze zijn erecode, dan wilde dat nog niet zeggen dat hij haar er niet mee tot wanhoop kon brengen. 'Laat het er nou even bij. Laat het zijn eigen loop nemen. Waarom wil je trouwens per se met haar trouwen? O, wacht even, daar vergat ik glad tegen wie ik het heb. Maar als je mijn raad wilt...'

'Die wil ik niet. Echt niet.'

'Prima. Smoor dan maar in je eigen vet gaar.' Ze greep haar jack maar smeet het ook meteen weer neer. 'Sorry, maar ik kan het er niet bij laten nu jij zo gekwetst bent.'

Omdat hij dat ook wel wist, deed hij niet langer alsof hij bezig was zijn gegevens te updaten en wreef zich met zijn handen over zijn gezicht. 'Ik kan geen nieuw leven met iemand beginnen die haar oude nog niet heeft afgesloten. Ik kan niet met een vrouw naar bed die nog officieel met een andere man is getrouwd. En ik kan niet van iemand houden zoals ik van Nell hou zonder een huwelijk, een eigen huis en kinderen te willen. Ik kan dat gewoon niet, Rip.'

'Nee, dat kun je inderdaad niet.' Ze liep naar hem toe, sloeg van achteren haar armen om hem heen en liet haar kin op zijn hoofd rusten. 'Ik zou dat misschien wel kunnen.' Hoewel ze zich niet kon voorstellen dat ze ooit genoeg van iemand zou houden om die keus te moeten maken. 'Maar ik begrijp wel dat jij het niet kunt. Wat ik echter niet begrijp is dat je haar niet dwingt het uit te leggen, terwijl je zoveel van haar houdt en zo naar haar verlangt. Je verdient het om alles te weten.'

'Ik ga haar nergens toe dwingen, niet alleen omdat het niet zal werken, maar ook omdat ik zo'n idee heb dat de man met wie ze getrouwd is dat al meer dan genoeg heeft gedaan.'

'Zack.' Ripley draaide haar hoofd om zodat haar wang op zijn haar kwam te liggen. 'Is het ooit bij je opgekomen dat ze niet van hem durft te scheiden?'

'Jawel.' Zijn maag draaide zich even om. 'Dat drong vannacht tegen drie uur tot me door. Als dat het geval is, dan voel ik er alles voor om die hufter in elkaar te rammen. Maar het verandert niets aan de feiten. Ze is getrouwd en ze heeft het me niet verteld. Ze vertrouwt er niet genoeg op dat ik in alle opzichten voor haar klaar zal staan.'

Hij stak zijn hand op en legde die om de hare.

Zo zag Nell hen toen ze de deur opendeed. Zich aan elkaar vasthoudend. En ze zag even de beschuldigende blik in Ripleys ogen op hetzelfde moment waarop die van Zack zich afsloten.

'Ik moet met je praten. Alleen. Alsjeblieft.'

Instinctief greep Ripley Zack steviger vast, maar hij gaf haar een kneepje in haar hand. 'Ripley wilde net de ronde gaan doen.'

'Ja, natuurlijk, smijt mij er maar uit wanneer het leuk begint te worden.' Ze trok ruw haar jack aan, bedacht dat het dus zó voelde als ze zeiden dat de spanning met een mes te snijden was, en toen stak Betsy haar hoofd om de deur.

'Sheriff – Hoi Nell, Ripley. Sheriff, Bill en Ed Sutter hebben ruzie voor het hotel. Het ziet er niet goed uit.'

'Ik handel dat wel af.'

'Nee.' Zack stond bij Ripleys woorden op. 'We doen het samen.'

De gebroeders Sutter wisten nooit goed wat belangrijker was: hechte trouw aan de familie of het feit dat ze elkaar haatten als de pest. Aangezien ze allebei het postuur van een beer hadden en een dikke kop, leek het hem beter Ripley niet in een een-tegen-twee situatie te laten belanden. Hij wierp Nell een korte blik toe toen hij naar buiten liep. 'Jij zult moeten wachten.'

Het klonk zo kil, dacht ze terwijl ze zich over haar armen wreef. Al dat ijs was niet gemakkelijk te accepteren van een man die zoveel warmte in zich had. Hij zou het haar niet gemakkelijk maken. Hoe erg het de avond ervoor ook was geweest, toch had ze zich er vreemd genoeg van overtuigd dat hij het haar niet moeilijk zou maken.

Hij zou haar laten praten. Hij zou met haar meeleven, haar begrijpen en haar in zijn armen nemen.

In haar eentje op het bureau zag Nell haar fantasietje uiteenspatten en in rook opgaan.

Daar stond ze nu. Ze had haar trots ingeslikt, haar gevoel van vrede en welzijn geriskeerd, en het enige dat hij had kunnen doen was haar een ijzige blik toewerpen.

Nou, als het dan zo erg was, moest ze het er misschien maar bij laten.

Het stak haar en ze trok de deur open. Twee stappen naar buiten zag ze niet alleen de herrie op straat, ze kon het horen ook. Ze bevroor ter plekke, sloeg de armen om zich heen en keek toe hoe het allemaal verliep.

Een grote vent met heel kort haar stompte een andere vent met heel kort haar in zijn buik. Er werd over en weer gevloekt. Een belangstellende menigte had zich op veilige afstand verzameld, en enkelen leken partij te kiezen met schreeuwen en het roepen van namen.

Zack en Ripley hadden zich er al in gemengd en probeerden de beide mannen uit elkaar te halen. Nell kon niet horen wat ze zeiden, al kwam de menigte wel tot bedaren. Alleen leek het niet veel effect op de gebroeders Sutter te hebben.

Het mankeerde er nog aan dat ze elkaar begonnen te bijten.

Nell kromp in elkaar en was al wat dichterbij gekomen toen ze de eerste vuist zag uithalen. Er werd nu weer een heleboel geschreeuwd, wat haar aan het donderen van de branding deed denken. Er gebeurde heel veel maar het ging allemaal in een waas voorbij.

Zack had de ene man bij zijn arm, en Ripley de andere. Ze hadden allebei de handboeien te voorschijn gehaald. Er werd gestompt en geduwd en gevloekt, en er werden kortaf waarschuwingen geblaft.

Toen haalde de ene broer fel uit naar de ander, maar hij miste en trof Zack vol in het gezicht.

Ze zag Zacks hoofd naar achteren slaan en hoorde de menigte als één man naar adem snakken. Het werd zo stil dat het leek alsof een film was stopgezet.

Toen alles en iedereen weer begon te schreeuwen en in beweging kwam, stak ze al op een holletje de straat over.

'Wel godverdomme, Ed, je bent gearresteerd.' Zack deed de ene de handboeien om en Ripley deed hetzelfde bij de andere. 'En dat geldt ook voor jou, Bill. Stelletje onbesuisde stommelingen. En bemoeien jullie je verder met je eigen zaken,' beval hij terwijl hij Ed in bedwang hield.

Hij kreeg Nell in het oog die als een bange haas op het trottoir stond, en vloekte opnieuw.

'Maak het nou, sheriff, je weet best dat ik het niet op jou had gemunt.'

'Het kan me geen ene bliksem schelen op wie je het had gemunt.' Niet als hij bloed in zijn mond proefde. 'Je hebt zojuist een politieagent aangevallen.'

'Híj begon.'

'Dat had je gedacht.' Bill wierp een blik achterom toen Ripley hem kortaf wegvoerde. 'Maar als ik de kans krijg dan kun je er vergif op innemen dat ik het zal afmaken.'

'En wie wilde je daar voor meenemen?'

'Kop houden, allebei,' beval Ripley. 'Stelletje overjarig geteisem.'

'Ed begon met stompen. Waarom moet ik nu mee naar het bureau?'

'Omdat je verdomme voor overlast zorgt. Als jullie mekaar voor de kop willen slaan, doe je dat maar bij een van jullie thuis en niet op straat.'

'Je gaat ons toch niet echt achter de tralies zetten.' Ed begreep eindelijk wat hem te wachten stond, werd een stuk kalmer en draaide zich smekend om. 'Kom nou, Zack, je weet dat mijn vrouw me levend zal villen als je me opsluit. Het was gewoon een familiekwestie.'

'Niet wanneer dat op mijn straten wordt uitgevochten, en niet wanneer mijn gezicht eronder te lijden heeft, verdomme.' Zijn kaak klopte als een gek. Hij duwde Ed rechtstreeks het bureau in en naar de twee cellen achterin. 'Je krijgt een tijdje om af te koelen voordat ik je vrouw laat roepen. We moeten maar afwachten of ze bereid is je borgtocht te betalen.'

'En dat geldt ook voor jou,' zei Ripley opgewekt tegen Bill toen ze hem zijn handboeien afdeed en hem de cel in duwde.

Zodra de beide celdeuren dicht waren en op slot zaten, veegde ze haar handen af. 'Ik schrijf het rapport wel. Ik tik langzamer dan jij. Ik zal de vrouwen ook bellen, hoewel ze het denk ik al zullen hebben gehoord voordat ik een pen op papier heb.'

'Best.' Vol walging streek Zack met de achterkant van zijn hand over zijn mond waarbij hij bloed uitsmeerde.

'Je zult ijs op die kaak moeten doen. En op je lip. Die vuist van Ed Sutter is zo groot als Idaho. Hé Nell, waarom neem je onze held niet mee naar jouw huis, dan kun je hem daar wat ijs geven.'

Zack had niet gemerkt dat ze binnen was gekomen. Hij draaide zich langzaam om en staarde Nell aan die in de deuropening was blijven staan.

'Ja, best.'

'We hebben hier achter ijs. Ik kan er zelf wel voor zorgen.'

'Je kunt maar beter wat ruimte tussen jou en Ed scheppen,' raadde Ripley hem aan. 'Totdat je zeker weet dat je die cel niet van het slot doet en er zelf op los gaat slaan.'

'Daar zit wat in.'

Zijn ogen waren niet langer ijskoud, zag Nell. Ze leken op gloeiend heet groen glas. Ze likte langs haar lippen. 'IJs is goed om de zwelling tegen te gaan. En… thee van rozemarijn kan de pijn verzachten.'

'Best. Prima.' Het galmde toch al in zijn hoofd, dus kon dat er ook nog wel bij. 'Tweehonderdvijftig dollar boete de man,' snauwde hij tegen Ripley. 'Of twintig dagen. Als hen dat niet aanstaat, maak er dan een officiële aanklacht van. Dan laten we het aan de rechtbank over.'

'Begrepen.' Ripley straalde toen Zack naar buiten stampte. Dit was echt prachtig, dacht ze. Haar humeur was aanzienlijk opgefleurd.

Ze liepen zwijgend naar de cottage. Nell wist niets meer te zeggen. Deze vreselijk boze man kwam haar net zo onbekend voor als de ijskoude van even daarvoor. Ze twijfelde er geen seconde aan dat hij op dit moment eigenlijk niets met haar te maken wilde hebben. Ze wist precies hoe lang het duurde om je evenwicht terug te vinden na een klap in je gezicht.

Maar toch, afgezien van die rake klap leek hem weinig meer te mankeren dan een pijnlijk hoofd en een aanslag op zijn humeur.

Er werd vaak gezegd dat iemand taaier was dan hij eruitzag. Dat gold waarschijnlijk ook voor Zachariah Todd.

Ze deed de deur van de cottage open en liep nog steeds zonder iets te zeggen naar de keuken waar ze ijs in een plastic zak stopte die ze daarna in een dunne theedoek wikkelde.

'Dank je. Ik breng de theedoek wel terug.'

Ze had al een ketel gepakt om thee te zetten en keek hem met knipperende ogen aan. 'Waar ga je naartoe?'

'Een eind lopen om in ieder geval iets van mijn woede kwijt te raken.'

Omdat haar niets anders restte zette ze de ketel terug. 'Dan ga ik met je mee.'

'Je kunt maar beter bij me uit de buurt blijven, en ik bij jou.'

Het was een hele ontdekking om te merken dat een klap soms beter was dan woorden. 'Dat is dan jammer, want we moeten met elkaar praten, en hoe langer dat wordt uitgesteld, hoe moeilijker het zal worden.'

Ze deed de keukendeur open en bleef daar staan wachten. 'Laten we naar het bos gaan. Doen alsof dat neutraal terrein is.'

Hij had geen jack aangetrokken en de regen die de avond ervoor was gevallen had het een stuk koeler gemaakt. Ze keek naar hem op toen ze naar haar eigen bosje liepen.

'Dat ijs zal niet veel helpen als je het niet gebruikt.'

Hij drukte het tegen zijn pijnlijke kaak en voelde zich lichtelijk belachelijk.

'Toen ik hier van de zomer kwam, vroeg ik me af hoe het zou zijn om in de herfst tussen de bomen te lopen wanneer de bladeren waren gekleurd, en wanneer de eerste kou zou zijn gevallen. Toen ik in Californië woonde, miste ik de kou en de veranderende seizoenen.'

Ze blies even haar adem uit en haalde toen weer diep adem. 'Ik heb drie jaar in Californië gewoond. Voornamelijk in Los Angeles, hoewel we ook vaak in het huis in Monterey waren. Daar was ik liever, maar ik zorgde er wel voor dat hij dat niet merkte, want anders zou hij er wel in zijn geslaagd om er nooit meer naartoe te gaan. Hij vond het fijn om me op allerlei maniertjes te straffen.'

'Je bent met hem getrouwd.'

'Dat klopt. Hij was knap en romantisch, en intelligent, en rijk. Echt mijn prins op het witte paard, en we zouden lang en gelukkig leven. Ik was verblind, gevleid, en verliefd. Hij deed heel erg zijn best om me verliefd op hem te maken. Het heeft geen zin om op alle bijzonderheden in te gaan. Een paar ervan heb je trouwens toch al geraden. Hij was op allerlei manieren wreed. Hij maakte dat ik me klein voelde. Klein, kleiner, kleinst, totdat ik bijna helemaal was uitgewist. Toen hij me sloeg... de eerste keer was dat een vreselijke schok. Ik was nog nooit eerder geslagen. Ik had toen moeten weggaan, meteen. Of het in ieder geval moeten hebben geprobeerd. Hij zou me nooit hebben laten gaan, maar ik had het op z'n minst moeten proberen. Maar ik was nog maar een paar maanden getrouwd, en op de een of andere manier zorgde hij ervoor dat het leek alsof ik het had verdiend. Omdat ik stom was geweest, of onhandig, of iets had vergeten. Om van alles en nog wat. Hij richtte me af alsof ik een hond was. Daar ben ik niet trots op.'

'Heb je hulp gehad?'

Het was zo stil in het bos. In die stilte kon ze iedere stap van haar en Zack horen die de grond raakte die al vol met gevallen bladeren lag.

'In het begin niet. Ik wist natuurlijk van het bestaan van mishandeling, maar dat gold niet voor mij. Ik kwam niet uit zo'n milieu. Ik kwam uit een goed, stabiel gezin. Ik was met een intelligente, succesvolle man getrouwd. Ik woonde in een groot, mooi huis. Ik had bedienden.'

Ze stak haar hand in haar zak. Ze had een magisch buideltje samengesteld voor moed, en had er zorgvuldig zeven knopen in gelegd. Het betasten hielp haar haar zenuwen tot bedaren te brengen.

'Het kwam alleen maar omdat ik steeds weer in de fout ging, dat was alles. Ik dacht dat als ik alles had geleerd, het weer allemaal goed zou komen. Maar het werd alleen erger, en toen kon ik mezelf niet langer voor de gek houden. Op een avond sleurde hij me aan de haren de trap op. Ik had toen lang haar,' legde ze uit. 'Ik dacht dat hij me zou vermoorden. Ik dacht dat hij me zou slaan en me verkrachten, en me dan zou vermoorden. Maar dat deed hij niet. Dat soort dingen deed hij nooit. Maar het werd me toen duidelijk dat hij het had kunnen doen, en dat ik hem niet had kunnen tegenhouden. Ik ben naar de politie gegaan, maar hij is een man met veel invloed. Hij had connecties. Ik had een paar blauwe plekken maar niets ernstigs. Ze deden niets.'

Dat te horen gaf hem het gevoel dat er een gat dwars door zijn lijf werd gebrand. 'Dat hadden ze wel moeten doen! Ze hadden je naar een blijf-van-mijn-lijfhuis moeten brengen.'

'Wat hen betrof was ik een rijk en verwend vrouwtje dat onrust wilde stoken. Het doet er niet meer toe,' zei ze lusteloos. 'Ze hadden me waar dan ook naartoe kunnen brengen, maar hij zou me toch wel hebben gevonden. Ik ben een keer eerder weggelopen, en toen wist hij me ook te vinden. Dat heb ik moeten bezuren. Hij maakte me één ding heel duidelijk, hij bracht me goed aan het verstand dat ik van hem was, en dat ik nooit van hem af zou komen. Waar ik ook naartoe ging, hij zou me wel weten te vinden. Hij hield van me.'

Ze werd door een ijzige golf bevangen toen ze dat zei. Ze bleef staan en draaide zich naar Zack om. 'Dat is zijn versie van liefde die alle grenzen en alle regels te boven gaat. Zelfzuchtig, koud en obsessief, en met groot machtsvertoon. Hij zou me liever dood zien dan me los te laten. Dat is niet overdreven.'

'Ik geloof je. Maar toch wist je te ontsnappen.'

'Omdat hij denkt dat ik dood ben.' Met een heldere stem, ontdaan van alle emotie, vertelde ze hem wat ze had gedaan om haar ketenen te verbreken.

'Jezus christus, Nell.' Hij smeet de ijszak op de grond. 'Het is een wonder dat je er niet echt bij om het leven bent gekomen.'

'Hoe het ook zij, ik wist te ontsnappen. En na een tijdje rondzwerven kwam ik hierheen. Ik geloof absoluut dat ik vanaf dat die auto over de rand van de klip vloog naar hier onderweg was. En naar jou.'

Omdat hij haar veel te graag wilde aanraken en niet zeker wist of het een streling zou worden of dat hij haar woest door elkaar wilde schudden, stak hij zijn handen in de zak. 'Ik had het recht het te weten toen het tussen ons begon te veranderen. Ik had het recht het te weten.'

'Ik had niet verwacht dat het tussen ons anders zou worden.'

'Maar dat gebeurde verdorie wel. En als je niet wist waar het bij ons op uit zou lopen, dan ben je echt hartstikke stom.'

'Ik ben niet stom.' Er kwam iets van scherpte in haar stem. 'Ik kan het best verkeerd hebben gedaan, maar ik ben niet stom. Ik had nooit verwacht dat ik op jou verliefd zou worden. Ik wilde helemaal niet verliefd op je worden. Ik wilde niet eens iets met jou van doen hebben. Je bleef maar achter me aan lopen.'

'Het maakt niet uit hoe het is gebeurd, het is gebeurd. Punt uit. Jij wist hoe je ervoor stond maar dat vertelde je mij niet.'

'Ik ben een leugenaar,' zei ze vlak. 'Ik ben een bedrieger, en een rotwijf. Maar zeg nooit meer dat ik stom ben.'

'Jezus christus.' De wanhoop nabij liep hij met grote stappen bij haar weg en hief zijn gezicht omhoog.

'Ik laat me nooit meer vernederen, door niemand. En ik wil al helemaal niet opzij worden geschoven totdat het in jouw kraam te pas komt weer aandacht aan me te schenken.'

Hij draaide zijn hoofd om en keek haar nieuwsgierig aan. 'Denk je er zo over?'

'Ik zég je hoe ik erover denk. Ik heb een hele tijd nagedacht nadat je gisteren het huis uit liep. Ik ga niet jammeren en in een hoekje kruipen omdat jij boos op me bent. Daarmee zou ik ons allebei beledigen.'

'Driewerf hoera.'

'Ach joh, loop naar de bliksem.'

Hij draaide zich nu helemaal om en liep op haar af. De angst lag als een knoop in haar maag en haar handen werden nat van het zweet, maar ze bleef pal staan.

'Een verrekt fijne tijd zoek je ervoor uit om ruzie met me te gaan maken, vooral omdat jij een fout hebt gemaakt.'

'Alleen als je het van jouw kant bekijkt. Van mijn kant bekeken heb ik gedaan wat ik moest doen. Ik wilde dat ik je geen pijn had gedaan, maar ik kan dat niet terugdraaien.'

'Nee, dat kun je inderdaad niet. Dus gaan we van hieraf verder. Heb je nog iets weggelaten wat ik zou moeten weten?'

'De vrouw die van die klip reed heette Helen Remington. Ms. Evan Remington. Op die naam reageer ik niet langer. Die vrouw ben ik niet meer.'

'Remington.' Hij zei het zachtjes. Ze kon bijna zien hoe hij in gedachten wat gegevens doornam. 'Hollywood-figuur.'

'Dat klopt.'

'Verder dan dit kon je haast niet wegkomen.'

'Dat klopt ook. Ik zal nooit teruggaan. Ik heb hier het leven gevonden dat ik zocht.'

'Met of zonder mij?'

Voor het eerst sinds ze was gaan praten, voelde ze haar maag opspringen. 'Dat hangt van jou af.'

'Nee, niet waar. Jij weet al wat ik wil. Nu gaat het erom wat jij wilt.'

'Ik wil jou. Dat weet je.'

'Dan zul je moeten afmaken wat je bent begonnen. Je zult er een eind aan moeten maken. Een scheiding aanvragen.'

'Dat kan ik niet. Heb je dan helemaal niet geluisterd naar wat ik je heb verteld?'

'Woord voor woord, plus wat je niet hebt gezegd.' Ergens wilde hij haar troosten, haar tegen zich aan houden, haar in bescherming nemen. Haar zeggen dat het er niet meer toe deed.

Maar dat deed het wel.

'Je kunt niet de rest van je leven blijven twijfelen, achterom kijken of doen alsof die drie jaar niet hebben bestaan. En ik ook niet. Ten eerste zal het aan je gaan vreten, en ten tweede is de wereld maar klein. Je zult nooit zeker weten of hij je niet zal vinden. Als hij dat doet, of als je bang bent dat hij je heeft gevonden, wat ga je dan doen? Weer op de vlucht slaan?'

'Het is al meer dan een jaar geleden dat ik weg ben gegaan. Hij kan me niet vinden als hij denkt dat ik dood ben.'

'Dat zul je nooit zeker weten. Je moet er een eind aan maken, maar dat hoef je niet in je eentje te doen. Ik zal niet toelaten dat hij je nog eens te na komt. Dit hier is niet zijn terrein,' zei hij terwijl hij haar gezicht met een vinger onder haar kin ophief. 'Het is het mijne.'

'Je onderschat hem.'

'Dat denk ik niet. Ik weet dat ik mezelf niet onderschat, of Ripley, of Mia. Of een heleboel mensen op het eiland die alles voor je zouden willen doen.'

'Ik weet niet of ik kan doen wat jij van me vraagt. Meer dan een jaar heb ik er alles aan gedaan om te zorgen dat hij er nooit achter zal komen dat ik nog leef, en dat hij niet zal ontdekken waar ik me bevind. Ik weet niet of ik het kan opbrengen weer in de openbaarheid te komen. Ik moet erover nadenken. Je moet me tijd geven om na te denken.'

'Goed. Vertel het me maar als je een besluit hebt genomen.' Hij bukte zich en pakte de ijszak op. Het ijs was grotendeels gesmolten. Omdat hij zich niet al te veel bekommerde om de pijn in zijn kaak maakte hij de zak open en liet de inhoud eruit lopen. 'Als je niet met me wilt trouwen, Nell, dan zal ik dat accepteren. Maar als je goed over alles hebt nagedacht, wil ik wel dat je me vertelt wat je hebt besloten.'

'Ik hou van je. Daarover hoef ik niet na te denken.'

Midden in het stille bos met zijn woest gekleurde bladeren, en in de lucht die nog steeds heel licht naar de regen van gisteren rook, keek hij haar aan.

Hij stak zijn hand uit. 'Ik loop met je mee naar huis.'

18

Ripley keek Zack zo zielig mogelijk aan. En ze jammerde ook nog. Ze was zuinig met jammeren en deed het alleen om nog meer indruk te maken.

'Ik wil helemaal niet naar Mia.'

Maar hij was immuun voor dat soort tactieken, want hij kende haar nu al bijna dertig jaar van zeer dichtbij. Hoewel hij moest toegeven dat ze er een applausje voor verdiende.

'Toen jullie nog klein waren, woonde je praktisch bij haar.'

'Toen en nu. Zie je het verschil? Waarom ga je zelf niet?'

'Omdat ik een penis heb. Ik hoef jou niet te vragen welk verschil dat maakt. Wees nou even sportief, Rip.'

Ze draaide een keer in de rondte, haar manier van met haar voeten op de vloer stampen. 'Als Nell vanavond naar Mia gaat, dan kan Mia een oogje op haar houden. Jezus, Zack, doe nou toch niet zo moederlijk. Die hufter in L.A. weet niet eens dat ze nog leeft.'

'Als ik me te beschermend opstel, zullen we er allemaal mee moeten leren leven. Ik wil niet dat ze 's nachts in haar eentje over de klippen rijdt.' Het idee dat haar auto drieduizend mijl verderop over de rand was gevlogen, maakte van zijn maag nog steeds een ijsklomp. 'Ik wil haar in het oog houden totdat dit is opgelost.'

'Nou, hou jij dan een oogje op haar. Jullie proberen te besluiten of je voorgoed lijdzame, ongelukkige minnaars wilt blijven of een knus gezinnetje wilt stichten.'

Hij liet de belediging voor wat die was, omdat ze altijd op die manier probeerde ruzie te maken zodat ze naar buiten kon stormen en niet hoefde te doen wat hij van haar vroeg. 'Ik zal nooit begrijpen hoe het komt dat ik veel meer van vrouwen weet dan jij, terwijl jij er zelf eentje bent.'

'Let op je woorden, gluiperd.'

Hij had die belediging dus toch niet gelaten voor wat die was, veronderstelde hij. 'Het is niet goed dat ik de hele dag om haar heen hang. Ze heeft nu even geen behoefte aan een man, zelfs niet aan zo'n perfect exemplaar als ik ben, die haar op haar huid zit. Ze moet tot een besluit zien te komen. Totdat ze dat heeft gedaan, probeer ik een beetje afstand te bewaren zonder te laten merken dat ik een beetje afstand bewaar.'

'Goh zeg, jij denkt wat af.'

Feitelijk had hij haar behoorlijk in het nauw gedreven. Hij wilde dat ze een oogje op Nell hield, en zelf wilde ze een oogje op Zack houden. Vanaf dat hij haar twee dagen geleden Nells verhaal had verteld, had ze geen moment rust meer gehad.

Bloed op de maan, dacht ze. Nells visioen van Zack onder het bloed. Een echtgenoot die tot moord in staat was, een psychopaat, en dan nog haar eigen verontrustende dromen. Ze vond het vreselijk dat ze bij voortekenen werd betrokken… maar verdorie, het zag er niet best uit.

'Wat ga jij doen terwijl ik op de liefde van jouw leven in het Heksencentrum ga passen?'

Er was nog iets dat hij in de bijna dertig jaar over haar aan de weet was gekomen. Hij kon altijd op Ripley rekenen. 'Ik doe de beide avondronden, haal wat te eten en ga dat in alle eenzaamheid thuis opeten.'

'Als je denkt dat ik medelijden met je krijg, heb je het goed mis. Ik zou zo met je willen ruilen.' Ze liep naar de deur. 'Ik ga wel bij Nell langs om te zeggen dat ik vanavond met haar meega. Maar ik wil dat jij op jezelf past.'

'Pardon?'

'Ik wil er niet over praten. Ik vertel het je alleen maar.'

'Ik zal op mezelf passen.'

'En koop wat bier. Je hebt het laatste flesje opgedronken.'

Ze sloeg de deur achter zich dicht omdat… nou, gewoon omdat.

ঔ ঔ ঔ

Mia zette nieuwe betoveringen uit. Iedere dag leek de lucht wel een tikje zwaarder te worden. Alsof het door iets omlaag werd getrokken. Ze keek naar buiten. Het was al donker. Eind oktober was er zoveel nacht, zoveel uren voordat het weer dag werd.

Er waren dingen waarover in het donker maar liever niet gesproken of zelfs maar gedacht mocht worden. De nacht kon als een open raam werken.

Ze stak takjes salie in brand om negatieve krachten tegen te gaan, en deed amethisten oorringen in om haar intuïtie te versterken. Ze was even in de verleiding gekomen om takjes rozemarijn onder haar kussen te leggen om de dromen die haar plaagden te verjagen. Maar ze moest kunnen zien en kijken.

Ze deed wat jaspis aan de halsketting die de energie zou versterken en de spanning wat zou doen afnemen.

Het was jaren geleden dat ze zo bij voortduring onder spanning had gestaan.

Vanavond kon ze dat niet gebruiken, hield ze zich voor. Ze moest Nell helpen de volgende stap te zetten, en zulke dingen hoorden vreugdevol te zijn.

Ze betastte het magische buideltje in haar zak, vol met kristallen en kruiden, en, zoals ze Nell had geleerd, stevig dichtgeknoopt met zeven knopen. Ze vond het afschuwelijk zo gespannen te zijn alsof ze continu wachtte tot het noodlot zou toeslaan.

Dwaas eigenlijk, terwijl ze juist haar hele leven maatregelen had genomen om het noodlot te ontwijken.

Ze hoorde de auto en zag het licht van de koplampen over haar ramen strijken. Toen ze naar de deur liep haalde ze zich voor ogen dat ze de spanning in een zilveren kistje goot en dat op slot deed.

Vandaar dat ze weer kalm als altijd leek toen ze de deur opendeed. Totdat ze Ripley zag.

'Terrein aan het verkennen, deputy?'

'Ik had niks beters te doen.' Het verbaasde haar Mia in een lange zwarte jurk te zien. Mia droeg zelden zwart. Maar, moest Ripley toegeven, die vrouw was eigenlijk altijd onvoorspelbaar. 'Is er iets speciaals aan de hand?'

'Toevallig wel. Als Nell het wil heb ik geen bezwaar tegen jouw aanwezigheid, mits je je er niet mee bemoeit.'

'Je bent niet belangrijk genoeg om me mee te bemoeien.'

'Gaat jullie nog lang zo door?' vroeg Nell op aangename toon. 'Ik had mijn hoop op een glas wijn gevestigd.'

'Ik denk dat we wel zijn uitgepraat. Kom binnen en wees welkom. We nemen de wijn mee.'

'Mee? Waarnaartoe?'

'Naar de kring. Heb je meegebracht wat ik je gezegd heb?'

'Ja.' Nell klopte op de grote leren tas die ze bij zich had.

'Mooi zo. Ik zal even pakken wat ik nodig heb en dan kunnen we gaan.'

Ripley liep vrijelijk rond terwijl Mia zich gereedmaakte. Ze had het huis op de klip altijd fijn gevonden. Ze was er dol op geweest. De grote, overvolle kamers, de verborgen hoekjes, de dikke deuren met houtsnijwerk en de glanzende vloeren.

Zelf had ze zich gemakkelijk met een kamer en een slaapplaats kunnen redden, maar ze moest toegeven dat Mia's huis stijl had. En klasse. En de sfeer was niet te overtroeven.

Maar als je die klasse, stijl en sfeer niet meerekende, was het nog steeds een prettig huis. Zo'n plek waar je je in een stoel kon laten zakken en je voeten omhoog leggen.

Een plek, herinnerde ze zich, waar ze ooit vrij in en uit was gelopen en net zo welkom was geweest als een lievelingshondje. En het kwam hard aan om ineens tot de ontdekking te komen dat ze dit alles vreselijk had gemist.

'Heb je nog steeds de dakkamer in gebruik?' vroeg Ripley onverschillig terwijl Mia een fles rode wijn uit het wijnrek koos.

Toen Mia achteromkeek, vonden hun ogen elkaar. Gedeelde herinneringen. 'Ja. Er liggen nog steeds een paar spullen van je,' zei ze terwijl ze drie glazen in een witte linnen doek wikkelde.

'Die heb ik niet meer nodig.'

'Nou ja, ze zijn er nog steeds. Nu je toch hier bent, kun jij deze tas dragen.' Ze wees en pakte zelf de tweede met de wijn en de glazen.

Ze deed de achterdeur open, waarop Isis naar buiten schoot. Dat verbaasde Nell omdat de kat meestal niet de moeite nam met hen mee te gaan.

'Het is een speciale avond.' Mia deed de kap op van de mantel die ze om haar schouders had gegooid. Weer zwart, dit keer met een donkerrode voering. 'Ze weet het. Het is bijna Samhain. Nell moet leren het seinvuur te doen ontbranden.'

Ripleys hoofd kwam met een ruk omhoog. 'Ga je niet een beetje al te snel?'

Onder het lopen keek Mia aandachtig naar de maan. Er was niet meer dan een schijfje van overgebleven en zou al snel helemaal zijn verduisterd. Rondom dat schijfje wit kon ze een donkerder waas zien, zwarter dan de hemel.

'Nee.'

Ripley, geërgerd dat Mia haar weer een gevoel van onbehagen had bezorgd, haalde haar schouders op. 'Halloween. Herrijzenis van de doden. De nacht kookt over van de boze geesten en alleen de dapperen en de dwazen lopen in het donker.'

'Onzin,' zei Mia luchtig. 'En het heeft geen zin om op die toer te gaan in een poging Nell angst aan te jagen.'

'Het einde van de derde en laatste oogst van het jaar.' Nell zoog diep de nacht in. 'De tijd om de doden te herdenken en de eeuwige cyclus te vieren. Ook de nacht waarin de sluier tussen leven en dood volgens zeggen op zijn dunst is. Er is eigenlijk niets negatiefs aan, eerder een tijd om nog eens alles te bevestigen, een tijd van loltrappen. En Mia's verjaardag natuurlijk.'

'En bovendien haar dertigste,' zei Ripley.

'Doe maar niet zo zelfgenoegzaam.' Mia's stem klonk wat fel, niet helemaal speels. 'Over zes weken ben jij aan de beurt.'

'Ja, maar je bent en blijft ouder dan ik.'

Isis bevond zich al op de open plek en zat zo stil als een sfinx in het midden.

'Er zijn wat kaarsen om bij te werken. Je kunt ze op de stenen zetten en ze aansteken, Ripley.'

'Nee.' Ze stopte haar handen opzettelijk in de zakken van haar vliegeniersjack. 'Je tas dragen is tot daaraantoe, maar ik doe hier niet aan mee.'

'In vredesnaam, zeg. Je zult je magie-celibaat niet doorbreken door een paar kaarsen aan te steken.' Maar Mia had de tas al van haar afgepakt waarna ze op hoge poten naar de stenen liep.

'Ik doe het wel,' zei Nell vastberaden. 'Jullie hoeven nergens kwaad om te worden wanneer jullie precies doen wat je zelf wilt.'

'Waarom ben je zo kwaad?' vroeg Ripley zacht terwijl ze dicht bij Mia ging zitten die terug was gekomen om bepaalde voorwerpen uit haar tas te halen. 'Meestal kost het me veel meer moeite om je kwaad te maken.'

'Misschien ben ik tegenwoordig wat sneller geërgerd.'

'Je ziet er moe uit.'

'Ik ben ook moe. Er is iets op komst. Het komt steeds dichterbij. Ik weet niet hoe lang ik het nog kan afhouden. Ik weet niet eens of het de bedoeling is dat ik het afhou. Er zal bloed vloeien.'

Ze greep Ripley bij de pols en hield haar stil. 'En pijn. Angst en leed. En ik ben bang dat zonder de kring de dood zal toeslaan.'

'Als je dat zo zeker weet, als je daar zo bang voor bent, waarom haal je er dan niet iemand anders bij? Je kent anderen.'

'Anderen hebben er niets mee te maken, dat weet je heel goed.' Ze keek achterom naar Nell. 'Misschien is ze sterk genoeg.'

Mia ging rechtop staan en wierp haar kap af. 'Nell, we gaan nu de kring trekken.'

Ripley had van alles verwacht, maar niet het verlangen dat door haar heen schoot toen ze naar het begin van het ritueel keek en de vertrouwde woorden in haar hoofd weergalmden.

Ze had het opgegeven, hielp ze zich herinneren. Ze had het aan de kant gezet.

Ze zag de staf en het mes glinsteren. Zelf had ze altijd de voorkeur gegeven aan het zwaard.

Ze klemde nadenkend haar lippen op elkaar terwijl Mia met een lucifer de kaarsen aanstak. Maar toen ze haar mond opendeed om iets te zeggen, iets te vragen, wierp Mia haar een blik toe om haar stil te houden.

Prima, jij je zin, zoals gewoonlijk, dacht Ripley, en hield haar opmerking voor zich.

'Aarde, wind, vuur, water – elementen, hoor deze roep van uw dochters. Onder de maan hoog aan de hemel, laat de magische kring rijzen.'

Met haar hoofd naar achteren en opgeheven armen bleef Mia wachten. En de wind wakkerde bijna zingend aan en de kaarsvlammen stonden kaarsrecht ondanks de warrelende, zoemende lucht. Onder haar voeten begon de aarde zachtjes te beven en in haar heksenketel begon de geurige vloeistof te borrelen.

Op het moment dat Mia haar armen weer liet zakken, namen beide fenomenen af.

Nell was volslagen buiten adem. Gedurende de afgelopen maanden had ze fantastische dingen gezien en gedaan, maar pas vanavond had ze het zo duidelijk te zien gekregen.

'De macht wacht,' zei Mia en stak haar hand uit.

Toen Nell die vastgreep, merkte ze dat Mia's huid warm, bijna heet aanvoelde.

'Die wacht in jou. Jouw schakel is de lucht, en het is voor jou het gemakkelijkst die aan te roepen. Maar er zijn er vier. Vanavond zul je vuur maken.'

'Het seinvuur, ja. Maar we hebben geen hout meegebracht.'

Zachtjes grinnikend deed Mia een stapje naar achteren. 'Dat hebben we niet nodig. Concentreer je op jezelf. Maak je hoofd leeg. Dit vuur brandt niet. Dit vuur doet geen kwaad. Het verlicht het duister en gloeit op door toverkracht. Wanneer je zijn gouden toren schept, zul je leren hoeveel macht en kracht je hebt. En eenmaal begonnen, zal het niemand kwaad doen.'

'Het is te vroeg voor haar,' zei Ripley van buiten de kring.

'Stil. Je mag je er niet in mengen. Kijk me aan, Nell. Je kunt me vertrouwen, je kunt jezelf vertrouwen. Kijk. En zie.'

'Hou je hoed vast,' mompelde Ripley en deed voor alle zekerheid een paar stappen naar achteren.

Mia opende haar handen, lege handen. Ze spreidde haar vingers. Ze draaide ze om en stak haar armen uit alsof ze naar iets reikte.

Er flitste een vonk, blauw als elektriciteit. Toen nog een, en toen een stuk of tien, en toen te veel om te tellen. Ze knisperden als vuur op water en kleurden de lucht binnen de kring tot donker saffier.

En daar waar de grond kaal was geweest steeg een helle goudkleurige vlammenzuil op.

Nells benen begaven het en ze kwam met een fikse klap op haar achterste terecht. Als ze al een paar fragmenten bij elkaar had kunnen garen van wat er door haar hoofd ging, dan had ze die nooit kunnen verwoorden.

'Ik zei het toch,' zuchtte Ripley hoofdschuddend.

'Stil!' Mia wendde zich af van het vuur en stak haar hand uit om Nell overeind te helpen. 'Je hebt me eerder de magie zien bedrijven, kleine zus. Je hebt zelf magische dingen gedaan.'

'Maar niet zoiets.'

'Het is een elementaire bedrevenheid.'

'Elementair? Toe nou, Mia. Je hebt vúúr gemaakt. Uit het niets.'

'Ze bedoelt dat het net zoiets is als je maagdelijkheid verliezen. Het is nogal een schok,' zei Ripley behulpzaam. 'De eerste keer is het misschien niet zo aangenaam als je had gedacht, maar na een tijdje wordt het steeds prettiger.'

'Dat komt er redelijk in de buurt,' was Mia het met haar eens. 'Richt nu al je aandacht op jezelf, Nell. Je weet hoe je dat moet doen. Maak je hoofd leeg. Roep het beeld voor ogen, vergaar al je macht. Maak je eigen vuur.'

'Ik kan onmogelijk…'

Met opgeheven hand onderbrak Mia haar. 'Dat weet je pas als je het probeert. Concentreer je.' Ze ging achter Nell staan en legde haar handen op dier schouders. 'Er is licht in je, en hitte, en energie. Dat weet je. Voeg die samen. Voel het. Het is een tinteling in je buik, en het stijgt op naar je hart. Het verspreidt zich, het vult je.'

Voorzichtig stak ze haar handen onder Nells armen en hief ze op. 'Het stroomt als een rivier onder je huid, vloeit naar je armen en je vingertoppen. Laat het komen. Het is zover.'

Terwijl zij bezig waren keek Ripley toe. Op een eigenaardige manier zat er iets lieflijks in. Alsof ze naar Mia keek die Nell op haar eerste fietsje in evenwicht hield terwijl ze haar aanmoedigde en de gang erin hield. En haar hielp haar zelfvertrouwen te vergroten.

De eerste keer was voor student en leraar niet eenvoudig, wist ze. Door de inspanning glom Nells gezicht van het zweet. Haar armspieren trilden.

Het was al nooit helemaal stil op de open plek, maar nu leek die te vibreren. De lucht die hier al nooit helemaal stil was, leek te zuchten.

Er verscheen een zwak, zielig vonkje. Toen Nell terug wilde springen, hield Mia haar tegen.

Nog een vonk, dit keer sterker.

Ripley zag Mia naar achteren stappen en haar kleine zus in haar eentje op twee wielen wiebelend verdergaan. Hoewel ze zich om die zwakheid verachtte, moest Ripley een puur sentimenteel traantje wegpinken. En voelde ze iets van trots toen Nells vuur glinsterend tot leven kwam.

Voor het eerst sinds ze ermee was begonnen voelde Nell haar eigen hartslag en het rijzen en dalen van haar eigen borstkas. De macht pompte glanzend als zilver door haar bloed.

'Het is beter dan je maagdelijkheid verliezen. Het is prachtig, en stralend,' fluisterde ze. 'Voor mij zal nooit meer iets hetzelfde zijn.'

Ze draaide zich vol blijdschap om. Maar Mia keek niet meer naar haar maar naar Ripley.

'We moeten met ons drieën zijn.'

Ripley weigerde woest de tranen te laten stromen. 'Mij krijg je er als derde niet bij.'

Mia had de glinstering in haar gezien en begrepen. Ze begreep Ripley ook uitstekend. 'Goed dan.' Tegen Nell zei ze: 'Vermoedelijk kan ze het niet meer.'

'Jij hoeft me niet te vertellen wat ik wel en niet kan,' liet Ripley zich horen.

'Het zal heel moeilijk voor haar zijn om dat te ontdekken, vooral nadat ze heeft gezien hoe goed jij het in zo korte tijd hebt kunnen doen.'

'En hou op met praten alsof ik er niet bij ben. Dat haat ik.'

'Waarom ben je eigenlijk hier?' vroeg Mia geërgerd. 'Nell en ik kunnen samen de derde maken.' Dat was toch al haar bedoeling geweest, maar dat was voordat ze Ripley voor haar deur had zien staan. 'We hebben jou en jouw zielige, vastgeroeste pogingen absoluut niet nodig. Ze was trouwens toch nooit zo goed als ik,' zei ze tegen Nell. 'Ze werd altijd woest om het feit dat alles wat mij zo gemakkelijk afging, haar zoveel moeite kostte.'

'Ik was altijd net zo goed als jij.'

'Niet echt.'

'Beter zelfs.'

Ach, dacht Mia, Ripley kon nooit een uitdaging uit de weg gaan. 'Bewijs het dan maar.'

Verzwakt door haar gevoelens, aangespoord door haar verlangen, en nijdig om de uitdaging stapte Ripley in de kring.

Nee, dacht Nell. Ze kwam vol bránie de kring in.

Ze stak niet net als Mia haar armen uit, maar leek ze opzij te gooien en het vuur dat uit haar vingertoppen barstte op de grond te smijten.

Ze had het nog niet gedaan of ze siste als een slang. 'Dat deed je met opzet.'

'Misschien wel, maar jij ook. En kijk nou, de hemel is niet eens naar beneden gekomen. Jij hebt er zelf voor gekozen, Ripley. Ik had je er niet toe kunnen bewegen als je het niet zelf had gewild.'

'Dat verandert er niets aan. Het was maar voor één keer.'

'Als jij het zegt… maar nu je hier toch bent, kun je net zo goed een glas wijn nemen.' Mia keek naar de drie vlammen terwijl ze de fles pakte. Die van Ripley was groter dan die van haar, een gevolg van haar humeur. Maar, dacht Mia tevreden, hij was lang niet zo sierlijk.

En terwijl ze de wijn inschonk voelde ze een vuur binnen in zich branden. Dat was de hoop.

❧ ❧ ❧

Ze dronken nog een glas voordat ze naar Mia's huis terugkeerden.

Ripley was rusteloos geworden en liep van raam naar raam terwijl ze met het kleingeld in haar zak speelde. Mia negeerde haar. Zo lang als ze haar kende was Ripley nooit een rustig persoon geweest. Maar Mia wist dat er bij haar vanbinnen op dit moment een heftige strijd werd gestreden.

'Heb je al besloten hoe je de situatie met Zack gaat aanpakken?'

Nell keek naar haar op. Ze zat op de vloer, gebiologeerd door de vlammen. 'Nee. Deels hoop ik dat Evan van me zal gaan scheiden en het me uit handen zal nemen. Maar voor de rest weet ik dat dat niet de kern van het probleem is.'

'Als je niet tegen bullebakken in opstand komt, lopen ze je geheid onder de voet.'

Nell bewonderde Ripley. Ze was sterk, gespierd en op haar qui-vive, dacht ze. 'Dat te weten en ernaar te handelen zijn twee heel verschillende dingen. Evan zou nooit iets van iemand als jij kunnen afnemen.'

Ripley trok een schouder op. 'Pak het dan terug.'

'Zodra ze zover is zal ze dat zeker doen,' wierp Mia tegen. 'Jij zou moeten weten dat het onmogelijk is een ander jouw geloof, ideeën en maatstaven op te dringen. Of de angst van iemand weg te nemen.'

'Ze is boos op me omdat ik Zack pijn heb gedaan. Dat kan ik haar niet kwalijk nemen.'

'Hij is een grote jongen,' zei Ripley schouderophalend en ging toen op de armleuning van de bank zitten. 'Wat ben je met hem – met Zack – in de tussentijd van plan?'

'Van plan?'

'Ja, van plan. Laat je hem gewoon verder broeden? Want dat gebeurt nadat hij de nijdige fase achter de rug heeft, en ik kan je verzekeren dat je dan helemaal niet bij hem in de buurt moet komen. Ik dacht dat we zo onderhand vriendinnen waren geworden. Doe je vriendin dan een plezier en haal hem uit die stemming voordat ik hem in zijn slaap moet wurgen.'

'We hebben met elkaar gepraat.'

'Ik heb het niet over praten. Ik heb het over doen. Is ze echt zo'n onschuldig wicht?' vroeg Ripley aan Mia.

'Kennelijk. Ripley stelt je op haar fijngevoelige manier voor Zack weer in bed te lokken om met wat heftige oerseks al je problemen uit te wissen. Zo lost zij alle lastige problemen op.'

'Klets jij maar raak. Mia heeft de seks afgeschaft, en dat verklaart waarom ze zo'n zuurpruim is.'

'Ik heb het niet afgeschaft, ik ben alleen wat kieskeuriger dan een loopse kat.'

'Het gaat niet om seks,' zei Nell snel en vastberaden. Dat was de enige manier die ze kon bedenken om een einde aan de woordenwisseling te maken.

Ripley zei snuivend: 'Ja, dat zal wel.'

Mia zuchtte. 'Het doet me meer pijn dan ik kan zeggen maar ik moet Ripley gelijk geven. Gedeeltelijk tenminste. Jouw relatie met Zack is niet op seks gebaseerd, wat bij Ripleys relaties wel altijd het geval is. Maar het is er een bijzonder belangrijk onderdeel van. Je brengt er je gevoelens mee tot uitdrukking, een uiting van jullie intimiteit.'

'Je kunt het nog zo mooi omkleden, maar het is en blijft seks,' zei Ripley met haar glas gebarend. 'Zack mag dan nog zo edelmoedig zijn, hij is en blijft een vent. Bij jou in de buurt zijn en niet kunnen neuken…'

'Ripley, alsjeblieft zeg.'

'Het feit dat hij niet de liefde met je mag bedrijven,' zei ze na Mia's reprimande op een quasi-preuts toontje, 'maakt hem nerveus. En hij moet in topvorm zijn als hij met jouw hufter uit L.A. te maken krijgt.'

'Hij heeft me op dat gebied heel zorgvuldig op afstand gehouden.'

'Zorg dan dat je die afstand overbrugt,' zei Ripley eenvoudig. 'We gaan het volgende doen. Jij zet me bij jou thuis af. Dan slaap ik daar vannacht. Jij gaat naar het huis en regelt daar de zaken. Je hebt lang genoeg met hem opgetrokken om te weten op welke knopjes je moet drukken.'

'Dat is gluiperig, achterbaks en misleidend.'

Ripley keek Nell met een schuin hoofd aan. 'Ja en?'

Nell moest lachen, of ze wilde of niet. 'Misschien ga ik wel naar hem toe. Om te práten,' voegde ze eraan toe.

'Je noemt het maar zoals je wilt.' Ripley dronk haar glas leeg. 'Je moest deze glazen en spullen maar naar de keuken brengen en je eigen spullen pakken.'

'Tuurlijk.' Ze stond op en verzamelde de glazen. 'Ik ben zo terug.'

'Neem er maar de tijd voor.'

Mia wachtte tot Nell de kamer uit was. 'Ze blijft niet lang weg, dus zeg snel wat je niet in haar aanwezigheid wilde zeggen.'

'Wat ik vanavond deed verandert nergens iets aan.'

'Dat had je niet hoeven te zeggen.'

'Hou je mond.' Ze begon weer te ijsberen. Ze had zichzelf opengesteld, heel even, maar dat was genoeg geweest. Ze had die zwaarte in de lucht gevoeld, de druk. 'Oké, er is narigheid op komst. Ik zal niet doen alsof ik het niet heb gevoeld, en ik zal ook niet doen alsof ik niet heb geprobeerd een manier te vinden om dat aan te pakken. Misschien zou het me wel lukken, maar ik durf niet voor Zack in te staan. Ik doe mee, Mia.' Ze draaide weer om. 'Maar alleen voor deze ene keer.'

Mia wreef het haar niet in. Dat kwam niet eens in haar op. 'Op de avond van Samhain zullen we de seinvuren laten branden. We treffen elkaar om tien uur op de sabbat. Zack draagt Nells talisman al, maar als ik jou was zou ik jullie huis ook beschermen. Weet je nog hoe?'

'Ik weet wat me te doen staat,' snauwde Ripley. 'Wanneer dit achter de rug is, wordt alles weer als vanouds. Dit is…'

'Ja, ik weet het,' antwoordde Mia scherp. 'Eenmalig.'

eə eə eə

Zack had geen zin meer in de administratie, en ook niet in zijn telescoop, en hij had eigenlijk ook het idee opgegeven dat hij zichzelf in slaap zou kunnen dwingen. Hij probeerde zich nu met het lezen van een van Ripleys wapentijdschriften zo te vervelen dat hij daardoor in slaap zou vallen.

Lucy lag languit naast het bed, diep in slaap. Hij benijdde haar. Af en toe trok ze met haar poten omdat ze in haar droom achter zeemeeuwen aan zat of in het inhammetje zwom. Maar ineens hief ze abrupt haar kop en liet een paar zachte blafjes horen, vlak voordat Zack de voordeur hoorde opengaan.

'Koest, meid. Het is Ripley maar.'

Bij die naam kwam Lucy overeind en krabbelde naar de deur waar ze met haar hele lijf stond te kwispelen.

'Vergeet het maar. Het is veel te laat voor een spelletje.'

Bij het klopje op de deur begon Lucy vrolijk te blaffen en Zack te vloeken. 'Ja?'

Lucy begon van vreugde rondjes te draaien toen de deur openging en sprong vervolgens enthousiast tegen Nell op.

Zack schoot overeind. 'Lucy, af! Sorry. Ik dacht dat het Rip was.' Hij wilde de dekens al afgooien maar herinnerde zich toen dat hij spiernaakt was. 'Is er iets?'

'Nee. Niets.' Ze bukte zich om Lucy aan te halen, vroeg zich af wie van hen beiden meer in verlegenheid was gebracht, en besloot toen dat het een gelijkspel was. 'Ik wilde je zien. Met je praten.'

Hij keek snel op de klok en zag dat het tegen middernacht liep. 'Ga maar naar beneden, dan kom ik zo.'

'Nee.' Ze zou niet toestaan dat hij haar als een gast behandelde. 'Dit is prima.' Ze kwam naar hem toe en ging op de rand van het bed zitten. Hij droeg nog steeds het medaillon, wat toch wel iets betekende. 'Ik heb vannacht vuur gemaakt.'

Hij bekeek haar aandachtig. 'Oké.'

'Nee.' Ze lachte even en krabde Lucy op haar kop. 'Ik heb het gemaakt. Niet met hout en een lucifer. Met magie.'

'O.' Hij voelde even iets in zijn borst kriebelen. 'En wat moet ik nu zeggen? Gefeliciteerd? Wauw?'

'Het maakte dat ik me sterk voelde, en opgewonden. En… compleet. Dat wilde ik je vertellen. Het gaf me hetzelfde gevoel als wanneer ik bij jou ben. Wanneer je me aanraakt. Je wilt me nu niet aanraken omdat ik officieel aan iemand anders ben gebonden.'

'Dat verandert niets aan het verlangen, Nell.'

Ze knikte en liet de opluchting op zich afkomen. 'Je wilt me niet aanraken omdat ik officieel nog aan iemand anders ben gebonden. Maar feitelijk, Zack, ben jij de enige met wie ik een band heb. Toen ik wegliep, zei ik tegen mezelf dat ik me nooit meer aan een man zou binden. Dat ik dat risico nooit meer zou nemen. En toen kwam jij. Ik bezit magie.' Ze hief een hand op en drukte die gebald tegen haar hart. 'En dat is verbazingwekkend en opwindend en fijn. Maar toch is het niets… helemaal niets, Zack… vergeleken met wat ik voor jou in me voel.'

Elke verdediging, elke verstandige beredenering die hij had kunnen bedenken, verdween als sneeuw voor de zon. 'Nell.'

'Ik mis je. Ik mis het bij je te zijn. Ik ga je niet vragen de liefde met me te bedrijven. Dat wilde ik wel. Ik wilde proberen je te verleiden.'

Hij liet zijn vingers door haar haar glijden. 'Waarom ben je van gedachten veranderd?'

'Ik wil nooit meer tegen je liegen, zelfs niet als het om een onschuldig leugentje gaat. En ik wil jouw gevoelens niet tegen elkaar uitspelen. Ik wil gewoon bij je zijn, Zack, gewoon bij je zijn. Stuur me niet weg.'

Hij trok haar omlaag tot haar hoofd tegen zijn schouder lag genesteld, en hij voelde haar lange tevreden zucht als een echo van de zijne.

19

*H*et viel voor een belangrijke, succesvolle man niet mee om er een paar dagen tussenuit te gaan. Het was ingewikkeld en vervelend om allerlei afspraken af te zeggen en vergaderingen om te zetten, cliënten op de hoogte te brengen en zijn personeel in staat van paraatheid te brengen.

Er was een hele wereld vol mensen die afhankelijk van hem waren.

Nog vervelender was dat hij zelf zijn reis moest regelen in plaats van het door een van zijn secretaresses te laten doen.

Maar hij had er zorgvuldig over nagedacht en besloten dat het niet anders kon. Niemand mocht weten waar hij was of wat hij deed. Zijn personeel niet, zijn cliënten niet, en zeker de pers niet. Natuurlijk konden ze hem in geval van een crisis altijd op zijn gsm bereiken. Maar verder zou hij onbereikbaar blijven tot hij had gedaan wat hij van plan was.

Hij moest het weten.

Hij had niet uit zijn hoofd kunnen zetten wat zijn zuster hem zo terloops had meegedeeld.

Helens dubbelganger. Helens geest.

Helen.

Hij werd 's nachts badend in het koude zweet wakker door beelden van Helen, zíjn Helen, die langs een schilderachtig strand wandelde. Levend en wel. Hem uitlachend. Zich aan elke man gevend die maar met zijn vinger wenkte.

Dat was niet te verdragen.

Het vreselijke verdriet dat hij bij haar dood had gevoeld, veranderde langzaam en onverbiddelijk in een kille, moordlustige woede.

Had ze hem bedrogen? Had ze op de een of andere manier haar eigen dood weten te fingeren?

Hij had nooit gedacht dat ze slim genoeg en zeker niet dapper genoeg zou zijn om te proberen bij hem weg te lopen, laat staan dat ze daarin zou kunnen slagen. Ze wist maar al te goed welke consequenties dat zou hebben. Hij had haar dat heel goed aan haar verstand gebracht.

Tot de dood ons scheidt.

Het was wel duidelijk dat ze het niet in haar eentje kon hebben gedaan. Ze had hulp gehad. Van een man, een minnaar. Een vrouw, vooral een vrouw als Helen, kon zo'n ingewikkeld plan nooit zelf hebben bedacht. Hoe vaak was ze het huis uit geslopen om met een viezerik te slapen die andermans vrouwen stal, om samen de details van haar bedrog uit te werken?

Lachend, neukend, en plannen beramend.

O, wat zou ze daar zwaar voor moeten boeten.

Hij kon zichzelf weer tot kalmte manen en doorgaan met zijn zaken en zijn leven zonder dat er vanbuiten ook maar iets van onrust te merken was. Hij kon zichzelf er bijna weer van overtuigen dat Pamela's beweringen op flauwekul berustten. Ze was uiteindelijk maar een vrouw. En vrouwen waren van nature geneigd tot onzinnig en dwaas gedrag.

Geesten bestonden niet. En er was maar één Helen Remington. De Helen die voor hem was voorbestemd.

Maar soms meende hij in dat grote, luxueuze huis in Beverly Hills geesten te horen fluisteren, of hij hoorde het heldere geluid van het honende gelach van zijn dode vrouw.

Wat als ze niet dood was?

Hij moest het weten. Hij moest voorzichtig zijn, en slim.

'U kunt de veerboot op.'

De ogen, bleek als water, knipperden. 'Pardon?'

De schipper van de veerpont hield op met zijn koffie koud te blazen en week voor die kille blik een stapje naar achteren. Later dacht hij dat het net was alsof hij in een lege zee had gekeken.

'U kunt de veerboot op,' zei hij nog eens. 'U gaat toch naar de Three Sisters, niet?'

'Ja.' De glimlach die zich over het knappe gezicht verspreidde was nog killer dan de ogen. 'Ja, inderdaad.'

ಏ ಏ ಏ

Volgens de legende had de heks die als Lucht bekendstond, het eiland verlaten om met een man mee te gaan die had beloofd haar lief te hebben en voor haar te zorgen. En toen hij die beloften had verbroken en haar leven tot een hel had gemaakt, had ze er niets tegen ondernomen. Ze had haar kinderen vol droefheid gebaard en hen in angst grootgebracht. Ze had gebogen en was gebroken.

En gestorven.

Als laatste daad had ze haar kinderen ter bescherming naar de Sisters teruggestuurd. Maar met al haar macht had ze niets ondernomen om zichzelf te beschermen of te redden.

En zo was de eerste schakel in een keten van vervloekingen gesmeed.

Nell moest weer aan het verhaal denken. Aan haar keuzes en fouten, en aan haar lotsbestemming. Ze hield dat beeld duidelijk voor zich toen ze door de straat liep naar wat nu haar thuis was geworden. En ze was vastbesloten dat zo te houden.

Toen ze binnenkwam, was Zack net bezig een knulletje dat ze niet kende flink de les te lezen. Automatisch wilde ze weer naar buiten gaan, maar Zack stak even zijn vinger op zonder ook maar een moment te haperen.

'Je gaat niet alleen rechtstreeks naar ms. Demeara om alle rotzooi van dat pompoenvlees op te ruimen en je verontschuldigingen aan te bieden dat je zo'n stomkop bent geweest, maar je moet ook nog een boete betalen voor het in bezit hebben van illegaal vuurwerk en het opzettelijk vernielen van andermans eigendom – vijfhonderd dollar.'

'Vijfhonderd dollar!' Het hoofd van de jongen, een jaar of dertien schatte Nell, dat hij had laten hangen, schoot met een ruk omhoog. 'Jeetje, sheriff Todd, ik heb helemaal geen vijfhonderd dollar. Mijn moeder zal me vermoorden.'

Zack trok alleen zijn wenkbrauwen op en bleef hem genadeloos aankijken. 'Zei ik dat ik was uitgepraat?'

'Nee, meneer,' mompelde de jongen en leek meteen weer op een geslagen hond, waardoor Nell hem dolgraag een klopje op zijn hoofd wilde geven.

'Je kunt die boete afbetalen door het schoonmaken van het politiebureau. Twee keer per week, drie dollar per uur.'

'Drie? Maar dat kost me…' Hij was slim genoeg om verder zijn mond te houden. 'Ja meneer. U was nog niet uitgepraat.'

Zijn mond wilde vertrekken maar Zack wist hem strak te houden. 'Ik heb bij mij thuis ook nog wel wat klusjes. Dat kan zaterdags.'

En oei, dat kwam hard aan, dacht Zack. Er was niks ergers dan klusjes op zaterdag te moeten doen waardoor je geen kant meer uit kon.

'Tegen hetzelfde uurloon. Je kunt daar deze zaterdag al beginnen, en maandag na school hier. Als ik hoor dat je nog meer narigheid veroorzaakt, zal je moeder in de rij moeten gaan staan om je levend te villen. Begrepen?'

'Ja oom Zack... eh, ik bedoel, ja meneer. Sheriff.'

'Verdwijn.'

En dat deed hij zo snel dat hij de lucht bijna in een slurf trok toen hij langs Nell naar buiten stormde.

'Oom Zack?'

'Achterneefje om precies te zijn. Het is een eretitel.'

'Wat heeft hij gedaan om tot slavenarbeid te worden veroordeeld?'

'Hij heeft een donderbus, een stuk vuurwerk, in de pompoen van zijn geschiedenislerares gestoken. Het was ook nog eens een verrekt grote pompoen. Alles zat onder de prut.'

'Het lijkt wel alsof je trots op hem bent.'

Hij trok een zo onschuldig mogelijk gezicht. 'Dat heb je mis. Die stomme knul had zijn vingers eraf kunnen blazen. Dat is mij ook bijna overkomen toen ik ongeveer net zo oud als hij was en de pompoen van mijn scheikundeleraar aan flarden blies. Dat heeft er trouwens niks mee te maken, vooral niet omdat we morgen met Halloween met allerlei kwajongensstreken te maken krijgen als ik nu geen voorbeeld stel.'

'Dat is je geloof ik wel gelukt.' Ze liep naar hem toe en ging zitten. 'Heb je nog tijd voor iets anders, sheriff?'

'Ik zou denk ik nog wel wat tijd kunnen vrijmaken.' Het verbaasde hem dat ze hem niet had gekust, en dat ze er zo kaarsrecht en stil en plechtig bij zat.

'Ik heb hulp nodig, en raad. Wat de wet betreft, denk ik. Ik heb een valse identiteit aangenomen, en ik heb valse informatie op officiële formulieren ingevuld, en ze getekend met een naam die niet de mijne is. Ik denk dat het feit dat ik mijn eigen dood in scène heb gezet, ook onwettig is. En er zal ook vast en zeker frauduleus zijn gehandeld ten aanzien van mijn levensverzekering. Er zullen wel polissen zijn geweest.'

Hij wendde zijn ogen niet van haar af. 'Ik denk dat een advocaat dat wel voor je zal kunnen afhandelen, en dat als alle feiten op tafel zijn gekomen, er geen aanklacht tegen je zal worden ingediend. Wat wil je me eigenlijk vertellen, Nell?'

'Ik wil met je trouwen. Ik wil een leven met jou opbouwen, en kinderen van je krijgen. Om dat te doen, zal ik er een eind aan moeten maken, dus dat wil ik doen. Ik moet weten wat ik allemaal moet regelen, en of ik naar de gevangenis zal moeten.'

'Jij gaat niet naar de gevangenis. Denk je nu echt dat ik dat zal toestaan?'

'Het hangt niet van jou af, Zack.'

'Niemand zal die valse papieren en zo onrechtmatig vinden. Feit is…' Hij had er heel diep over nagedacht. 'Feit is, Nell, dat als jouw verhaal eenmaal openbaar is geworden, de mensen je een heldin zullen vinden.'

'O nee, ik ben geen heldin.'

'Ken je de statistieken over echtgenoten die hun vrouw mishandelen?' Hij trok de onderste la open, haalde er een map uit en liet die op zijn bureau vallen. 'Ik heb wat gegevens verzameld die je misschien eens een keertje wilt bekijken.'

'Met mij was het anders.'

'Dat geldt voor iedereen. Het feit dat jij uit een goed nest kwam en dat je in een groot, luxueus huis hebt gewoond verandert er niets aan. Een heleboel mensen die denken dat het voor hen anders is of dat ze niets kunnen doen om iets aan hun situatie te veranderen, zullen zien en horen wat jij hebt gedaan. En sommigen zouden die ene stap kunnen zetten die ze anders nooit hadden durven doen, juist door jou. Dat maakt je tot een heldin.'

'Diane McCoy. Het zit je nog steeds dwars dat je haar niet kon helpen. Dat ze niet wilde dat je haar hielp.'

'Er zijn een heleboel Diane McCoys op deze wereld.'

Ze knikte. 'Goed. Maar zelfs als het publiek mijn kant kiest dan zit ik nog met allerlei wettelijke problemen.'

'Die pakken we een voor een aan. Wat de verzekering betreft, die zal het geld terugkrijgen. Als het moet betalen wij het. Wat er gedaan wordt, zullen we samen doen.'

Toen ze dat hoorde, werd er een last van haar schouders genomen. 'Ik weet niet waar ik moet beginnen.'

Hij stond op, liep om het bureau heen naar haar toe en ging op zijn hurken voor haar zitten. 'Ik wil dat je dit voor mij doet. Dat is egoïstisch, maar daar valt niets aan te doen. Maar ik wil ook dat je het voor jezelf doet. Dat je zeker van je zaak bent.'

'Ik wil Nell Todd worden. Ik wil de naam krijgen waar ik naar verlang.'

Ze zag de uitdrukking op zijn gezicht veranderen, de emoties in zijn blik verdiepen, en ze wist dat ze nog nooit ergens zo zeker van was geweest. 'Ik ben bang van hem, het is niet anders. Maar ik denk dat ik me eindelijk realiseer dat ik altijd bang zal blijven totdat ik er een eind aan heb gemaakt. Ik wil een leven met jou. Ik wil 's avonds op de veranda zitten en naar de sterren kijken. Ik wil die mooie ring die je voor mij hebt gekocht aan mijn vinger. Er zijn zoveel dingen die ik samen met jou wil doen, dingen die ik nooit dacht te krijgen. Ik ben bang, en ik wil niet langer bang zijn.'

'Ik ken een advocaat in Boston. We zullen beginnen met hem te bellen.'

'Goed.' Ze liet haar adem ontsnappen. 'Goed.'

'Eén ding kunnen we nu meteen rechtzetten.' Hij stond op, liep naar zijn bureau en trok een la open. Haar hart fladderde even verrukkelijk toen ze het doosje zag dat hij in de hand had. 'Ik heb dat overal mee naartoe gesleept en het hier of in mijn bureau thuis gelegd. Laten we hem de juiste plaats geven.'

Ze stond op en stak haar hand uit. 'Ja, laten we dat doen.'

ↄ ↄ ↄ

Haar maag leek op te spelen toen ze terugliep naar de boekwinkel. Dat kwam door een mengeling van zenuwen en een blij voorgevoel. En iedere keer dat ze naar de diepblauwe steen aan haar vinger keek, overwon het blije gevoel.

Ze liep naar binnen, zwaaide naar Lulu en ging bijna zwevend de trap op naar Mia's kantoor.

'Ik moet het je vertellen.'

Mia wendde zich af van het toetsenbord. 'Goed. Ik zou het voor je kunnen bederven door je te feliciteren en te zeggen dat ik weet dat jullie heel gelukkig zullen zijn, maar dat doe ik niet.'

'Je hebt mijn ring gezien.'

'Ik heb je gezicht gezien, kleine zus.' Ze wilde zelf weliswaar niets meer met de liefde te maken hebben, maar het verwarmde haar hart wanneer ze het te zien kreeg. 'Ik wil je ring natuurlijk wel zien.' Ze sprong op en pakte Nells hand. 'Een saffier.' Ze kon het zuchtje niet tegenhouden. 'Het is een liefdesgeschenk. Als ring heeft hij een helende werking, en hij kan ook worden gebruikt als bescherming tegen het kwaad. Maar verder is-ie schitterend!' Ze kuste Nell op beide wangen. 'Ik ben zo blij voor je.'

'We hebben met een advocaat gepraat, iemand die Zack uit Boston kent. Hij is nu mijn advocaat. Hij gaat me helpen met al die ingewikkelde dingen, en met de scheiding. Hij gaat een straatverbod voor Evan vragen.

Ik weet wel dat het niet meer dan een stukje papier is.'

'Het is een symbool. Daar gaat ook macht van uit.'

'Ja. Over een dag of twee zal hij alles op een rijtje hebben en dan neemt hij contact op met Evan. Dan zal hij het dus weten. Maar met of zonder straatverbod, hij zal hierheen komen, Mia. Dat weet ik zeker.'

'Je zou gelijk kunnen hebben.' Was dit wat ze al die tijd al had gevoeld, die toenemende druk?

De laatste bladeren waren dood, maar de eerste sneeuw moest nog vallen.

'Zorg dat je er klaar voor bent, en jij niet alleen. Nadat er contact met hem is opgenomen, zullen Zack en Ripley elke binnenkomende veerboot opvangen. Als je nog niet van plan bent meteen bij Zack in te trekken, moet je bij mij komen logeren. Morgen is het sabbat. Ripley heeft toegestemd mee te doen. Wanneer de kring is gesloten kan hij die niet verbreken. Dat kan ik je beloven.'

❧ ❧ ❧

Ze was van plan om het meteen aan Ripley te gaan vertellen, als ze haar tenminste kon vinden. Maar zodra Nell weer buitenkwam, werd ze door een golf van misselijkheid overvallen die dik en vettig door haar maag rolde. Ze wankelde even terwijl het zweet haar uitbrak. Er bleef haar niets anders over dan tegen de muur van het gebouw te leunen en te wachten tot het over was.

Toen het ergste voorbij was, wist ze haar ademhaling weer onder controle te krijgen. Het waren de zenuwen, stelde ze zichzelf gerust. Ineens gebeurde er van alles, en het ging allemaal zo snel. Er was geen terugkeer meer mogelijk. Er zouden vragen worden gesteld, de pers zou komen, er zou worden gestaard en van alles gemompeld, zelfs door de mensen die ze inmiddels had leren kennen.

Het was heel normaal om een beetje misselijk te worden.

Ze keek weer naar haar ring, naar de hoopgevende glinstering, en daarmee verdween het laatste beetje misselijkheid.

Ze zou Ripley later wel vinden, besloot ze. Nu ging ze allereerst een fles champagne kopen en de ingrediënten voor een echte yankee stoofschotel.

❧ ❧ ❧

Toen Nell uitgeput tegen de muur van de boekwinkel leunde, reed Evan

van de veerboot het eiland van de Three Sisters op. Hij liet zijn blik onge-interesseerd over de kaden glijden. En ongeïnteresseerd over het strand. Hij volgde de aanwijzingen die hij had gekregen, reed naar High Street en stopte voor de Magick Inn.

Een onbeduidend etablissement in een stadje dat volgens hem typisch iets voor dagjesmensen was. Hij stapte uit en keek de straat af op het moment dat Nell net de hoek omsloeg naar de supermarkt.

Hij liep naar binnen en schreef zich in.

Hij had een suite geboekt maar ontdekte niets charmants aan de bal-kenplafonds en het liefdevol onderhouden antiek. Hij vond dat soort op-gedirkte kamers walgelijk. Hij gaf de voorkeur aan een gestroomlijnde moderne inrichting. De kunst, als je dat tenminste zo kon noemen, be-stond uit wazige pastels en zeegezichten. In de minibar ontbrak zijn favo-riete merk mineraalwater.

En het uitzicht? Hij zag alleen maar strand en water, lawaaierige meeu-wen en zo te zien vissersboten van de plaatselijke bevolking.

Ontevreden liep hij naar de zitkamer. Van daaruit kon hij de bochtige kustlijn van het eiland zien en de scherp oprijzende rotsen met bovenop de vuurtoren. Hij kreeg het stenen huis ook in het oog en vroeg zich af wat voor idioot op zo'n afgelegen plek wilde wonen.

Hij kneep ineens zijn ogen toe. Er leek iets van licht door de bomen te vallen. Gezichtsbedrog, concludeerde hij, alweer verveeld.

Nou ja, godzijdank was hij hier niet om het landschap te bewonderen. Hij was gekomen om Helen te zoeken, of om zeker te weten dat wat er van haar restte, nog steeds op de bodem van de Grote Oceaan lag. Hij was ervan overtuigd dat hij op een eiland van deze afmetingen zijn taak in één dag kon volbrengen.

Hij pakte uit en hing zijn kleren angstvallig nauwgezet op zodat de kostuums exact twee centimeter van elkaar hingen. Hij legde zijn toilet-spullen klaar, ook zijn eigen zeep. Hij gebruikte nooit het aanbod van de hotels. Zelfs het idee vervulde hem al met afkeer.

Ten slotte zette hij een ingelijste foto van zijn vrouw op het bureau. Hij boog zich voorover en drukte op het glas een kus op de gewelfde mond.

'Als je hier bent, Helen, zal ik je vinden.'

Op weg naar buiten bestelde hij zijn diner. De enige maaltijd die hij in een hotel acceptabel vond, was het ontbijt.

Hij liep naar buiten en sloeg linksaf op het moment dat Nell met haar twee zakken boodschappen aan het eind van het blok rechtsaf sloeg, naar huis.

Nell wist zeker dat het de fijnste ochtend van haar hele leven was. De hemel leek van zilver, met vegen en wolkjes van roze en goud en dieprood. Haar gazon was bezaaid met bladeren die vrolijk onder haar voeten zouden knisperen. De bomen waren kaal en zagen er spookachtig uit. Perfect voor Halloween op het eiland.

Ze had een man die in haar bed sliep en op een heel tevredenstellende manier had laten merken dat hij een goeie stoofpot bijzonder op prijs stelde.

Muffins stonden in de oven, de wind huiverde, en ze was klaar om haar demonen onder ogen te zien.

Ze zou al snel uit haar kleine cottage vertrekken, en ze zou het missen. Maar het idee dat ze samen met Zack een gezin zou stichten maakte dat weer goed.

Ze zouden samen de kerst doorbrengen, dacht ze. Misschien was ze dan al getrouwd, als tenminste alle wettelijke haken en ogen voor die tijd uit elkaar konden worden gehaald.

Ze wilde buiten trouwen, in de openlucht. Het was onpraktisch, maar dat wilde ze nu eenmaal. Ze zou een lange jurk dragen, van fluweel. Blauw fluweel. En met een boeket witte bloemen in haar armen. De mensen die ze had leren kennen zouden er allemaal getuige van zijn.

Terwijl ze stond te dagdromen, miauwde de kat klaaglijk.

'Diego.' Ze bukte zich en streelde hem. Hij was niet langer een klein katje maar een slanke jonge kater. 'Ik ben helemaal vergeten je te voeren. Ik ben vandaag echt een warhoofd,' zei ze tegen hem. 'Ik ben verliefd en ik ga trouwen. Jij komt bij ons in ons huis bij de zee wonen, en je gaat vriendjes worden met Lucy.'

Ze pakte zijn vleesbrokjes en deed ze in zijn bakje terwijl hij opgewonden tussen haar benen door kronkelde.

'Een vrouw die tegen haar kat praat, mag je toch vreemd noemen.'

Nell sprong niet op, wat hen beiden genoegen deed. Ze stond langzaam op en liep naar Zack die in de deuropening stond. 'Hij zou mijn beste vriend kunnen zijn, maar ze hebben me verteld dat hij dat zal bepalen. Goedemorgen, sheriff Todd.'

'Goedemorgen, miss Channing. Kan ik een kop koffie en een muffin bij u bestellen?'

'Eerst betalen.'

Hij liep naar haar toe en tilde haar op voor een lange, diepe kus. 'Is dat genoeg?'

268

'O ja. Ik zal je even je wisselgeld geven.' Ze trok hem weer naar zich toe en verlustigde zich aan zijn smaak. 'Ik ben zo gelukkig.'

ↄ ↄ ↄ

Om precies half negen nam Evan plaats voor zijn ontbijt van koffie met suiker, versgeperst sinaasappelsap, een omelet van eiwit, en twee sneetjes toost van volkorenbrood.

Hij had al gebruikgemaakt van de fitnessruimte in het hotel, voor wat die waard was. Hij had alleen maar even naar het zwembad gekeken. Hij vond openbare zwembaden niet prettig, maar had overwogen er toch in te gaan totdat hij in de gaten had gekregen dat er al iemand in het water lag. Een lange, slanke brunette schoot door het water. Alsof ze een wedstrijd zwom, had hij nog gedacht.

Hij had niet meer dan een glimp van haar gezicht opgevangen toen het op het ritme van haar armslag in en uit het water kwam.

Omdat hij ervan afzag en wegliep had hij niet gezien dat ze ineens van slag was. En ook niet dat ze was gestopt alsof ze zich klaarmaakte voor de aanval. En evenmin dat ze haar zwembril omhoog had geduwd en was gaan watertrappen terwijl ze om zich heen keek alsof ze naar een vijand op zoek was.

Hij nam een douche in zijn kamer, en trok een lichtgrijze trui en een donkere broek aan. Hij keek op zijn horloge, al voorbereid om zich te ergeren aan het feit dat zijn maaltijd meer dan een minuut te laat werd gebracht.

Maar die kwam precies op tijd. Hij praatte niet met de kelner. Dat soort dwaze dingen deed hij nooit. De man werd betaald om eten op te dienen, niet om zich met de gasten te verbroederen.

Hij genoot van zijn ontbijt, verbaasd dat er niets op aan te merken viel, las ondertussen de ochtendkrant en luisterde naar het nieuws op de tv in de zitkamer.

Hij overwoog hoe hij het best te werk kon gaan. Door het dorp lopen zoals hij gisteren had gedaan, vandaag over het eiland rondrijden zoals hij van plan was, zou wel eens niet genoeg kunnen zijn. Toch kon hij niet gaan rondvragen, links en rechts informeren of ze iemand kenden die aan Helens beschrijving beantwoordde. Mensen beperkten zich nooit tot hun eigen zaken, en er zouden vragen opkomen. Speculaties. Aandacht.

Als Helen toevallig toch in leven bleek en hier woonde, nou, hoe minder aandacht hij dan trok hoe beter.

Als ze inderdaad nog leefde, wat zou ze dan doen? Ze kon niets. Hoe zou ze zonder hem in haar levensonderhoud kunnen voorzien? Tenzij ze natuurlijk haar lichaam had gebruikt om andere mannen in haar macht te krijgen. Vanbinnen was elke vrouw immers een hoer.

Hij moest even achteroverleunen en wachten tot de woedeaanval voorbij was. Het was moeilijk om logisch te blijven denken als hij zo boos was. Hoe terecht het ook was.

Hij zou haar vinden, stelde hij zich gerust. Als ze nog leefde, zou hij haar vinden. Dat wist hij gewoon. En dat bracht hem bij de vraag wat er moest gebeuren wanneer en als hij haar vond.

Er was geen twijfel aan dat ze gestraft moest worden. Omdat ze hem zo van streek had gemaakt, hem had bedrogen, had geprobeerd zich los te maken van de beloften die ze tegenover hem had afgelegd. Het ongemak, de verlegenheid waarin ze hem had gebracht, konden niet eens worden ingeschat.

Hij zou haar natuurlijk mee terugnemen naar Californië, maar niet meteen. Ze zouden ergens naartoe moeten waar het rustig was, waar ze op zichzelf waren, zodat hij haar aan haar beloften kon herinneren. Zodat hij haar eraan kon herinneren wie hier de baas was.

Ze zouden zeggen dat ze uit de auto was geworpen. Dat ze met haar hoofd ergens tegenaan was gekomen of zoiets. Ze was haar geheugen kwijtgeraakt en was gewoon bij de plek van het ongeluk weggelopen.

De pers zou ervan smullen, concludeerde Evan. Ze zouden het verhaal met huid en haar verslinden.

Ze zouden de details van het verhaal wel uitwerken wanneer ze eenmaal op die rustige, afgelegen plek waren aangekomen.

Als dat alles niet mogelijk bleek, als ze toch bleef proberen zich tegen hem te verzetten, of weg te lopen, of huilend naar de politie te lopen zoals ze al eerder had gedaan, zou hij haar moeten vermoorden.

Dat besluit had hij net zo koel genomen als hij had besloten wat hij voor zijn ontbijt wilde.

Naar zijn mening had ze een gemakkelijke keus. Leven – of doodgaan.

Toen er werd aangeklopt, vouwde Evan de krant nauwgezet op en liep naar de deur om open te doen.

'Goedemorgen, meneer,' zei het jonge meisje opgewekt. 'U had gevraagd of de huishoudelijke dienst tussen negen en tien kon komen.'

'Dat klopt.' Hij keek op zijn horloge en zag dat het half tien was. Hij had langer zitten nadenken dan hij van plan was geweest.

'Ik hoop dat u van uw verblijf hier geniet. Wilt u dat ik in de slaapkamer begin?'

270

'Ja.'

Hij ging zitten, dronk een laatste kopje koffie en keek naar een verslag over een nieuwe brandhaard in Oost-Europa, wat hem niet in het minst interesseerde. Het was nog te vroeg om naar het vasteland te bellen om te horen of ze hem ergens voor nodig hadden. Maar hij kon wel New York bellen. Hij was daar aan het onderhandelen en het zou geen kwaad kunnen om het warm te houden.

Hij liep de slaapkamer in om zijn memo te halen en zag dat het kamermeisje met de armen vol schoon linnengoed naar de ingelijste foto van Helen stond te staren.

'Is er iets?'

'Wat?' Ze kreeg een kleur. 'Nee, meneer. Neemt u me niet kwalijk.'

Ze ging snel het bed opmaken.

'Je keek heel indringend naar deze foto. Waarom?'

'Ze is mooi.' Zijn stem maakte dat de rillingen haar over de rug liepen. Ze wilde de suite schoonmaken en zich uit de voeten maken.

'Ja, dat is ze inderdaad. Mijn vrouw Helen. Zoals je naar die foto keek, dacht ik dat je haar misschien al eens had gezien.'

'O nee, meneer, vast niet. Ze deed me alleen aan iemand denken.'

Hij moest heel bewust voorkomen dat hij zou gaan tandenknarsen. 'O ja?'

'Ze lijkt echt heel veel op Nell – alleen heeft Nell niet zulk mooi haar, en ze ziet er ook niet zo… Hoe moet ik dat zeggen? Zo verzorgd uit, dat is het denk ik wel.'

'Echt waar?' Zijn bloed begon te koken maar hij zorgde ervoor dat zijn stem mild en bijna vriendelijk klonk. 'Dat is interessant. Mijn vrouw zou het boeiend vinden om te weten dat er een vrouw is die zoveel op haar lijkt.'

Nell. Helens moeder had haar Nell genoemd. Een eenvoudige, onelegante naam. Hij had er altijd een hekel aan gehad.

'Woont die Nell hier op het eiland?'

'O ja. Ze heeft hier vanaf het begin van de zomer gewoond, in de gele cottage. Ze werkt in het café in de boekwinkel – en ze heeft een cateringbedrijfje. Ze kookt verrukkelijk. U zou eens naar het café moeten gaan om daar te lunchen. Ze hebben er soep en broodjes en de sandwich van de dag. Die zijn echt geweldig.'

'Misschien doe ik dat wel,' zei hij heel zacht.

❧ ❧ ❧

271

Nell kwam via de achterdeur van Café Boek naar binnen, riep een vrolijke groet naar Lulu en ging toen naar boven.

Daar aangekomen ging ze als de bliksem aan het werk.

Nog geen twee minuten later riep ze naar beneden op een toon alsof ze zich ergens voor moest verontschuldigen. 'Mia, kun je alsjeblieft even boven komen?'

'Die zou zo onderhand toch zelf de spullen moeten kunnen klaarzetten,' mompelde Lulu, maar ze kreeg als beloning een striemende blik van haar baas toegeworpen.

'En jij had onderhand in staat moeten zijn om haar met rust te laten,' wierp ze haar voor de voeten, waarna ze naar boven liep.

Nell stond bij een van de tafeltjes waar een mooie geglazuurde taart onder de aangestoken kaarsjes stond te glinsteren. En verder stond er een ingepakt doosje en drie champagneglazen, gevuld met een schuimende champagnecocktail.

'Welgefeliciteerd met je verjaardag!'

Het lieve gebaar overviel haar compleet, wat niet vaak voorkwam. Een brede lach verspreidde zich over haar gezicht – ze was verrukt. 'Dank je. Taart?' Ze trok een wenkbrauw op en pakte een glas. 'Champagnecocktail, en ook nog cadeautjes. Dat maakt het bijna de moeite waard om dertig te worden.'

'Dertig.' Lulu, die achter haar aan was gekomen, snoof luidruchtig. 'En nog steeds een baby. Wanneer je vijftig wordt praten we wel verder.' Ze hield haar zelf ook een ingepakte doos voor, een wat grotere. 'Welgefeliciteerd.'

'Dank je. Wat komt eerst?'

'Eerst moet je een wens doen en de kaarsjes uitblazen,' beval Nell.

Het was lang geleden dat ze zoiets simpels had gedaan als een wens doen, maar nu deed ze dat wel terwijl ze haar adem over de kaarsjes blies.

'Jij moet de eerste punt snijden.' Nell gaf haar een taartmes.

'Goed. Maar dan wil ik mijn cadeautjes.' Mia sneed een punt uit, pakte de grote doos en scheurde het papier eraf.

De omslagdoek was zo zacht als water en had de kleur van de nachtelijke hemel, en erop verspreid stonden de symbolen van de dierenriem. 'O Lu, hij is fantastisch!'

'Die zal je warm houden.'

'Hij is echt mooi.' Nell liet haar handen over de omslagdoek gaan. 'Ik heb geprobeerd me er een voorstelling van te maken toen Lulu hem beschreef, maar hij is nog veel mooier.'

'Dank je.' Mia wreef haar wang tegen die van Lulu voordat ze haar een kus gaf.

Hoewel Lulu's wangen rood werden van plezier wuifde ze Mia toch weg. 'Schiet op, maak Nells cadeautje open want zo meteen ontploft ze nog.'

'Ze deden me aan jou denken,' zei Nell toen Mia de omslagdoek weglegde om het doosje uit te pakken. Er lagen oorhangers in, zilveren sterretjes en kleine bolletjes maansteen.

'Ze zijn prachtig.' Mia hief ze naar het licht voordat ze Nell kuste. 'En perfect, zeker vandaag,' voegde ze eraan toe terwijl ze haar armen uitstak.

Ze was vandaag weer in het zwart, maar de gladde jurk was bezaaid met zilveren sterren en manen. 'Hij past precies bij Halloween en ik kon hem gewoon niet weerstaan. En dan deze erbij…' Ze deed snel de oorbellen uit die ze die ochtend had ingedaan en deed die van Nell ervoor in de plaats. 'Dat maakt het af.'

'Mooi zo.' Lulu hief haar glas. 'Op je dertigste.'

'O Lulu, bederf het nu niet.' Maar Mia lachte toen ze klonken. 'Ik wil taart.' Ze pakte het zilveren horloge dat aan een van haar kettingen hing. 'Vandaag gaan we een paar minuutjes later open.'

℘ ℘ ℘

Het was niet zo moeilijk de gele cottage te vinden. Evan reed erlangs, remde af en bestudeerde het huisje tussen de bomen. Niet veel beter dan een schuur, vond hij, en zo beledigend dat hij er bijna in stikte.

Ze wou dus liever in dat krot wonen dan in de mooie huizen die hij haar had geboden.

Hij moest de aandrang bevechten om meteen naar het café te gaan en haar naar buiten te sleuren. Maar hij wist zich nog net te herinneren dat een scène in het openbaar niet de juiste manier was om een bedriegende echtgenote aan te pakken.

Voor dat soort dingen was privacy nodig.

Hij reed terug naar het dorp, parkeerde de auto en ging toen te voet terug. Zijn bloed was al aan het koken. Na het huis zorgvuldig te hebben bekeken werd het hem duidelijk dat geen van de buurhuizen zo dichtbij stond dat het hem zorgen moest baren. Maar toch verschool hij zich eerst tussen de bomen. Vanuit de schaduwen hield hij het huis in het oog.

Toen hij niets zag bewegen of verroeren liep hij naar de achterdeur.

Hij botste op een golf van… van iets krachtigs, iets onaangenaams.

Het leek hem terug te duwen, alsof het de deur voor hem wilde afgrendelen. Heel even voelde hij iets van angst over zijn huid kruipen en hij deed zelfs een paar stappen naar achteren, van de stoep af.

Hij werd zo kwaad dat het de angst verjoeg. En terwijl de sterretjes van de windmobile dat aan een dakspant hing, in een plotsklapse windvlaag als een gek begonnen te klingelen, duwde hij een muur van onwrikbare lucht – want zo leek het – opzij en greep naar de deurknop.

Ze deed niet eens de deur op slot, dacht hij vol afkeer terwijl hij zichzelf binnenliet. Kijk nou toch hoe slordig ze was, hoe dwaas!

Hij zag de kat en begon bijna te vloeken. Hij walgde van dieren. Smerige beesten. Ze stonden een hele tijd naar elkaar te staren en toen schoot Diego weg.

Evan liet zijn blik door de keuken gaan en wandelde vervolgens door de rest van de cottage. Hij wilde zien hoe zijn dode vrouw het afgelopen jaar had geleefd.

Hij kon nauwelijks wachten tot hij haar weer zou zien.

20

*D*ie middag ging ze wel vijf keer op weg naar huis, maar het was zo gezellig in het dorp. De meeste winkeliers hadden zich ter ere van deze dag in fraaie kostuums uitgedost. Spoken stonden te verkopen en feeën zaten achter de kassa.

Ze had laat met Ripley geluncht, en een onverwachte bespreking met Dorcas gehad over de catering van een feest dat ze met Kerstmis wilde geven.

En het leek wel dat er elke seconde iemand langskwam die bleef staan om haar met haar verloving te feliciteren.

Ze hoorde hier. Bij het dorp, bij Zack, en uiteindelijk bij zichzelf, dacht ze.

Ze ging bij het bureau langs om met Zack een afspraak te maken over het uitdelen van de zakjes snoep die ze al had klaarliggen voor de griezels en plaaggeesten die ze met het invallen van de duisternis aan haar deur verwachtte.

'Het kan zijn dat ik wat later kom. Ik moet een stel oudere kinderen in de gaten houden,' zei Zack tegen haar. 'Ik heb al een stelletje tieners in de kraag gegrepen die me ervan probeerden te overtuigen dat de twaalf rollen toiletpapier die ze kochten voor hun moeder was.'

'Toen jij klein was, hoe ben jij toen aan het toiletpapier gekomen om huizen in te verpakken?'

'Die jatte ik thuis uit de badkamer, net als iedereen met een beetje gezond verstand.'

Haar kuiltjes werden dieper. 'Nog exploderende pompoenen tegengekomen?'

'Nee, ik denk dat het verhaal de ronde heeft gedaan.' Hij hield zijn hoofd schuin. 'Je ziet er vandaag echt vrolijk uit.'

'Ik ben vandaag ook vrolijk.' Ze liep naar hem toe en sloeg haar armen om zijn hals.

Hij had net zijn armen om haar heen toen zijn telefoon ging. 'Hou dat idee vast,' zei hij haar en nam op.

'Politie. Ja, ms. Stubens. Wat!?' Hij liet zich niet tegen de punt van het bureau zakken maar ging rechtop staan. 'Is er iemand gewond? Mooi. Nee, blijf maar waar u bent, ik kom eraan. Nancy Stubens,' zei hij tegen Nell terwijl hij naar de kapstok liep om zijn jack te pakken. 'Die wilde haar zoon leren autorijden en hij reed pal op de geparkeerd staande Honda Civic van de Bigelows.'

'Hij heeft niets?'

'Nee. Ik zal de zaak voor hen regelen. Het kan wel even duren. Die Honda was gloednieuw.'

'Je weet waar je me kunt vinden.'

Ze liep samen met hem naar buiten en ze voelde zich helemaal gloeien toen hij zich bukte en haar kuste. Daarna liepen ze in tegenovergestelde richting weg.

Ze was nog maar een half blok verder toen Gladys Macey haar riep.

'Nell! Wacht even.' Gladys pufte een beetje omdat het haar moeite had gekost haar in te halen, en ze klopte even op haar hart. 'Laat me die ring eens zien waarover ik zoveel heb gehoord.'

Voordat Nell haar hand kon uitsteken had Gladys die al te pakken en ze bukte zich om hem goed te kunnen bekijken. 'Ik had kunnen weten dat die jongen van Todd de goeie keus zou maken.' Ze knikte even goedkeurend en richtte vervolgens haar blik op Nell. 'Je hebt een beste uitgekozen, en dan heb ik het niet over de ring.'

'Dat weet ik.'

'Ik heb hem zien opgroeien. Toen hij een beetje man was geworden, als je begrijpt wat ik bedoel, heb ik me vaak afgevraagd op wat voor soort vrouw hij zou vallen. Ik vind het fijn dat jij het bent. Ik ben je erg aardig gaan vinden.'

'Ms. Macey.' Nell omhelsde haar, helemaal ontdaan. 'Dank u wel.'

'Je zult goed voor hem zijn.' Ze klopte Nell even op de rug. 'En hij zal goed voor jou zijn. Ik weet dat je wat narigheid hebt gehad.' Ze knikte alleen maar toen Nell zich terugtrok. 'Er was iets in je ogen toen je hier kwam. Dat is nu weg.'

'Ik heb het allemaal achter me gelaten. Ik ben gelukkig.'

'Dat is te zien. Heb je al een datum uitgekozen?'

'Nee, nog niet.' Nell dacht aan advocaten, aan conflicten, en aan Evan. Dat zou ze allemaal regelen, zei ze tegen zichzelf. Alles. 'Zo gauw mogelijk.'

'Ik wil op jouw trouwerij een plaatsje op de eerste rij.'

'En die krijgt u. En alle champagne die u op onze dertigste trouwdag maar kunt drinken.'

'Daar hou ik je aan. Wel, ik moet verder. Het duurt niet lang meer dat al die monstertjes aan de deur komen, en ik wil niet dat ze mijn ramen inzepen. Zeg tegen die man van je dat hij een goede keus heeft gedaan.'

'Dat zal ik doen.' Die man van je, dacht Nell toen ze weer verder liep. Wat een zalige uitdrukking.

Ze versnelde haar pas. Ze zou moeten opschieten als ze voor het donker thuis wilde zijn.

Ze liep naar de voorkant van de cottage en keek een tikje verlegen om zich heen. Toen ze zeker wist dat ze alleen was in het afnemende licht, stak ze haar armen uit naar haar pompoenen, haalde diep adem en richtte haar volle aandacht erop.

Het kostte wat moeite, fiks wat inspanning, en een lucifer zou beslist sneller hebben gewerkt. Maar het zou haar nooit dezelfde voldoening hebben gegeven toen ze de kaarsen vlam zag vatten en de pompoenen verlichtten met het vuur dat in haar geest zat.

Tjonge! Ze stootte even een lachje uit. Tjongejonge, was dat even cool!

Het ging niet alleen om de magie, kwam ze tot de slotsom. Het ging om het weten wie en wat ze was. Het ging om het feit dat ze haar kracht, haar doel en haar hart had gevonden. Dat ze zelf de teugels weer in handen had genomen en dat ze die nu met een man kon delen die in haar geloofde.

Wat er morgen ook zou gebeuren, of over een jaar, ze was en bleef Nell, voor eeuwig.

Ze liep dansend de stoep op en door de voordeur naar binnen.

'Diego! Ik ben thuis. Je gelooft nooit wat voor dag ik heb gehad. Het was echt de beste dag van mijn leven.'

Ze walste de keuken in en knipte het licht aan. Ze zette water op om thee te zetten en begon toen de grote rieten mand met zakjes snoep te vullen.

'Ik hoop dat er een heleboel kinderen komen. Het is jaren geleden dat ik snoepjes met Halloween heb uitgedeeld. Ik kan gewoon niet wachten!' Ze deed een kast open. 'O verdorie! Ik heb mijn auto bij de boekwinkel laten staan. Waar zat ik met mijn gedachten!'

'Je was altijd al afwezig.'

De mok die ze wilde pakken gleed als water uit haar hand, kwam met een klap op het aanrecht en viel in scherven op de vloer. Haar oren zaten vol geruis toen ze zich omdraaide.

'Hallo Helen.' Evan liep langzaam naar haar toe. 'Fijn om je te zien.'

Ze kon zijn naam niet uitspreken, ze kon helemaal geen geluid uit haar keel krijgen. Ze bad dat het weer een visioen was, een hallucinatie. Maar hij stak zijn hand uit en die slanke vingers gleden over haar wang.

Ze verkilde tot op het bot.

'Ik heb je gemist. Dacht je heus dat ik niet zou komen?' Die vingers gleden nu om haar nek en bezorgden haar een vreselijke golf van misselijkheid. 'Dat ik je niet zou vinden? Heb ik je niet honderd keer verteld, Helen, dat niets ons ooit gescheiden zou houden?'

Ze deed alleen haar ogen dicht toen hij zich bukte en zijn mond over de hare liet glijden. 'Wat heb je met je haar gedaan?' Zijn handen grepen zich erin vast en gaven er een gemene ruk aan. 'Je weet hoeveel ik van je haar hou. Heb je het afgeknipt om mij een hak te zetten?'

Een traan gleed langs haar wang toen ze haar hoofd schudde. Zijn stem, zijn aanraking leek alles weg te nemen van wat ze was geworden en haar achter te laten zoals ze was geweest.

Ze voelde Nell in het niets wegzakken.

'Het doet me ongenoegen, Helen. Je hebt me enorm veel narigheid bezorgd. Enorm veel. Je hebt een jaar van ons leven gestolen.'

Zijn vingers verstrakten en knepen toen hij haar kin wreed omhoog rukte. 'Kijk me aan, stomme trut. Kijk me aan wanneer ik tegen je praat.'

Haar ogen gingen open maar alles wat ze kon zien waren zijn ogen, die doorzichtige, lege poelen.

'Je zult ervoor moeten boeten, dat weet je. Meer dan een jaar uitgewist! En al die tijd heb je in dit miserabele krot gewoond, me uitgelachen, als serveerster gewerkt, mensen bediend. Geprobeerd je eigen armzalige bedrijfje op te starten, keukenwerk. Mij vernederd.'

Zijn hand gleed van haar wang naar haar keel en kneep. 'Na een tijdje zal ik het je vergeven, Helen. Na een tijdje, want ik weet dat je traag van begrip bent, en niet al te slim. Heb je niets tegen me te zeggen, mijn lief? Heb je na die lange scheiding niets te zeggen?'

Haar lippen werden koud en het voelde alsof ze zouden barsten. 'Hoe heb je me gevonden?'

Hij glimlachte, wat haar een rilling bezorgde. 'Ik zei toch dat ik je altijd zou vinden, waar je ook naartoe ging, wat je ook zou doen?' Hij gaf haar een harde zet waardoor ze met haar rug tegen het aanrecht klapte. De pijn leek van ver weg te komen, als een soort herinnering.

'En weet je wat ik hier in je nestje vond, Helen? Helen mijn hoer? Mannenkleren. Met hoeveel mannen heb je geslapen, slet?'

De ketel begon te fluiten maar ze hoorden het geen van beiden.

'Heb je hier een stoere visser weten te vinden en hem toegestaan je hele lijf met zijn frummelende arbeidershanden te betasten? Alles wat mij toebehoort?'

Zack. Dat was haar eerste heldere gedachte. Helder genoeg om pure angst in haar natte ogen te laten komen.

'Er is geen visser,' zei ze en schreeuwde het bijna uit toen hij haar sloeg.

'Leugenaar. Je weet wat voor een hekel ik aan leugenaars heb.'

'Er is geen…' Bij de volgende klap begonnen de tranen te stromen. Maar die zorgden er ook voor dat ze weer tot zichzelf kwam. Ze was Nell Channing en ze zou vechten. 'Blijf bij me uit de buurt. Blijf uit mijn buurt.' Ze reikte naar het messenblok maar hij was haar te snel af. Dat was hij altijd al geweest.

'Wilde je dit soms?' Hij trok een lang kartelmes uit het blok en draaide het een paar centimeter van haar neus in het licht om. Ze zette zich schrap. Ze dacht: Hij zal me dus toch vermoorden.

Maar hij haalde uit en gaf haar met de rug van zijn hand zo'n gemene klap dat ze viel. Ze smakte tegen de tafel en sloeg met haar hoofd tegen de rand van het dikke tafelblad. Ze zag sterretjes, en toen niets meer.

Ze voelde niet eens dat ze de grond raakte.

๑ ๑ ๑

Mia trakteerde een jeugdige ruimtevaarder. Op Halloween was de boekwinkel een van de populairste plekjes. Er waren daar dansende geraamten, grijnzende pompoenen, vliegende spoken en natuurlijk een heksenkring. Haar gewone winkelmuziek was vervangen door gekrijs en gejammer en rinkelende kettingen.

Ze had de tijd van haar leven.

Ze schonk een kop punch uit een kookpot in voor een jonge zombie terwijl het droogijs eronder slierten rook omhoog deed dwarrelen.

Hij stond met grote ogen toe te kijken. 'Gaat u vanavond nog op uw bezem vliegen?'

'Natuurlijk.' Ze bukte zich. 'Anders zou ik toch een heks van niks zijn.'

'De heks die Dorothy achternazat, was een slechte heks.'

'Ze was een heel slechte heks,' was Mia het met hem eens. 'Ik ben toevallig een heel goede heks.'

'Ze was echt een lelijkerd, en ze had een groen gezicht. U bent mooi,' zei hij giechelend terwijl hij zijn punch opslurpte.

'Dank je zeer. Jij daarentegen bent heel griezelig.' Ze gaf hem een zakje snoep. 'Ik hoop dat je me niet zult plagen.'

'Nee hoor. Bedankt, mevrouw.' Hij liet het zakje in zijn grote tas vallen en rende terug naar zijn moeder.

Mia kwam langzaam overeind. De pijn sloeg snel en fel toe, als een speer van licht dwars door haar slaap. Ze zag een man met lichte ogen en licht haar, en een glimmend mes.

'Roep Zack,' schreeuwde ze tegen een geschrokken Lulu terwijl ze naar de deur vloog.

Ze vloog naar buiten, schoot om een stel verklede kinderen heen en knalde bijna tegen Ripley op.

'Ik weet het.' Ripleys hoofd weergalmde nog steeds. 'We moeten opschieten!'

ೞ ೞ ೞ

Ze kwam langzaam bij. Ze kon niet goed zien en ze had een knallende hoofdpijn. Het was doodstil. Ze rolde zich om, kreunde, en wist op handen en voeten te komen. Ze werd zo misselijk dat ze zich weer tot een bal oprolde.

Het was inmiddels donker in de keuken, waarin alleen het licht van een enkele kaars midden op de tafel scheen.

Daar zat hij, op een van haar keukenstoelen. Ze kon zijn schoenen zien, de glans, de perfecte vouw in zijn broek, en ze wilde alleen maar huilen.

'Waarom dwing je me toch steeds weer dat ik je moet straffen, Helen? De enige reden die ik kan bedenken is dat je ervan geniet.' Hij gaf haar een zetje met zijn schoen. 'Is dat het?'

Ze begon weg te kruipen. Even, bad ze. Geef me even de tijd om op adem te komen, dan kan ik mijn kracht weer hervinden.

Hij zette gewoon zijn voet op haar rug.

'We gaan ergens naartoe waar we alleen kunnen zijn. Waar we over dit dwaze gedoe kunnen praten, en over al die ellende die je me hebt bezorgd.'

Hij fronste even. Hoe moest hij haar hier weg krijgen? Het was niet zijn bedoeling geweest haar blauwe plekken te bezorgen, niet op plaatsen waar die konden worden gezien. Ze had hem ertoe gedreven.

'We lopen naar mijn auto,' besloot hij. 'Daar blijf je op me wachten terwijl ik ga pakken en me laat uitschrijven.'

Ze schudde het hoofd. Ze wist dat het zinloos was, maar toch schudde ze het hoofd, en ze begon zachtjes te huilen toen ze Diego langs haar benen voelde strijken.

'Je zult precies doen wat ik je zeg.' Hij tikte met de punt van het mes op de tafel. 'Als je dat niet doet, laat je me geen keus. Iedereen gelooft toch al dat je dood bent, Helen. En we kunnen dat gemakkelijk waarmaken.'

Zijn hoofd kwam met een ruk overeind toen hij buiten geluid hoorde. 'Misschien komt je visser op bezoek,' fluisterde hij. Hij stond op en draaide het mes in zijn handen.

Zack deed de deur open, aarzelde even en vloekte toen de gsm aan zijn broekriem overging. Die aarzeling redde hem het leven.

Hij zag iets bewegen, een glimp van het mes dat omlaag kwam. Hij draaide zich om en wilde dwars over zijn lichaam zijn wapen trekken. Het mes sneed dwars door zijn schouder in plaats van zich in zijn hart te begraven.

Nell schreeuwde het uit en wist overeind te komen, maar haar hoofd begon te tollen waardoor ze op haar benen stond te wankelen. In de donkere keuken zag ze twee gestalten worstelen. Een wapen, dacht ze, en beet op haar lip om te voorkomen dat ze weer flauw zou vallen.

Die rotzak zou niet de kans krijgen iets wat van haar was, van haar af te pakken. Hij zou niet de kans krijgen iemand pijn te doen die zij liefhad.

Ze liep struikelend naar het messenblok maar dat stond er niet meer.

Ze draaide zich om en wilde op hem afspringen om hem met haar tanden en nagels te lijf te gaan. En zag Evan over Zacks lichaam gebogen, met een mes in zijn hand dat droop van het bloed.

'O mijn god, nee! Nee!'

'Is dat je dappere ridder, Helen? Is dit de man met wie je achter mijn rug om hebt liggen neuken? Hij is nog niet dood, maar ik heb het recht hem te doden omdat hij heeft geprobeerd mijn vrouw van me af te pakken.'

'Niet doen.' Ze haalde diep adem en blies die toen weer uit. Ze had de grootste moeite om kalm te worden, haar kracht terug te vinden. 'Ik zal met je meegaan. Ik zal alles doen wat je maar wilt.'

'Dat zul je sowieso,' zei Evan gebiedend.

'Hij doet er niet toe.' Ze begon voorzichtig om het aanrecht te lopen en zag Diego, ineengedoken en met opgetrokken lip. 'Hij is voor geen van ons beiden belangrijk. Het is jou toch om mij te doen? Je bent om mij hierheen gekomen.'

Hij zou achter haar aan gaan. Als ze de deur uit wist te komen, zou hij achter haar aan gaan en Zack met rust laten. Ze had al haar wilskracht nodig om zich niet op Zack te storten en hem af te schermen. Als ze dat deed, als ze zelfs maar naar hem keek, zou dat voor hen beiden het einde betekenen.

'Ik wist wel dat je dat zou doen,' ging ze door terwijl iedere spier in haar lichaam trilde toen ze zag dat Evan het mes liet zakken. 'Ik heb het altijd geweten.'

Evan deed een stap naar haar toe en als een tijger sprong de kat op zijn rug. Met zijn woest geschreeuw in de oren zette Nell het op een lopen.

Ze zwenkte af naar de straat, naar het dorp, maar toen ze achteromkeek zag ze hem al naar buiten komen. Ze zou het nooit halen.

Dus zouden ze het uiteindelijk toch samen moeten uitvechten. Ze richtte al haar vertrouwen op de goden en dook weg tussen de bomen.

ে৯ ে৯ ে৯

Zack hees zich op zijn knieën zodra Evan naar buiten vloog. De pijn knaagde als gloeiend hete tanden aan zijn schouder. Toen hij opstond, droop het bloed van zijn vingers.

Maar toen dacht hij aan Nell en vergat alle pijn.

Hij schoot de deur uit en zag nog net dat ze tussen de bomen verdween, en hij zag de man die haar achtervolgde.

'Zack!'

Hij wierp heel kort een doodsbange blik op zijn zuster en Mia. 'Hij zit achter haar aan. Hij heeft een mes, en ze heeft niet veel voorsprong.'

Met de grootste moeite zette Ripley haar zorgen opzij. Zijn overhemd was doordrenkt van het bloed. Ze knikte, en trok net als hij haar pistool. 'We zullen alles wat je in je hebt moeten gebruiken,' zei ze tegen Mia.

Ze stoof achter haar broer aan het bos in.

ে৯ ে৯ ে৯

Onder de verduisterde maan was de nacht blind. Ze rende als een wild dier, scheurde door de struiken en sprong over op de grond liggende takken. Als ze hem kwijt kon raken, als ze hem diep genoeg het bos in kon lokken en hem daar kwijt kon raken, kon ze in een bocht terug naar Zack gaan.

Ze bad bij iedere hartslag dat hij nog in leven was.

Ze hoorde Evan achter zich, dichtbij, veel te dichtbij. Haar adem kwam met horten en stoten, verscheurd door angst. De zijne klonk beheerst en regelmatig.

Ze werd door een duizeling overvallen waardoor ze op haar knieën wilde zakken. Ze verzette zich ertegen en kwam bijna ten val. Ze wilde nu niet verliezen.

En toen klapte zijn lichaam met een smak tegen het hare waardoor ze languit voorover viel.

Ze rolde zich om, schopte van zich af en kon maar aan een ding denken: van hem weg zien te komen. Maar ze bevroor toen hij haar hoofd met een ruk aan haar korte haar achterover trok en de punt van het mes op haar keel drukte.

Alle kracht vloeide uit haar weg en ze werd zo slap als een vaatdoek.

'Doe het maar meteen,' zei ze vermoeid. 'Maar er nu maar een eind aan.'

'Je bent van me weggelopen!' Er klonk minstens net zoveel verbazing als woede in zijn stem door. 'Je bent weggelopen!'

'En dat zal ik blijven doen, ik zal net zo lang blijven weglopen tot je me om het leven hebt gebracht. Ik ben nog liever dood dan met jou te moeten samenleven. Ik ben al eens doodgegaan, dus doe het nu maar. Je kunt me niet langer bang maken.'

Ze voelde het mes prikken. Toen hij het geluid van rennende voetstappen hoorde naderen, trok hij haar overeind.

Zelfs met het mes op haar keel was ze dolblij toen ze Zack zag.

Hij leefde nog. De donkere vlek op zijn overhemd glom in het zwakke licht van de sterren. Maar hij leefde, de rest deed er niet toe.

'Laat haar los.' Zack posteerde zich en ondersteunde de hand met het pistool met zijn zwakkere hand. 'Laat het mes vallen en ga bij haar weg.'

'Ik snij haar nog liever de keel af. Ze is van mij, en ik zal geen moment aarzelen.' Evans blik ging langs Zack naar Ripley en Mia die in een halve kring stonden.

'Als je haar wat aandoet, betekent het jouw dood. Je zult hier nooit meer levend vandaan komen.'

'Je hebt niet het recht om je met iets tussen man en vrouw te bemoeien.' Er klonk bijna iets redelijks, iets verstandigs in zijn krankzinnigheid door. 'Helen is mijn vrouw. Wettelijk en moreel, en voor alle eeuwigheid.' Met het mes duwde hij haar hoofd nog een paar centimeter naar achteren. 'Gooi jullie wapens neer en ga weg. Dit gaat alleen mij aan.'

'Ik kan hem niet goed onder schot krijgen,' zei Ripley heel zacht. 'Ik heb niet genoeg licht om goed te richten.'

'Zo moet het ook niet. Doe dat pistool weg, Ripley,' zei Mia met uitgestoken hand.

'Loop naar de hel.' Haar vinger jeukte om de trekker over te halen. Die rotzak, kon ze alleen maar denken toen ze Nells blootgestelde keel zag en het bloed van haar broer rook.

'Ripley,' zei Mia weer heel zacht onder het scherpe, afgebeten bevel van Zack om het mes te laten vallen en opzij te gaan.

'Verdomme, verdomme. O wee als je geen gelijk hebt.'

Zack hoorde hen niet. Voor hem hadden ze opgehouden te bestaan. Voor hem gold alleen Nell.

'Ik zal nog wat meer doen dan je doodschieten.' Zack hield het pistool strak op hem gericht en zijn stem klonk doodkalm. 'Als je haar ook maar een beetje verwondt, als je haar zelfs maar prikt, dan vermoord ik je stukje bij beetje. Ik zal dwars door je knieën schieten, en door je ballen, en door je buik. En dan zal ik me over je heen buigen en toekijken terwijl jij langzaam leegbloedt.'

De kleur die Evan van woede had gekregen, zakte weg. Toen hij Zacks ogen zag, geloofde hij hem op zijn woord. Hij geloofde in de pijn en de dood die hij erin zag, en hij werd bang. Zijn handen trilden op het heft van het mes, maar hij verroerde zich niet. 'Ze is van mij.'

Ripleys hand pakte die van Mia. Nell voelde de stoot energie die ze schiepen, en voelde de hete golven van liefde en doodsangst van Zack die bloedend voor haar stond.

En ze voelde als nooit tevoren de angst van de man die haar in zijn greep had.

Haar naam was Nell Channing, nu en voor altijd. En de man achter haar was minder dan niets.

Ze sloot haar hand om de hanger die Mia haar had gegeven. Die vibreerde. 'Ik ben van mezelf.' De kracht druppelde traag in haar terug. 'En van jou,' zei ze terwijl haar ogen die van Zack vasthielden. 'Hij kan me niet langer pijn doen.'

Ze hief haar andere hand en legde die licht op Evans pols. 'Laat me los, Evan, en ga dan. We zullen dit alles achter ons laten. Dit is jouw kans. Je laatste kans.'

Zijn adem klonk sissend in haar oor. 'Stomme trut! Denk je nu echt dat ik je ooit zal laten gaan?'

'Jouw keus.' Er lag medelijden in haar stem. 'Je laatste keus.'

De woorden in haar hoofd kwamen naar boven alsof ze alleen hadden gewacht tot zij ze zou loslaten.

Ze vroeg zich verbaasd af hoe ze ooit zo bang voor hem had kunnen zijn.

'Wat jij mij en de mijnen hebt aangedaan, keert drievoudig naar je terug. Vanaf deze avond zal ik voorgoed van jou zijn bevrijd. Zoals ik het wil, zo zal het gaan.'

Haar huid gloeide als zonlicht, haar pupillen waren zwart als de sterren. Het mes trilde, gleed fluisterend langs haar huid, week terug, en viel. Ze hoorde de verstikte kreet, het hoge gejammer dat zich niet meer tot een schreeuw kon verheffen toen Evan achter haar in elkaar zakte.

Ze schonk geen enkele aandacht aan hem.

'Niet schieten,' zei ze rustig tegen Zack. 'Je moet hem niet zomaar doodschieten. Dat zou niet goed voor je zijn.'

Omdat ze zag wat hij van plan was, liep ze naar Zack toen Evan begon te kreunen. 'Het zou niet goed voor ons zijn. Hij is niets meer.' Ze legde een hand op Zacks hart en voelde het woest kloppen. 'Hij is wat hij van zichzelf heeft gemaakt.'

Evan lag op de grond te kronkelen alsof er iets smerigs onder zijn huid rondkroop. Hij zag lijkwit.

Zack liet het wapen zakken en sloeg zijn goede arm om Nell. Hij hield haar even vast terwijl zij haar hand uitstak en die van Mia pakte en hen zo allemaal verbond.

'Blijf bij hen,' zei Zack tegen haar. 'Ik zal dit verder afhandelen. Ik zal hem niet doodschieten. Levend zal hij meer te lijden krijgen.'

Ripley zag haar broer naar de kronkelende man lopen en zijn hand-boeien te voorschijn halen. Hij moest dit zelf afmaken, dacht ze, en zij moest hem zijn gang laten gaan. 'Hij krijgt twee minuten om hem in de boeien te slaan en dat stuk ellende zijn rechten voor te lezen, en dan neem ik hem mee naar de kliniek. Ik weet niet hoe erg hij gewond is.'

'Ik breng hem wel.' Nell keek naar het bloed, Zacks bloed, op haar hand, krulde haar vingers eromheen, en voelde het leven erin pompen. 'Ik zal bij hem blijven.'

'Moed' – Mia stak haar hand uit en raakte de hanger aan – 'verbreekt de betovering. Liefde weeft een nieuwe.' Ze trok Nell in haar armen en knuffelde haar even heftig. 'Je hebt het goed gedaan, kleine zus.' Ze wendde zich tot Ripley. 'En jij hebt je bestemming gevonden.'

ᕬ ᕬ ᕬ

Heel vroeg op het feest van Allerheiligen, lang nadat de seinvuren waren gedoofd, en voor het aanbreken van de dageraad zat Nell in de keuken van de gele cottage terwijl haar hand losjes in die van Zack lag.

Ze had terug moeten gaan, daar zijn, alles wegruimen van wat er was gebeurd en wat had kunnen gebeuren. Ze had de negatieve krachten weggeveegd die nog waren blijven hangen, en had kaarsen en wierook aangestoken.

'Ik wilde maar dat je vannacht in de kliniek was gebleven.'

Ze draaide haar hand om onder die van Zack en kneep er even in. 'Ik zou hetzelfde van jou kunnen zeggen.'

'Ik heb maar een paar hechtingen, maar jij hebt een hersenschudding.'

'Een lichte,' hield ze hem voor, 'en drieëntwintig hechtingen noem ik niet een paar.'

Drieëntwintig hechtingen, dacht hij. Een lange, gemeen uitziende wond. De dokter had het een wonder genoemd dat er geen spieren of pezen waren doorgesneden.

Zack noemde het magie. Nells magie.

Ze stak haar hand uit, raakte het nieuwe witte verband aan en liet daarna haar vingers over het gouden medaillon glijden. 'Je hebt hem niet afgedaan.'

'Je hebt me gevraagd dat niet te doen. Het werd gloeiend heet,' zei hij, waarmee hij haar blik weer naar zich toe trok. 'Vlak voordat hij me raakte. In een flits zag ik het lemmet recht naar mijn hart gaan en toen ketste het af. Alsof het een schild raakte. Ik dacht dat ik het me verbeeldde. Maar dat was niet zo.'

'We waren sterker dan hij.' Nell bracht hun ineengevlochten handen naar haar wang. 'Ik was zo bang, vanaf dat ik zijn stem hoorde leek ik in angst te verdrinken. Het verdreef alles wat ik had opgebouwd, alles wat ik over mezelf had geleerd. Hij verlamde me, hij zoog mijn wilskracht weg. Dat was de macht die hij over me had. Maar het begon terug te komen, en toen hij jou had verwond stroomde het in volle glorie terug. Maar ik kon niet helder denken. Het zal wel te maken hebben gehad met het feit dat ik mijn hoofd had gestoten.'

'Je vluchtte weg om mij te redden.'

'En jij volgde me om mij te redden. We zijn een stelletje helden.'

Hij raakte zacht haar gezicht aan. Er zaten blauwe plekken op die hij op zijn eigen gezicht voelde kloppen. 'Hij zal je nooit meer iets doen. Straks, als de nieuwe dag is aangebroken, ga ik Ripley aflossen en contact opnemen met het bureau van de officier van justitie op het vasteland. Een paar aanklachten wegens poging tot moord zullen hem voorlopig achter slot en grendel houden, wat voor slimme advocaten hij ook mag hebben.'

'Ik ben niet langer bang voor hem. Hij zag er uiteindelijk zielig uit, opgevreten door zijn eigen wreedheid. En doodsbang. Hij wordt nu met zijn eigen krankzinnigheid geconfronteerd. Hij zal nooit meer in staat zijn die te verbergen.'

Hij zag nog steeds de kleurloze ogen van Evan Remington voor zich, groot en verwilderd in een lijkwit gezicht. 'Een gecapitonneerde kamer is ook een cel.'

Ze stond op en schonk nog eens thee in. Maar toen ze bij de tafel terugkwam, sloeg Zack een arm om haar heen en drukte zijn gezicht tegen haar lichaam.

'Het zal een tijdje duren tot ik niet langer het beeld voor ogen heb van jou met een mes op je keel.'

Ze streelde zijn haar. 'We hebben een heel leven voor ons om er andere beelden voor in de plaats te krijgen. Ik wil met je trouwen, sheriff Todd. Ik wil heel snel met dat nieuwe leven beginnen.'

Ze liet zich op zijn schoot glijden en legde zuchtend haar hoofd tegen zijn goede schouder. Door het raam kon ze de eerste kleurige strepen zien die de nieuwe dag aankondigden en de hemel in een lichtrode gloed zetten.

Ze legde haar hand op zijn hart en vergeleek zijn hartslag met die van haar. En ze wist dat daar de ware magie lag.